La Part des Anges

BRUNO
COMBES

La Part des Anges

ROMAN

Partagez vos impressions sur ma page Facebook :
www.facebook.com/BrunoCombes

Pour me contacter :
bc-ecrivain@orange.fr

Compte Instagram de l'auteur :
www.instagram.com/bruno_combes_auteur

À Antoine, petit bonhomme plein de vie...

Je sais, mon frère, que ton chagrin est immense.
Fais en sorte qu'il ne soit pas éternel.

Richard BOHRINGER

Ne pleurez jamais d'avoir perdu le soleil,
les larmes vous empêcheront de voir les étoiles.

Rabindranath TAGORE

1

Se pardonner

C'est parfois difficile de se pardonner, mais il faut savoir effacer la rage envers soi-même et les autres.

Il est nécessaire d'accepter ce que l'on ne peut pas changer et de se dire qu'au-delà de l'absence il restera éternellement le souvenir doux et réconfortant d'une voix, d'un visage.

Se pardonner ce n'est pas oublier, c'est décider de se tourner vers la vie.

Périgord, environs de Sarlat, mars 2017

Assise sur la première marche du perron, les yeux gonflés de fatigue, Lisa regardait le jour se lever à l'horizon. Cela faisait déjà près de trois heures que le sommeil l'avait quittée.

Les avant-bras posés sur ses genoux, elle scrutait l'avancée des rayons de soleil qui, bientôt, envahiraient l'immense prairie avant de s'engouffrer dans la forêt. Enveloppée dans une épaisse couverture, elle observait les effets de la douce chaleur qui gommait les traces d'une des dernières gelées blanches de cette fin de mois de mars.

Lisa dormait peu. Malgré les somnifères, dès 4 heures du matin ses ruminations mentales l'assaillaient. Les ombres de la chambre devenaient alors ses compagnes de solitude et l'agitation s'installait. De peur de réveiller Hugo, son mari, elle se levait, enfilait un jogging et une paire de baskets, et sortait de la chambre le plus discrètement possible.

Lisa allait d'abord vérifier qu'Émilie, sa fille, dormait tranquillement, bien emmitouflée sous sa couette. Une simple visite affectueuse, ou le réflexe d'une mère trop inquiète ? Elle ne se posait pas la question. Elle en ressentait le besoin et c'était la seule chose qui lui importait.

Puis elle se dirigeait vers l'escalier en faisant attention de ne pas faire de bruit et de n'allumer aucune lumière. Elle avançait à tâtons, les mains sur les murs de pierre, et descendait sur la pointe des pieds les marches de bois menant au salon et à la cuisine.

*
* *

Chaque matin, depuis un an, Lisa répétait inlassablement les mêmes gestes. D'abord, elle préparait sa boule à thé, qu'elle plongeait dans une tasse d'eau frémissante afin de laisser les arômes infuser lentement. Pendant ce temps, elle remplissait un bol de lait, le réchauffait au micro-ondes puis y ajoutait deux poignées de céréales au chocolat. Elle s'installait alors face au bol déposé sur la table de la cuisine, qu'elle ne quittait pas du regard tout en buvant son thé par petites gorgées. Parfois elle souriait et chuchotait quelques mots, d'autres matins des larmes coulaient sur ses joues. Une forme de conversation solitaire dont elle seule connaissait les codes.

Son mari avait, à maintes reprises, tenté de la raisonner, de lui faire comprendre que ce rite qu'elle avait instauré ne mènerait à rien et qu'elle devait y mettre un terme, mais en vain. La lassitude avait gagné Hugo, il avait abandonné.

Lisa ne pouvait imaginer de commencer sa journée différemment : d'abord s'assurer qu'Émilie allait bien, puis s'offrir ce face-à-face avec l'absence qui la réconfortait sur l'instant, mais la détruisait à mesure que les mois passaient.

Sur les conseils de son psychiatre, le docteur Mader, elle avait bien tenté de casser ce rituel matinal. Un pari qu'il lui avait lancé pour apaiser ce trouble qui n'avait plus rien de rationnel et qui se transformait en pathologie compulsive. Deux matins, puis trois, puis deux semaines passèrent. Elle trouva la force de résister et s'obligea à rester au lit plus longtemps en se collant contre la chaleur d'Hugo, qui se réjouissait à l'idée que cette première bataille était, peut-être, gagnée. Mais sa femme replongea dès la semaine suivante ; son angoisse était trop forte.

Désormais, malgré l'éloignement de Paris, les séances avec son thérapeute se poursuivaient, mais sous une autre forme : le téléphone avait pris la place du douillet canapé. Pour Lisa et son médecin, c'était une évidence : sa fragilité imposait un suivi régulier. Ils étaient convenus d'un rendez-vous téléphonique de quarante-cinq minutes une fois par semaine, exactement au même rythme que les séances en face à face. Au début, Lisa avait douté de l'efficacité de ce nouveau mode de consultation, mais le docteur Mader avait pris le temps de la rassurer.

C'était d'ailleurs son psychiatre qui lui avait conseillé de quitter la ville, de rompre avec ces habitudes qui l'épuisaient et ne faisaient que renforcer sa peine. Il savait l'enjeu risqué, mais l'état psychologique de sa patiente ne cessant de se détériorer au fil des mois, il avait pris l'initiative de suggérer un changement radical de vie.

Curieusement, Lisa accepta presque sans poser de questions. Un léger sourire se dessina même sur son visage à l'idée de cette nouvelle existence. Le psychiatre en fut surpris : Lisa avait-elle vraiment pris conscience des conséquences d'un tel changement ? Il en doutait, mais il préféra prendre sa réaction comme un signe favorable dans la démarche de reconstruction de sa patiente.

Hugo, lui, était plus réticent. Non qu'un changement de vie ne lui ait jamais effleuré l'esprit, lui aussi avait besoin d'apaiser ses tourments, de redonner un sens à son existence de mari et de père, mais il ne voyait pas une seconde sa femme s'éloigner des lieux où elle errait trop souvent. Il pensa d'abord qu'il s'agissait là d'une fausse envie chez Lisa, et que son souhait de quitter Paris serait de courte durée. Il n'en fut rien. Les semaines passaient et la volonté de Lisa ne faisait que se renforcer. Dans ce cas la décision s'imposait : le couple et leur fille Émilie partirent s'installer à six cents kilomètres de la capitale, dans une ancienne ferme rénovée proche de Sarlat.

L'appartement parisien qu'ils occupaient depuis la naissance d'Émilie était un cocon où Lisa aimait se réfugier et pourtant, à la grande surprise d'Hugo, elle se familiarisa plus rapidement que lui à l'immensité de leur nouveau lieu de résidence et à l'isolement de la bâtisse.

Lisa, sans pouvoir l'expliquer, se sentait bien dans cette nouvelle demeure. Peut-être un signe positif dans le malheur qui les tenaillait depuis le drame ?

*
* *

Une fois son petit-déjeuner terminé, Lisa s'installait sur le canapé du salon où, dans un demi-sommeil, elle attendait qu'Émilie se réveille.

Un matin, alors qu'elle était affalée au milieu des coussins, elle remarqua qu'au-dehors le printemps pointait le bout de son nez. À travers une des portes-fenêtres, elle constata que le ciel était plus clair que d'habitude. La pièce était située à l'est et l'on pouvait deviner au loin, au-dessus des forêts de pins, le soleil qui se levait et n'allait pas tarder à lancer ses premiers rayons sur la campagne environnante. Elle décida d'en profiter et alla s'installer sur la première marche du perron.

Le clocher de l'église de Saint-Boliès, hameau situé dans la vallée en contrebas de la maison, venait de sonner 7 heures quand Hugo vint la rejoindre. Une tasse de café à la main, il s'assit auprès d'elle. Leurs regards se croisèrent, ils échangèrent un sourire timide, presque gêné, puis un silence pesant s'installa.

Tout autour, la nature se réveillait. Le chant d'un coq au fond du vallon, le battement d'ailes d'un couple de tourterelles qui venait de se poser sur une des branches du marronnier situé à l'entrée de la cour et plus loin, derrière les forêts de châtaigniers, le ronronnement carac-téristique du vieux moteur Diesel d'un tracteur qui, à l'aide de sa herse, émiettait lentement les mottes de terre du labour hivernal. Tout était quiétude et incitait à la douceur de vivre.

Lisa, rassurée de retrouver Hugo après une nouvelle fin de nuit solitaire, posa sa tête sur son épaule.

— Tu crois qu'on oubliera un jour ? lui demanda-t-elle presque dans un chuchotement.

16

Le regard d'Hugo se perdit au loin. Il but une gorgée de café et posa sa tasse au sol.

— Nous n'oublierons pas, mais le temps adoucira notre douleur.

— Tu sais qu'aujourd'hui cela fait...

Hugo interrompit sa femme en posant un doigt sur ses lèvres. Il acquiesça d'un hochement de tête.

— Je sais... Et si nous emmenions Émilie à ce parc d'attractions qui propose des parcours d'Accrobranche ? Plusieurs de mes patients m'en ont parlé, c'est juste à la sortie du village sur la route de Sarlat. Le parc vient de rouvrir ses portes le week-end dernier.

Elle releva la tête et, le regard inquiet, demanda :

— Ce n'est pas trop dangereux ?

Hugo serra les poings. Cette question, il l'entendait trop souvent, désormais... Il fixa sa femme et contint son agacement. Une nouvelle fois, il tenta d'apaiser son inquiétude.

— Tu sais, je me suis renseigné, il y a des parcours pour tous les âges. Émilie a sept ans, et dans ce cas, les parents sont autorisés à accompagner leur enfant.

Lisa ne répondit pas, mais ses doigts se crispèrent sur la couverture posée sur ses épaules. Elle savait qu'elle devait accéder à la proposition de son mari, elle n'avait pas le droit de refuser à sa fille de vivre comme un enfant de son âge. Pourtant tout son être se cabrait, elle avait envie de crier son refus, de garder Émilie contre elle comme si ses bras représentaient une barrière qu'aucun danger ne pouvait franchir.

Hugo insista.

— Nous pourrions proposer aux parents d'Elvira d'emmener la petite passer l'après-midi avec nous, Émilie serait ravie. Je crois qu'elles en ont déjà parlé toutes les deux, qu'en penses-tu ?

— Mais elle la connaît à peine, cela fait juste deux semaines qu'Émilie a intégré sa nouvelle école.

Hugo persévéra.

— J'ai rencontré ses parents au cabinet. Son père s'était fait une vilaine coupure en manipulant le vérin de sa fendeuse hydraulique. Je lui ai fait des points de suture, nous avons eu l'occasion de discuter. Sophie, sa femme, était là également, elle l'avait accompagné car sa blessure saignait énormément et il avait du mal à serrer le volant pour conduire. Ce sont des gens charmants.

— Suspendue dans les arbres… balbutia-t-elle.

Hugo posa sa main sur la nuque de sa femme.

— Lisa, le parcours pour les plus petits débute à partir de cinq ans !

— Oui, mais…

Il renouvela sa proposition.

— Accepte s'il te plaît ! Pour Émilie bien sûr et…

Il hésita.

— Pour nous !

Désormais, le soleil avait envahi toute la cour et le ciel était d'un bleu limpide.

Contrainte, Lisa donna son accord.

— Tu as raison... C'est une... excellente idée.

— Parfait, fit-il en caressant le dos de sa femme comme pour la réchauffer.

Il poursuivit :

— Et puis tu sais, un jour, il faudra que tu te pardonnes... Tu n'as rien à te reprocher.

Lisa parut sortir d'un cauchemar, ses grands yeux sombres s'attardèrent sur le visage d'Hugo.

— Si, c'est ma faute ! affirma-t-elle. Je me sentirai coupable toute ma vie.

Hugo ne répondit pas, à quoi bon, cela n'aurait servi à rien. Il partit se servir une autre tasse de café.

*
* *

Ce jour-là était pour eux encore plus triste qu'à l'accoutumée : cela faisait un an que leur vie n'avait plus vraiment de sens. Un an que leur existence avait basculé dans l'inhumain, l'insupportable, l'incompréhensible.

Tout au long de ce douloureux anniversaire, Lisa se remémorera chaque minute, chaque seconde de cet après-midi où la vie s'était enfuie à jamais sur un boulevard parisien.

La journée avait pourtant commencé paisiblement. Lisa, professeur d'anglais, avait terminé ses cours au collège en début d'après-midi. Elle n'était pas pressée ; elle ne devait récupérer son fils Théo qu'à 16 h 30 à l'école. Émilie était en sortie scolaire au château de Versailles et ne rentrerait qu'en début de soirée. Lisa en avait donc profité pour flâner dans quelques boutiques de l'avenue des Champs-Élysées. On allait fêter l'anniversaire de Théo quelques jours plus tard et la boutique officielle du club de foot de la capitale venait enfin de recevoir le nouveau maillot qu'elle avait commandé, floqué au prénom de son fils et marqué du numéro 10, son poste préféré, celui où les plus grands joueurs avaient souvent évolué. Lisa cacha le maillot dans son grand sac à main et rédigea un SMS à son mari pour l'avertir de la bonne nouvelle.

« *Tu pourras bientôt emmener ton fils dans les tribunes du parc des Princes, je viens de récupérer la tunique du parfait supporter, je t'aime.* »

Hugo était en consultation, ses patients défilaient depuis le début de la matinée. Il jeta un œil à l'écran de son portable et sourit. Dimanche, le visage de Théo s'illuminerait quand il soufflerait ses huit bougies et ouvrirait ses cadeaux.

Son premier maillot, le premier d'une longue collection. Comme beaucoup de garçons de son âge, il adorait le foot, et il avait décrété que pour ses dix ans il aurait son prénom au dos du maillot de chacun des dix plus grands clubs européens et qu'il en tapisserait les murs de sa chambre. Son père le lui avait promis, comment pourrait-il en être autrement ?

Quand Lisa arriva devant les grilles de l'école, la sonnerie venait de retentir. Les enfants commençaient à sortir des salles de classe et se dirigeaient vers la sortie. Son fils l'aperçut, se mit à courir et lui sauta dans les bras. Lisa n'ayant pas besoin de récupérer sa fille, elle proposa à Théo de faire une halte à la crêperie avant de rentrer. Bien évidemment, il accepta avec joie.

— Avec des tonnes de Nutella ! déclara-t-il, mimant une montagne de chocolat en écartant les bras.

— Évidemment mon fils ! Et pour moi, autant de chantilly ! répondit-elle.

Théo éclata de rire. Sa mère était heureuse.

*
* *

Entre deux patients, Hugo prit enfin le temps de rédiger une réponse rapide à sa femme : « *Yes ! Une nouvelle recrue, je t'embrasse, à ce soir.* »

Le portable de Lisa se mit à vibrer à l'arrivée du message, un moment d'inattention, son regard qui fixe l'écran, sa main qui lâche celle de Théo, un crissement de pneus, le bruit sourd d'un choc violent et puis le vide, le néant.

*
* *

Jusqu'à l'arrivée des pompiers, qui ne purent que constater le décès du jeune garçon, Lisa était restée couchée sur le corps de son fils comme pour le protéger, mais il était trop tard, la vie s'était envolée. Lisa se mit alors à répéter, en boucle, la même phrase.

— Pourtant il est passé quand le « monsieur était vert » !

Les pompiers prirent le temps de la calmer afin de la détacher du corps de Théo qu'elle agrippait de toutes ses forces.

Cette expression, elle l'avait tellement utilisée pour faire comprendre à son fils qu'il ne pouvait pas traverser si le « monsieur n'était pas vert ». Il avait respecté les consignes de sa mère, mais un chauffard trop pressé avait grillé le feu et avait fauché la vie d'un enfant.

Lisa faisait toujours très attention, que ce soit dans l'incessant brouhaha de la circulation ou dans les couloirs bondés du métro. Théo était un garçon plein de vie et il avait vite fait de s'échapper en cavalant lorsque sa mère lui laissait un peu de liberté.

Le « monsieur était vert », mais le portable venait de vibrer.

Elle avait lâché sa main... Théo allait fêter ses huit ans.

Depuis, le couple survivait, se raccrochant à la vie grâce à Émilie et à leurs souvenirs.

2

Réapprendre à marcher

Puisque ma vie n'a plus beaucoup de sens
Je réapprendrai à marcher.
Puisque je ne peux plus serrer ta main
Je réapprendrai à marcher.
Puisque mes yeux se ferment pour t'apercevoir
Je réapprendrai à marcher.
Tu seras là, tu guideras mes pas
Je réapprendrai à marcher.

*
* *

Véminan, mars 2017

Il y avait trois semaines que Lisa, Hugo et leur fille Émilie s'étaient installés dans cette ancienne ferme rénovée proche de la commune de Véminan, à une vingtaine de kilomètres de Sarlat. Ils étaient ravis de retrouver le Périgord, où ils avaient séjourné pour les vacances d'été quelques années plus tôt. Ils avaient apprécié la région et sa douceur de vivre.

Ce changement, c'est Lisa qui, sur les conseils de son psychiatre, l'avait initié. Hugo s'y était d'abord opposé, mais finalement, lui aussi ne savait plus trop où il en était, l'épuisement le gagnait. La perte de son fils avait provoqué chez lui un séisme dont il n'avait jamais vraiment parlé. Il s'était lancé à corps perdu dans le soutien à sa femme et à sa fille. C'était, pour lui, une façon de survivre. Mais il savait aussi que de nombreux couples n'avaient pas résisté à un tel drame, les confidences de certains de ses patients le lui avaient confirmé. Or il lui semblait que sa femme s'éloignait inéluctablement, comme aspirée par son chagrin, et que leur avenir était en danger. Parfois, même la présence d'Émilie ne suffisait plus à créer un lien assez fort pour résister à l'intensité de leurs tourments.

Hugo ne voulait pas oublier, mais, pour lui, il était temps de songer à construire un futur. Lisa, elle, ne voulait pas en entendre parler, car ce serait comme si elle trahissait Théo, comme si elle l'oubliait. Pour elle l'espoir n'existait plus. Il s'était envolé à jamais le jour de la disparition de son fils.

Aussi fut-il surpris quand sa femme lui parla de quitter Paris. Contre toute attente, elle semblait déterminée à changer radicalement ses habitudes, mais d'un autre côté, elle s'enfermait toujours dans le passé, sans se fixer le moindre objectif. Peut-être ne s'agissait-il que d'une fuite en avant sans réelle intention de retrouver un équilibre, si fragile soit-il ?

Hugo avait souhaité en discuter avec le docteur Mader, car un tel bouleversement ne pouvait se décider sur un simple coup de tête. Le médecin avait accepté de le recevoir. Il n'eut aucune difficulté à trouver les mots pour le convaincre que cet éloignement était vital pour Lisa, leur fille et leur couple. Lorsque Hugo sortit du cabinet, sa décision était prise, il n'était plus question de tergiverser. La seule issue était de tenter l'électrochoc que proposait le psychiatre avant que s'éteigne tout espoir.

*
* *

Ils avaient tout organisé à une vitesse record.

Hugo avait vendu les parts qu'il détenait dans le cabinet médical qu'il occupait depuis huit ans avec des confrères. La patientèle était d'un niveau social élevé et la rentabilité excellente, ce qui facilita la transaction.

À Véminan, Hugo n'eut pas à s'inquiéter bien longtemps de son avenir professionnel. Lors d'une de leurs visites au village, le couple rencontra le maire, M. Balin, qui se montra enchanté de leur projet d'installation. D'abord parce qu'une famille jeune qui fait le choix de s'installer dans un petit village de campagne à la moyenne d'âge vieillissante ne peut être qu'une bonne nouvelle. Mais sa joie s'intensifia lorsqu'il apprit le métier d'Hugo. Les campagnes se dépeuplent et les vieux médecins peinent à trouver des remplaçants. La candidature d'Hugo fut accueillie comme un immense soulagement dans le village dont les sept cents habitants, malgré les efforts du maire, avaient abandonné l'idée de voir renaître le cabinet médical fermé depuis trois ans. Hugo bénéficia de nombreux avantages. Il accepta le loyer gratuit du cabinet pendant un an, le renouvellement du matériel à la charge de la mairie et même la présence de Katia, une secrétaire à mi-temps, pour assurer les prises de rendez-vous et le soulager des lourdeurs administratives.

Quant à Lisa, depuis le drame elle se trouvait en arrêt maladie de longue durée. M. Balin lui proposa d'animer un atelier pour initier les villageois aux rudiments de la langue de Shakespeare, puisqu'elle était professeur d'anglais. Durant la période estivale, le Périgord est envahi par de nombreux vacanciers étrangers, principalement britanniques. Cette initiative ne pouvait que faciliter les échanges nécessaires à la redynamisation du village. Dans un premier temps, Lisa refusa ; depuis la disparition de Théo, la vie sociale lui faisait peur. Il fallut toute la diplomatie et la force de persuasion de son thérapeute pour qu'elle accepte la proposition de M. Balin. Selon son psychiatre, le contact et le sentiment de se sentir utile ne pouvaient que lui faire du bien. Après plus de trois semaines de réflexion et d'hésitation, elle finit par donner son accord. À partir du mois de mai, Lisa allait donc se retrouver face à des élèves bien différents de ceux qu'elle avait pu connaître dans son collège parisien.

La vente de leur appartement, proche de la butte Montmartre, fut réglée rapidement. Hugo donna toute latitude à une agence immobilière du quartier pour valider la transaction dans les meilleurs délais.

Lisa ne supportait pas de voir les acheteurs potentiels se projeter dans l'espace qu'elle avait créé pour sa famille. Le plus insupportable était d'entendre les visiteurs imaginer une autre décoration de l'appartement, en particulier dans la chambre de Théo qu'ils destinaient à leur propre enfant. Au cours des dernières visites, elle préféra s'absenter. Elle se rendait alors sur la tombe de son fils au cimetière situé non loin de leur domicile. Elle le savait, dans quelques semaines ces visites ne pourraient plus être aussi régulières, elle serait trop loin... Elle ne pourrait que rarement s'accroupir pour toucher cette tombe, caresser la pierre de granit froid et parler à son fils comme s'il était encore à ses côtés.

*
* *

Souvent, Lisa revivait le jour de l'enterrement. Ce jour où, sans l'aide d'Hugo, elle n'aurait pas pu supporter cette cérémonie inhumaine pour des parents qui viennent de perdre un enfant.

Lisa ne pleurait pas ; elle n'avait plus de larmes, elle gémissait tel un animal qui sent sa fin approcher. Dans le silence de l'église bondée, elle tentait d'étouffer sa peine, le visage plongé dans l'épaule de son mari. Elle était incapable de poser son regard sur le petit cercueil blanc recouvert de roses.

Le visage d'Hugo était transparent, tout son être respirait la peine et la détresse, mais il se devait de tenir, de faire face pour que Lisa ne s'écroule pas. Tout au long de la journée, il soutint sa femme de peur qu'elle ne s'effondre. Elle était épuisée, anéantie par le chagrin. Émilie se tenait à côté de ses parents, elle ne disait rien, quelquefois son père serrait sa petite main.

Après la cérémonie à l'église, la mise en terre dans le caveau familial fut interminable. Le couple souhaitait remercier l'ensemble des personnes présentes. Un défilé qui dura près d'une heure, dans un silence poignant. Les mots n'avaient plus de sens, l'intensité des étreintes suffisait.

À trois reprises, Lisa ne put s'empêcher de hurler son chagrin : lorsque sa mère lui tomba dans les bras ; en découvrant sa sœur, Anaïs, qu'elle n'avait pas revue depuis près d'un an, et lorsque, enfin, le défilé prit fin et qu'elle dut s'approcher du caveau. Son mari ne cessait de la réconforter. La petite Émilie était là, à leurs côtés, ne sachant que faire. Devait-elle continuer de pleurer, devait-elle sourire à ceux qui l'embrassaient ?

Puis vint le moment du dernier adieu, la dernière vision du petit cercueil. Sans que le prêtre eût à le leur signifier, les personnes présentes se tinrent en retrait. Une marque de respect envers Lisa, Hugo et Émilie qui, une ultime fois, dirent au revoir à leur fils et frère. Lisa s'agenouilla et posa son front sur le cercueil, elle ânonna « Pardon, pardon, pardon » avant qu'Hugo l'aide à se relever. Le père de Lisa s'avança, il prit sa fille dans ses bras pour permettre à Hugo de se recueillir et d'accomplir un acte qu'il s'était juré de faire : il l'avait promis à son fils. Il posa sur le cercueil les maillots des dix meilleurs clubs européens floqués au prénom de Théo et du numéro 10. Il se saisit de la main d'Émilie et lui demanda au creux de l'oreille si elle désirait dire une dernière fois au revoir à son frère. Émilie regarda son père comme si elle attendait une permission. Elle embrassa le bouton d'une rose blanche qui n'avait pas encore éclos et le déposa sur les maillots.

Alors, d'un signe, Hugo indiqua aux employés des pompes funèbres qu'ils pouvaient terminer la mise en terre. Le cercueil glissa lentement au fond du caveau et la plaque fut rescellée. Hugo entraîna sa famille à l'extérieur du cimetière. Lisa mit plus d'une heure à accepter de monter dans la voiture afin de regagner son domicile.

Elle ne pouvait se résoudre à s'éloigner de son fils.

Lisa en avait longuement discuté avec le docteur Mader. Elle avait accepté de partir, mais comment pourrait-elle supporter de ne plus avoir ce rendez-vous quasi quotidien avec Théo ? Son médecin, qui savait pourtant qu'il ne fallait pas se montrer trop directif avec sa patiente de peur de la voir revenir sur sa décision, n'hésita pas : au cours d'une des dernières consultations à son cabinet, il lui demanda de promettre que ses retours à Paris ne seraient pas trop fréquents ; une visite tous les deux mois lui semblait suffire. Cette perspective était un déchirement pour Lisa. Deux mois ! Une éternité...

— Docteur, je crois que je ne pourrai pas, c'est trop long, vous comprenez...

Il l'interrompit aussitôt.

— Depuis combien de temps venez-vous me voir ?

Surprise par la question, Lisa tergiversa un instant.

— Je ne sais même plus... Huit mois ? Neuf ? Plus ? Le temps me paraît si long, sans lui...

Le docteur Mader se leva et fit quelques pas en direction de la fenêtre de son bureau. Il paraissait soucieux.

— Je vais être franc avec vous, ou plus exactement direct. Dans les conditions actuelles, je doute de ce que je peux encore vous apporter.

Lisa écarquilla les yeux.

— Docteur, j'ai besoin de vous, pourquoi dites-vous cela ? lança-t-elle d'un ton qui trahissait une profonde inquiétude.

— Écoutez... À la suite de ma suggestion, vous avez décidé de quitter Paris avec votre famille. Je sais que ce n'est pas facile, mais je crois que c'est la seule solution.

— Sans doute, soupira-t-elle en haussant les épaules.

— C'est une chance de reconstruire votre couple et de soulager Émilie d'un poids qu'inconsciemment vous lui faites supporter.

— Je m'en veux souvent vous savez, et s'il lui arrivait...

Il l'interrompit à nouveau. C'était une de leurs dernières séances en face à face, il se devait d'être le plus clair possible, quitte à bousculer Lisa pour la sortir de sa torpeur.

— Mais c'est avant tout une chance pour vous ! La dernière peut-être.

— Je ne sais pas... Je suis tellement perdue sans lui. Chaque jour je revis la scène de l'accident, je n'y arrive pas. Je me souviens de ses dernières paroles, de son dernier rire...

— Lisa, vous avez Hugo et Émilie. Pour vous, pour eux, vous vous devez de réagir.

— Oui, ils sont toujours là, je sais. Je leur dois beaucoup. Mais...

Le docteur l'encouragea à poursuivre.

— Je vous écoute.

— Comment peut-on faire face à la disparition de son enfant ? C'est impossible !

D'une voix posée mais ferme, le psychiatre répondit en faisant attention à chacun de ses mots :

— Nous avons évoqué le sujet des dizaines de fois. Ma réponse n'a pas changé, quitte à me faire contredire par certains de mes confrères : on ne peut pas faire le deuil d'un enfant, on accepte, c'est tout. Ce serait vous mentir que de vous certifier le contraire. C'est un long cheminement personnel que vous devez accomplir, entourée de votre mari, de votre fille, de vos parents et de vos proches. Votre douleur et votre colère s'apaiseront peu à peu et, surtout, vous comprendrez que vous n'êtes en rien coupable de quoi que ce soit. Lorsque votre culpabilité s'estompera, et seulement à ce moment-là, vous vous autoriserez à vous tourner vers l'avenir, vers la vie.

— Mais… j'ai lâché sa main.

— Comme des centaines de fois sans qu'il ne se soit rien passé !

— Oui, admit-elle d'une voix faible.

— Ne pensez-vous pas que le chauffard a une responsabilité bien plus importante que la vôtre ?

— Non ! Il ne serait rien arrivé si j'avais fait attention, affirma-t-elle.

Le docteur Mader ne souhaitait pas que la conversation, une nouvelle fois, tourne inlassablement en rond sans que rien de positif n'en ressorte. Il décida de mettre fin à la séance plus tôt qu'à l'accoutumée.

— Je compte sur vous. Vous reviendrez à Paris pour rendre visite à votre famille, mais pour l'instant, je vous en conjure : acceptez la séparation !

Il lui tendit la main comme pour sceller un pacte. Durant quelques secondes, Lisa resta prostrée sur son fauteuil, le docteur ne la quittait pas du regard. Le visage de Lisa paraissait terne, sans relief. Ses yeux noisette, si pétillants lorsque Hugo l'avait rencontrée alors qu'il était encore un jeune étudiant, n'exprimaient rien à part du vide.

Lentement elle leva le bras et avança la main pour serrer mollement celle du docteur. Il sentit sa peau glacée et moite. Il posa son autre main sur le poignet de Lisa.

— Vous y arriverez, mais c'est vous qui détenez les clefs, personne d'autre. Le Périgord, vous verrez, est une magnifique région pour se reconstruire.

Elle se dirigea vers la porte avec un sourire timide.

— Je vais essayer, mais j'ai besoin de vous, docteur.

La réponse fut volontairement laconique.

— C'est pour cela que nous avons programmé plusieurs mois de rendez-vous téléphoniques.

— Bien sûr.

— Au revoir, et bonne chance.

— Merci docteur, à bientôt.

La porte du cabinet se referma. Lisa resta un instant sur le palier sans bouger. Elle paraissait replonger au plus profond de ses tourments.

Elle descendit l'escalier et regagna son domicile où Hugo et Émilie l'attendaient.

Désormais l'horizon de la famille Guadet, ce n'était plus le tumulte de la vie parisienne et la vue sur la basilique du Sacré-Cœur, mais le calme presque angoissant de la campagne périgourdine, des forêts de pins, de noyers et de châtaigniers.

*
* *

De son côté, en plein milieu d'année scolaire, la petite Émilie avait dû quitter des camarades qu'elle côtoyait depuis la maternelle et venait de faire sa rentrée, après les vacances d'hiver, dans l'école du village de Véminan, en classe de CE1. Ses parents étaient inquiets, leur fille allait-elle s'habituer à ce nouvel environnement, à ce mode de vie si différent de ce qu'elle avait pu connaître jusqu'à présent ? Les enfants ont des capacités d'adaptation bien supérieures à celles des adultes et, malgré quelques jours de flottement, Émilie était ravie de ses nouvelles habitudes d'écolière. Elvira, une camarade de classe avec qui elle s'était liée d'amitié dès les premiers jours, lui avait grandement facilité la tâche dans cette intégration réussie.

Émilie découvrait tant de nouveautés : des classes à double niveau, une cour de récréation qui servait également au marché du dimanche matin, pas de bouchons matinaux dans les rues, une porte de l'école qui n'était pas close à 9 heures tapantes.

Elle s'étonna lorsque le père d'Elvira vint chercher sa fille avec son tracteur qu'il venait de récupérer chez le garagiste du village. Émilie vit Elvira sauter dans la cabine et s'asseoir à côté de son père avant que l'énorme machine se mette en route. Elle n'en croyait pas ses yeux : comment la vie pouvait-elle être si différente ? Pour l'instant, son regard d'enfant s'émerveillait devant tous ces changements. Bien sûr, quelques camarades se moquaient de son accent pointu et de ses habitudes de Parisienne trop pressée, mais la méchanceté n'était jamais présente et les moqueries étaient vite oubliées.

Hugo et Lisa étaient soulagés de voir leur fille s'épanouir dans ce nouvel environnement, mais la crainte qu'elle finisse par s'ennuyer quand elle arriverait au bout de ses découvertes restait bien présente, surtout dans l'esprit de Lisa.

Elvira, surprise de la venue d'Émilie en milieu d'année, n'hésita pas à lui poser un jour franchement la question.

— C'est bizarre que tu débarques comme ça, après les vacances de février…

— C'est mes parents, enfin surtout ma mère, qui ont voulu quitter Paris.

— Moi, j'y suis allée une fois à Paris, juste deux jours avec l'école pour visiter, c'est trop beau. Je ne comprends pas que tu en sois partie.

— Je viens de te le dire, ce n'est pas moi qui ai décidé. Et puis mon grand frère est toujours là-bas... Il me manque.

— Ton frère habite encore à Paris, chez tes grands-parents ? s'étonna Elvira.

Avec une franchise d'enfant, Émilie répondit simplement :

— Non, il est au cimetière. Il est mort l'année dernière.

— Ah mince, c'est triste, dis donc.

— Oui, je pleure souvent toute seule, mais je ne le montre pas, car ma maman est malade depuis la mort de Théo et il ne faut pas trop la fatiguer. J'en discute quelquefois avec mon papa. Lui aussi est triste. Il me console et me dit que mon frère sera toujours avec nous. Je ne dis rien, mais je sais que ce n'est pas vrai, il n'est plus là et ne reviendra pas.

Mme Duluc, la maîtresse, venait de faire signe aux élèves que la récréation était terminée. Les deux petites filles se rapprochèrent de la porte de leur classe en continuant à discuter. Elvira prit la main d'Émilie.

— Ce n'est pas grave, il sera toujours dans ton cœur, dit-elle sincèrement à son amie.

— Oui, mais je m'inquiète pour ma maman. Elle est vraiment malheureuse, tu sais.

Mme Duluc frappa dans ses mains, chaque élève devait regagner sa place sans tarder.

Émilie, tout en pressant le pas, chuchota à l'oreille d'Elvira :

— Il faut que tu me promettes de ne le dire à personne. Ma maman ne veut pas que les gens sachent pourquoi on est partis de Paris.

— Bien sûr, juré, craché. Mais tu sais, mes parents aussi se demandent pourquoi vous êtes venus vous installer ici. Je les ai entendus en parler.

Émilie haussa les épaules.

— Ah bon...

C'était l'heure, la classe reprit.

*
* *

Une fois leur décision prise, Hugo et Lisa en avaient informé leurs familles respectives et un couple d'amis, les seuls qui leur étaient restés fidèles.

Les parents de Lisa habitaient en banlieue parisienne et avaient toujours été présents pour leur fille et leurs petits-enfants. Anaïs, sa sœur aînée, était partie du domicile familial à l'âge de dix-huit ans pour suivre un berger installé dans les Alpes. Elle y résidait encore et descendait rarement de ses montagnes. Les deux sœurs n'avaient jamais été proches, leurs parents en souffraient, mais Lisa et Anaïs semblaient s'accommoder de cette forme d'indifférence. Elles se donnaient rarement des nouvelles, une à deux fois par an, pas plus.

Depuis la disparition de Théo, dès que Lisa avait besoin de ses parents, ils répondaient présents. Ils ne posaient aucune question et enveloppaient leur fille et leur petite-fille de tout leur amour et de celui qu'il ne pouvait plus donner à leur petit-fils.

Lorsque Lisa leur annonça qu'elle partait s'installer loin de la capitale, ce fut un véritable choc. Martine et Alain venaient de prendre leur retraite d'agents des impôts. Ils avaient programmé ce départ anticipé afin d'être encore plus présents et d'aider au mieux Lisa dès qu'elle en ressentirait le besoin. Leur projet de retraite s'écroulait. Ils tentèrent de dissuader leur fille de faire cette « folie », comme sa mère avait un jour qualifié ce départ. Mais ils se rendirent rapidement compte que Lisa et Hugo avaient pris leur décision, que celle-ci était définitive, et qu'au fond elle n'appartenait qu'à eux.

Ils tentaient de cacher comme ils le pouvaient leur détresse : comment allaient-ils pouvoir venir en aide à Lisa, à leur gendre et à leur petite-fille, si loin de Paris ? Martine eut beaucoup de mal à surmonter ses craintes. Contrairement à sa femme, Alain, lui, comprit que c'était sans doute la seule solution pour, enfin, voir sa fille réagir et ne plus s'autodétruire à force de revivre un passé qu'elle ne pouvait changer.

Martine et Alain proposèrent leur aide, que ce soit pour le déménagement ou pour toute autre démarche, mais la réponse de Lisa et surtout celle d'Hugo furent sans appel : le jeune couple préférait gérer seul les tracasseries du départ. Lisa voyait ses parents souffrir plus qu'elle ne l'aurait imaginé. Elle leur assura qu'ils pourraient leur rendre visite dès qu'ils auraient tranquillement pris leurs marques dans leur nouvel environnement.

Quant aux parents d'Hugo, ils semblèrent hermétiques à cette annonce. Depuis le jour de l'accident, ils en voulaient à leur belle-fille, mais surtout à leur fils. Aussi aberrant que cela puisse paraître, selon eux, Hugo étant médecin, il aurait dû sauver Théo !

Comment aurait-il pu ? Quand il était arrivé sur les lieux – il avait fait aussi vite qu'il l'avait pu –, quarante minutes après le drame, le petit corps avait déjà cessé de vivre. Vu la violence du choc, le décès avait été instantané.

Depuis ce jour, les relations des parents d'Hugo avec leur fils et leur belle-fille s'étaient distendues, alors Paris, le Périgord ou ailleurs, peu leur importait. Ils assurèrent pourtant poliment Hugo de leur soutien, mais ce n'était sans doute qu'une formule… Hugo s'attristait de cette situation, mais il se devait de hiérarchiser ses priorités et les états d'âme de ses parents étaient bien loin sur la liste.

Peut-être un jour comprendraient-ils qu'ils ne pourraient pas indéfiniment cacher leur désarroi derrière une fausse culpabilité qu'ils voulaient faire porter à leur fils…

*
* *

C'est au cours d'un dîner, quelques jours avant leur départ, qu'Hugo et Lisa annoncèrent leur décision à Cléa et Lilian, leurs meilleurs amis. Les deux couples se connaissaient depuis la rentrée de Théo en classe de maternelle. Lisa et Cléa avaient d'abord sympathisé puis naturellement une amitié sincère s'était installée entre les deux femmes.

Avant le drame, Lisa et Hugo recevaient et sortaient beaucoup. Leur entourage était fourni et ils participaient régulièrement à des soirées organisées chez les uns ou chez les autres. De cette époque, il ne restait que Cléa et Lilian que le décès de Théo n'avait pas fait fuir. Leurs autres connaissances ou prétendus amis avaient préféré s'éloigner. Comme si un décès accidentel pouvait être contagieux.

Les seuls qui avaient compris et accepté la détresse du couple, c'étaient Cléa et Lilian, leur amitié s'en était trouvée renforcée. Lorsque la tristesse se faisait trop intense, Lisa faisait appel à Cléa, qui acceptait d'entendre une nouvelle fois les plaintes d'une mère meurtrie. Elle l'écoutait, parfois elle tentait de la faire réagir. Elle était là sans a priori, sans jugement, et cela apaisait temporairement le malheur de Lisa.

C'est Hugo qui, en fin de repas, se décida à annoncer leur départ. D'un air grave, il les prévint :

— Nous avons quelque chose d'important à vous dire.

Cléa et Lilian échangèrent un regard surpris, attendant qu'Hugo poursuive.

— Nous avons pris la décision de quitter Paris, de nous éloigner pour...

Il tergiversa, sa femme lui saisit la main. Il poursuivit, la voix étranglée par l'émotion.

— Tenter de reconstruire... notre vie.

Le silence s'imposa. Seuls les rires d'Émilie et de Jade, la fille de Cléa et Lilian, se faisaient entendre depuis la chambre. Lilian se décida à rompre cette ambiance lourde.

— Eh bien, pour une nouvelle, c'est une nouvelle !

Lisa compléta avec difficulté l'annonce de son mari.

— Oui nous avons mûrement réfléchi ce choix et je... enfin... nous pensons que c'est une bonne... ou plutôt la seule solution.

Lilian se lança alors dans une batterie de questions auxquelles, tour à tour, Lisa et Hugo tentèrent de répondre.

— Et pour Émilie ?

— Nous espérons qu'il n'y aura pas de souci, elle va intégrer une nouvelle école, nous l'entourerons pour l'aider à s'habituer.

— Et ton cabinet, Hugo ?

— J'ai vendu mes parts.

— Ah OK. Et toi, ton poste, Lisa ?

— Je suis en longue maladie. D'une certaine façon, je suis libre, je n'ai pas à démissionner.

— L'appartement, par contre, vous le gardez, si jamais...

— Si jamais quoi ? répliqua Hugo.

Lilian hésita. Chacun pensait à la même chose : et si jamais ils ne supportaient pas d'être loin des lieux où Théo avait vécu ?

— Si jamais… vous changiez d'avis. Enfin, c'est délicat, tu me comprends.

— Oui, je te comprends. Ce fut une décision difficile à prendre. Dans ce genre de situation, il ne faut pas tergiverser, mais agir.

— Bien sûr, dit Lilian en tapotant nerveusement du bout des doigts sur la table.

Cléa n'avait encore rien dit. Elle connaissait bien son mari. Elle savait que ce bombardement de questions n'était qu'une forme d'expression bien maladroite de l'inquiétude qu'il ressentait pour ses amis. Elle se décida à intervenir.

— Je suis heureuse de votre choix, affirma-t-elle sans hésitation.

Son mari ne put cacher sa surprise.

— Comment ça « heureuse » ? Enfin, oui, bien sûr… mais… Putain que je suis maladroit !

La bourde de Lilian détendit quelque peu l'atmosphère. Cléa reprit :

— Ah ça oui, tu es maladroit, je te le confirme ! Même sacrément maladroit !

Lisa s'adressa à son amie.

— C'est vrai, tu es heureuse de notre décision ?

Cléa confirma.

— Oui, je ne te mentirais pas, tu le sais. Tu as bien dit tout à l'heure : « C'est la seule solution » ? Eh bien, je crois que ce n'est pas « la seule », c'est la meilleure, voilà tout !

Lisa semblait soulagée. Cléa, son amie, venait de lui donner un encouragement qui ne souffrait aucune hésitation.

— Merci.

— Merci de quoi ? Par contre, j'ai une dernière question. Vous partez, c'est bien, mais où ?

Un léger sourire se dessina sur le visage de Lisa.

— Dans le Périgord, près de Sarlat.

Cléa se réjouit.

— Eh bien bravo ! Nous viendrons parfaire notre régime avec les spécialités si légères de cette magnifique région ! Je me répète, mais je suis super contente pour vous.

La soirée se termina dans une ambiance plus apaisée. Les deux couples se promirent de se donner régulièrement des nouvelles et programmèrent, pour le début du mois de juillet, quelques jours de retrouvailles dans le nouvel environnement de Lisa et Hugo.

3

Le secret des vieux greniers

Les anciennes demeures qui ont traversé les siècles ne mentent pas, ne trichent pas.

Les histoires des familles qui s'y sont succédé sont ancrées dans les épais murs de pierre et les vieilles poutres de chêne noircies par la fumée des feux dans la cheminée.

On entend encore les voix des grands-mères, les rires des enfants et parfois même quelques sanglots résonner dans le craquement des charpentes.

Les inavouables ou les plus lourds secrets sont souvent cachés au milieu des toiles d'araignées des vieux greniers.

*
* *

Véminan, décembre 2016

Au cours des vacances de Noël, Lisa et Hugo avaient passé quelques jours à Véminan afin de choisir le logement qu'ils allaient désormais occuper. Les parents de Lisa se chargèrent de la garde de la petite Émilie, ravie de pouvoir mener ses grands-parents par le bout du nez le temps d'un long week-end.

Le couple avait réservé trois nuits dans un hôtel du centre de Sarlat. Après plus de cinq heures de route, Hugo était épuisé et n'avait qu'une envie : se reposer. Lisa, qui n'aimait pas conduire sur de longues distances, l'avait uniquement relayé en début de parcours pour s'extraire de la grande banlieue parisienne. Hugo avait effectué le reste du trajet de nuit sur une route sinueuse où chaque virage pouvait représenter un danger potentiel.

Leur hôtel était situé non loin de la cathédrale Saint-Sacerdos, en plein cœur de la vieille ville. En cette saison, l'activité touristique était limitée, la circulation dans le centre-ville et les ruelles pavées était donc autorisée sans restriction. Ils purent aisément se garer à une cinquantaine de mètres de l'entrée de leur hôtel.

Hugo prit une douche pour évacuer la tension du voyage tandis que Lisa téléphonait à sa fille pour lui signaler qu'ils étaient bien arrivés. Martine lui confirma que tout se passait pour le mieux, qu'elle n'avait pas à s'inquiéter et qu'ils pouvaient donc prendre tout le temps nécessaire à la recherche de leur nouveau « chez-eux ».

Vers 20 heures, ils s'installèrent dans une brasserie proche de la cathédrale afin de se restaurer.

Lisa, comme trop souvent, n'avait pas faim. Elle se contenta d'une salade locale et eut bien du mal à avaler les quelques gésiers confits et les trois tranches de magret fumé qu'elle contenait. Son mari ne lui fit pas remarquer son manque d'appétit. Le voyage avait été suffisamment difficile pour qu'il n'y ajoute pas un sujet de tension supplémentaire.

Hugo tenta au contraire de changer les idées à sa femme qui paraissait absente comme si son esprit était encore à Paris. Il sortit une feuille de papier et un stylo de la poche intérieure de sa veste et les lui tendit.

— Regarde et complète la liste si tu le désires, lui proposa-t-il.

Lisa lut lentement tout ce qu'avait pu noter son mari.

Pendant qu'elle découvrait le document, celui-ci prit le temps de la contempler. Ses yeux noisette pétillaient. Hugo fut surpris de retrouver cet éclat qu'il n'avait plus connu depuis bien longtemps. Était-ce l'effet de la lumière extérieure qui se reflétait sur le visage de sa femme ? À deux reprises, Lisa passa lentement sa main dans sa chevelure brune pour dégager son front des quelques mèches qui tombaient sur ses paupières. Hugo la trouvait belle, comme toujours, même si depuis le drame, Lisa, si coquette auparavant, ne faisait plus attention à son apparence.

*
* *

47

L'espace d'un instant, l'esprit d'Hugo s'évada. Il se souvint du temps où sa femme riait à en perdre haleine, quand avec Théo et Émilie ils couraient dans les allées du Jardin d'Acclimatation lors de leurs promenades dominicales. Il se remémorera les robes imprimées d'immenses motifs fleuris qu'elle portait chaque été et qui parfois se soulevaient au passage d'un coup de vent. Alors, elle lui lançait un regard coquin, synonyme d'une promesse de moments de tendresse. Puis elle repartait, telle une gamine, à la recherche d'une autre allée où elle se cachait avec ses enfants, espérant qu'Hugo passe le plus de temps possible à les dénicher.

Hugo avait été séduit par cette jeune femme qui semblait traverser l'existence avec élégance et légèreté. Lisa se moquait des responsabilités trop pesantes, qu'elle laissait s'envoler comme si elle ne voulait retenir que le meilleur de la vie. Sur le ton de la plaisanterie, son mari lui avait souvent répété qu'il avait « trois enfants à la maison » et, chaque fois, elle lui répondait dans un grand éclat de rire : « J'ai envie de tout vivre avec eux, je serai une enfant jusqu'à leur adolescence puis une adolescente jusqu'à ce qu'ils deviennent des adultes et après tu m'auras enfin tout à toi... » Puis elle se jetait dans ses bras et complétait sa réponse d'un ton plus sérieux : « Non, je suis déjà tout à toi, enfant, adolescente et adulte, tout à toi ! »

Lisa était un concentré de joie de vivre dont elle inondait son entourage. C'était le temps du bonheur où l'existence était simple et facile.

Le couple commençait à parler d'agrandir la famille. Hugo, fils unique qui avait souffert de ne pas pouvoir partager ses doutes et ses secrets avec un frère ou une sœur, rêvait d'avoir trois enfants, et Lisa était prête à lui offrir son rêve. Elle était à quelques mois de ses trente-trois ans, l'âge idéal pour devenir mère une dernière fois.

Aujourd'hui, ce magnifique projet s'était définitivement effacé de l'esprit de Lisa. Depuis quelques semaines, Hugo y repensait parfois. Un soir, alors qu'il rentrait d'une journée un peu plus difficile qu'à l'accoutumée, où l'annonce de mauvaises nouvelles à ses patients l'avait largement emporté sur les « Merci docteur, j'ai eu tellement peur », il s'approcha de sa femme qui préparait le repas. Il posa sa main sur sa taille et sentit tout son corps se raidir, il l'embrassa dans le cou, elle se dégagea, gênée de n'être pas capable de partager un peu de tendresse avec cet homme qui la portait à bout de bras depuis de si longs mois. Lui aussi souffrait, Lisa le savait, mais elle ne pouvait plus rien lui offrir. Et pourtant ce soir-là, il se décida à évoquer son envie d'être à nouveau père. Il ne savait pas comment aborder le sujet, il le fit avec sincérité et simplicité. Le ton de sa voix était calme et posé.

— Et si nous repensions à donner un petit frère ou une petite sœur à Émilie, qu'en dis-tu ?

Lisa se figea, comme statufiée. Hugo vit de légers tremblements envahir ses mains, ses bras, tout son corps. Il s'approcha, se colla contre son dos et prit ses mains dans les siennes, chuchotant :

— Calme-toi, excuse-moi.

Lisa pleurait. Dans un flot de sanglots, elle répondit :

— Hugo, je ne suis plus la femme que tu as connue et aimée. Je ne pourrai jamais te faire ce cadeau. Je suis devenue une survivante. Tu es là, Émilie est là, sinon je ne sais pas si j'aurais eu le courage...

Il l'interrompit.

— Ne dis plus rien, je n'aurais pas dû t'en parler, c'est sans doute trop tôt.

— Non Hugo, je ne pourrai plus. Que dirait Théo ?

Hugo tenta de contenir son agacement.

— Théo ne peut, malheureusement, plus rien dire.

— Je le sens, il est là.

Hugo abdiqua. Une fois de plus, Lisa était incapable de se projeter.

— Oublie ce que je viens de dire. Je vais voir Émilie dans sa chambre.

— Tu n'as rien oublié à ce que je vois, fit Lisa.

— J'ai essayé de penser à tout ce dont nous avons besoin. C'est important de nous sentir chez nous le plus rapidement possible.

Lisa posa son doigt sur un des items de la liste.

— Tu y as pensé !

— Bien sûr, comment pourrais-je oublier ? Théo doit avoir sa chambre... du moins dans un premier temps.

Elle ne dit rien, même si pour elle cette chambre devait être là pour toujours.

Hugo préféra poursuivre sur le programme des visites du lendemain.

— Nous avons trois maisons à visiter. Deux qui ne nécessitent pas de travaux et l'autre où il faudrait refaire toute la cuisine. C'est juste une question de deux semaines, pas plus, donc si elle te convient nous pourrions envisager de la retenir.

— C'est celle que nous a proposée M. le maire ?

— Exactement. En plus, elle est spacieuse et située dans la rue voisine de l'école. Tu as vu les photos ? Il y a un immense jardin. Pour l'été, ce serait idéal.

— Oui, oui...

Elle semblait hésiter.

— Tu n'as pas l'air convaincue, commenta Hugo.

— Non, ce n'est pas ça, mais elles sont situées dans le village.

— Eh bien oui, c'est plus pratique et plus sécurisant pour s'installer dans un environnement si différent de ce que nous avons connu jusqu'à présent.

Lisa hocha la tête, et lui dit :

— Lors de notre premier séjour, le mois dernier, j'ai remarqué un panneau « À vendre » à l'entrée d'un chemin qui menait à une demeure située en haut d'une colline.

— Une maison isolée ? s'étonna Hugo.

— Oui… enfin… seulement à deux kilomètres de Véminan, juste au-dessus du hameau de Saint-Boliès. J'aimerais que nous la visitions.

— Lisa, tu es sûre ? Une maison éloignée du village, ça ne m'emballe pas, tu sais.

— Comment dire… Cette demeure m'a attirée. Lorsque je l'ai aperçue, je n'ai pas pu en détacher le regard jusqu'à ce qu'elle disparaisse derrière les forêts de pins. Depuis, j'y ai souvent repensé.

Hugo paraissait dubitatif.

— Très bien, j'en parlerai à M. Balin pour savoir s'il peut nous mettre en contact avec le propriétaire.

— Ce n'est pas la peine. J'avais noté le numéro de téléphone. Nous pouvons la visiter demain après-midi, répondit Lisa, gênée.

— Pourquoi ne m'en as-tu jamais parlé ? s'étonna Hugo.

— Je craignais que tu refuses.

— Pourquoi ? Je ne pense pas qu'une maison perdue dans les bois soit une bonne idée, mais… nous irons la visiter si tel est ton souhait.

Hugo était persuadé que sa femme changerait d'avis lorsqu'elle découvrirait cette maison. Le temps maussade prévu pour le lendemain allait, selon lui, définitivement la convaincre de choisir un lieu moins isolé.

Lisa reprit les mots de son mari.

— Elle n'est pas « perdue dans les bois », mais posée sur la colline ! affirma-t-elle.

Hugo leva les yeux.

— Très bien, soupira-t-il, nous verrons demain.

Ils terminèrent leur repas et n'échangèrent que quelques mots avant de regagner leur hôtel.

Le lendemain, comme chaque matin, Lisa se réveilla bien trop tôt. Elle ne pouvait pas, comme elle le faisait à Paris, se lever et s'occuper du petit-déjeuner face au bol rempli de… son fils chéri disparu.

Elle resta un long moment le regard fixé au plafond. Elle observait les traits que dessinait la lumière des lampadaires extérieurs. Malgré l'épaisseur des rideaux, la chambre était légèrement éclairée. Elle prit garde de ne pas trop bouger, car, après le long voyage de la veille, Hugo avait besoin de passer une nuit réparatrice.

Il était à peine 5 h 30 lorsqu'elle prit, sur sa table de nuit, l'un des magazines qui vantaient la région, ses paysages et sa gastronomie. Elle alluma la lampe de son Smartphone et tourna les pages lentement, découvrant les lieux touristiques les plus connus des environs : la vallée de la Dordogne avec le château de Beynac et la cité médiévale de Rocamadour, la vallée de la Vézère d'où l'on peut partir à la découverte de sites préhistoriques et, plus à l'ouest, à la limite du Périgord pourpre, les châteaux de Monbazillac et de Biron.

Elle se souvint des vacances qu'ils avaient passées dans la région, de leurs balades au village des Eyzies, du site de Lascaux, du château des Milandes, l'ancienne demeure de Joséphine Baker, où le spectacle de fauconnerie avait ébloui Émilie et Théo malgré leur jeune âge.

Toutes ces photos de vieilles pierres, de monuments ayant traversé les siècles l'apaisèrent. Au bout d'une demi-heure, ses paupières s'alourdirent et se fermèrent. Elle s'endormit le portable à la main et le magazine posé devant elle sur la couette.

Ils furent réveillés à 7 h 30 par l'employé de l'hôtel qui toqua à la porte. Lisa sursauta, elle vérifia l'heure avant de se lever.

— Bonjour madame, voici votre petit-déjeuner. Si vous avez besoin d'autre chose, n'hésitez pas ! Lorsque vous aurez terminé, merci de déposer le plateau dans le couloir. Bon appétit.

— Merci, fit-elle, encore dans les brumes d'un sommeil tardif.

Hugo se leva, embrassa sa femme et s'installa autour de la petite table.

— Tu as pu te reposer ? s'enquit-elle.

— Oui, ça va. J'ai mis un peu de temps à m'endormir. L'eau-de-vie que m'a offerte le patron de la brasserie hier soir ne m'a pas trop réussi.

Tout en plongeant sa tartine beurrée dans son bol de café, Hugo demanda, hésitant :

— Et toi... tu as pu dormir un peu ?

— J'ai replongé au petit matin, c'est l'employé qui m'a réveillée en frappant à la porte.

Il leva les yeux de surprise.

— C'est bien, cela faisait longtemps que ça ne t'était pas arrivé.

— Oui, répondit-elle laconiquement.

— Je te l'ai proposé à plusieurs reprises, mais, si tu veux, je peux te prescrire quelque chose de plus fort que ce que tu prends actuellement. Ton corps s'est peut-être habitué, depuis le temps...

Lisa se leva. Avant de se diriger vers la salle de bains, elle répondit à son mari :

— Non, merci... Et puis, je fais confiance au suivi du docteur Mader.

— Bien sûr, acquiesça Hugo.

— Tu sais, malgré la fatigue que cela provoque, ça ne me dérange pas tant que ça de me réveiller si tôt. C'est un peu comme si, chaque matin, j'étais avec Théo...

Elle n'osa pas poursuivre. Hugo ne répondit pas, à quoi bon ?

Le couple acheva de se préparer. Ils avaient rendez-vous pour leur première visite de la journée à 9 heures à Véminan.

M. Balin, le maire du village, s'était proposé de les accompagner dans leurs démarches. Depuis qu'il avait appris qu'Hugo acceptait de reprendre le cabinet médical, rien n'était trop beau pour faciliter leur installation. Il ne voulait en aucun cas que le couple change d'avis pour un simple problème pratique. Le maire avait d'ailleurs averti les propriétaires qu'il apprécierait qu'ils ne s'opposent pas à un emménagement avant la validation définitive de l'acte, si jamais le couple hésitait et que leur choix définitif ne se faisait pas au cours de leurs trois jours de visite. M. Balin s'était même permis de contacter un de ses amis, notaire à Sarlat, pour la signature d'un compromis de vente qu'il espérait rapide.

Lorsque Lisa et Hugo arrivèrent, avec quelques minutes d'avance, sur le lieu de leur premier rendez-vous, le maire les attendait. Le temps était pluvieux et de fortes averses alternaient avec un crachin tenace. M. Balin se précipita avec son parapluie pour protéger Lisa et les invita à le suivre pour se mettre à l'abri sous le porche de la terrasse.

— Monsieur et madame Guadet, quel plaisir de vous revoir ! Vous avez fait bon voyage ?

Lisa lui serra la main et lui offrit un léger sourire.

— Très bien, merci, répondit Hugo, qui entra tout de suite dans le vif du sujet. Il s'adressa au propriétaire resté en retrait :

— Bonjour, merci de vous être déplacé. Nous sommes à votre disposition.

La visite dura près d'une heure, le couple semblait intéressé, ils posèrent de nombreuses questions concernant l'isolation, le système de chauffage, les possibilités d'extension. Le propriétaire, un homme d'une soixantaine d'années installé à Bergerac, répondit avec moult détails à chacune de leurs interrogations. Il avait hérité de cette demeure au décès de sa mère. Il avait d'abord pensé créer plusieurs gîtes, la surface de cent cinquante mètres carrés le permettait, mais, après s'être renseigné sur les réglementations en vigueur et les travaux que cela imposait, il avait préféré renoncer et se diriger vers une vente classique.

Lisa et Hugo réservèrent leur décision et promirent de donner leur réponse au plus tard le lendemain dans la soirée, après avoir fait les autres visites prévues.

Le deuxième rendez-vous n'avait lieu qu'en toute fin de matinée. M. Balin proposa alors à Hugo de découvrir l'avancement des travaux du cabinet médical. Le jeune médecin accepta avec plaisir.

Pendant que son mari explorait avec satisfaction son futur lieu de travail, Lisa interrogea M. Balin sur la bâtisse qu'elle avait remarquée en dehors du village, et qu'ils devaient aller voir dans l'après-midi.

— Nous avons programmé une autre visite, annonça-t-elle au maire. La propriété de M. Palain.

Le maire se tourna vers Lisa et, surpris, resta muet quelques instants.

— Vous ne connaissez pas cette demeure sans doute, poursuivit-elle.

— Si, si, *La Part des Anges* !

— Pardon ? s'étonna Lisa.

— *La Part des Anges*, c'est le nom de la propriété. Vous savez, ce sont deux frères qui cherchent à vendre, ils sont rarement d'accord... des chamailleries de famille. Ils habitent tous les deux à Toulouse et n'arrivent pas à s'entendre pour les frais d'entretien ni les travaux de restauration. Ils ont d'ailleurs tout arrêté depuis trois ans, après avoir rénové la partie habitable. Les granges et les annexes sont restées dans un état plus « rustique », si l'on peut dire. Vous avez parlé à Marcel, ou à Albert ?

— Marcel, répondit-elle.

— C'est bien. Habituellement c'est lui qui décide, mais ce n'est vraiment pas facile entre eux. Je préfère vous avertir. Ils ont déjà refusé trois offres, les estimant trop basses. Et puis cette maison est... (Il chercha ses mots.) Enfin, il faut aimer la solitude.

Lisa paraissait étonnamment sûre d'elle.

— Oui, mais j'ai envie de la visiter. Quand nous sommes passés sur la route le mois dernier, comment dire, elle m'a... interpellée.

Alors qu'Hugo finissait d'inspecter le nouveau matériel, M. Balin lui dit, d'un ton calme et presque nostalgique :

— Vous savez, Lisa... Pardon ! Je peux vous appeler par votre prénom ?

— Bien sûr, lui confirma-t-elle.

— Eh bien, Lisa, *La Part des Anges* est une propriété qui appartient à la famille Palain depuis le XVe siècle, vous vous rendez compte, c'est assez rare ! Dans ma commune, je ne connais pas de cas similaire. Dans les communes voisines non plus d'ailleurs. Le jour où elle sera vendue, comment dire... c'est un peu une partie de l'histoire de Véminan qui disparaîtra.

Lisa ne put contenir son étonnement.

— Le XVe siècle ! Mais elle doit être très dégradée.

Sa remarque eut le mérite de rendre à M. Balin sa bonhomie naturelle.

— Vous allez être surprise, mais elle est en très bon état. Vous vous doutez bien que depuis plus de cinq siècles elle a beaucoup changé. À cette époque, Saint-Boliès n'était pas rattaché à Véminan, le hameau actuel était un village florissant. C'était une étape bien connue des voyageurs qui descendaient du nord pour rejoindre l'Espagne. Saint-Boliès accueillait les bourgeois et les nobles, *La Part des Anges* se contentait des domestiques et des cavaliers. La propriété s'est agrandie peu à peu pour devenir une exploitation agricole classique qui s'est transmise de génération en génération.

Hugo venait de terminer sa visite, Lisa interpella à nouveau le premier magistrat.

— Pourquoi « La Part des Anges » ?

— Vous ne connaissez pas l'expression ?

— Pas du tout, mais je trouve ça très joli.

— La part des anges correspond au volume d'un alcool qui s'évapore pendant son vieillissement en barrique. La part que le vigneron doit laisser aux anges pour que son vin soit bon, en quelque sorte. La légende dit que les cavaliers qui faisaient halte en ce lieu buvaient tellement qu'ils étaient comme le bois des fûts de chêne :

ils « évaporaient » le vin. Mais ce n'est qu'une légende, bien sûr…

— C'est original. Merci, déclara Lisa voyant son mari s'approcher.

M. Balin se dirigea alors vers Hugo pour connaître son avis sur les aménagements réalisés.

— Alors, cela vous convient-il ?

Hugo, ravi, ne put cacher son enthousiasme.

— C'est parfait ! Je ne pensais pas retrouver des conditions de travail comparables à mon cabinet parisien. Je suis surpris de la surface disponible.

— Nous souhaitons que vous puissiez travailler dans les meilleures conditions.

— Je l'espère moi aussi. Il va falloir que je m'adapte à une pratique rurale, mais avec un peu de temps et de patience, tout est possible, fit le jeune médecin en s'adressant à sa femme qui venait de faire un tour rapide des locaux.

— Qu'en penses-tu, Lisa ?

— C'est vraiment parfait, confirma-t-elle.

Hugo discutait des derniers détails avec le maire qui, invariablement, répondait par l'affirmative à chacune de ses demandes. Lisa observait son mari. Son dos était voûté et sa haute stature recroquevillée sur elle-même. Il avait maigri, les traits de son visage étaient tirés. Ses yeux clairs, même s'ils scintillaient de satisfaction, trahissaient une immense lassitude.

À cet instant, pourtant, il semblait content. Elle le connaissait bien, elle savait que, malgré cette peine qu'il traînait, Hugo avait trouvé l'envie d'écrire une nouvelle page de sa vie. Elle en fut rassurée et terrorisée en même temps. Rassurée de constater qu'il se tournait vers de nouveaux projets, et terrorisée à l'idée de ne pas pouvoir le suivre sur le chemin qu'il empruntait.

La visite prévue en fin de matinée se révéla décevante. La maison, inhabitée depuis des années, n'avait pas été entretenue. Discrètement, Lisa et Hugo accélérèrent le pas. Ils n'avaient pas encore donné leur avis, mais M. Balin était persuadé que le jeune couple ne s'installerait pas dans ce lieu humide aux moisissures bien ancrées sur les vieilles tapisseries. Hugo remercia le propriétaire en lui signifiant poliment qu'ils ne donneraient pas de suite favorable.

Ils avaient prévu de déjeuner au village de Beynac où le château surplombe la vallée et où la route étroite serpente entre les maisons et la rivière Dordogne.

M. Balin eut beau insister pour tenter de les retenir, prétextant que sa femme avait cuisiné toute la matinée, rien n'y fit ; ils avaient besoin de faire le point tranquillement tous les deux.

Ils se donnèrent rendez-vous en fin d'après-midi pour la dernière visite. M. le maire ne proposa pas de les accompagner à *La Part des Anges*. Les relations qu'il entretenait avec les frères Palain ne semblaient pas au mieux. Hugo paraissait contrarié ; M. Balin aurait pu être un allié de poids pour tenter de dissuader sa femme de s'installer à l'extérieur du village, une folle idée ! Lisa, elle, se réjouissait de l'absence du maire. Elle avait compris que si son choix se confirmait, elle n'aurait pas à lutter contre deux avis négatifs et devrait seulement affronter le scepticisme d'Hugo.

Il y avait peu de monde dans le restaurant. Le patron les installa près de la baie vitrée. Quelques timides rayons de soleil se reflétaient dans les eaux calmes de la rivière. Hugo se lança dans un long monologue où il ne tarissait pas d'éloges sur les efforts consentis par la mairie, qui avait fait refaire à neuf le cabinet médical et, ainsi, lui offrait des conditions de travail optimales. Lisa, tout en picorant dans son assiette, acquiesça à plusieurs reprises d'un simple signe de tête. Tout à coup, Hugo se rendit compte qu'il accaparait la conversation et que sa femme n'avait pas encore dit le moindre mot depuis le début du repas.

— Excuse-moi, je parle, je parle. Tu en penses quoi ?

— Du cabinet ?

— Oui, et des deux visites. Enfin surtout de la première, pour la seconde, la maison est vraiment en très mauvais état.

Calmement, Lisa exposa son point de vue.

— Pour le cabinet, c'est toi qui décides. Mais il faut bien reconnaître que tout est fait pour que tu ne renonces pas à ton engagement.

— Oui, oui, bien sûr…

Hugo hésita.

— Tu es d'accord pour que je signe le bail avec la mairie ? Tu... n'as pas changé d'avis ?

— Bien sûr que non. Par contre, pour la maison de ce matin, même si elle est très bien agencée et qu'il n'y a pas de travaux à faire, je n'ai pas accroché.

Hugo ne put cacher sa déception.

— Pourtant tu paraissais intéressée, elle est vraiment parfaite. De plus, le prix est tout à fait raisonnable. C'est exactement ce que nous cherchions. Tiens, regarde, fit Hugo en posant sur la table la feuille de papier où étaient notés leurs critères de choix.

— Je sais, nous en avons discuté hier soir, soupira Lisa qui repoussa la liste.

— Pourtant, il va falloir se décider. Je n'ai pas envie de refaire une nouvelle fois un aller-retour Paris-Sarlat, affirma-t-il.

— Mais il nous reste une dernière visite ce soir et puis... *La Part des Anges*.

Hugo écarquilla les yeux en plantant sa cuillère dans la tarte aux noix que le serveur venait de déposer.

— La part de quoi ? s'étonna-t-il.

— *La Part des Anges*, c'est le nom de la propriété que nous allons visiter en début d'après-midi. J'en ai discuté avec M. Balin quand tu étais en train de faire le tour de tes futurs locaux.

— Et il t'a dit quoi ? marmonna Hugo, contrarié.

— Il m'a parlé de l'histoire de la maison. Tu te rends compte, elle date du XVe siècle !

— Eh ben, bonjour les travaux ! s'exclama Hugo.

— Non, justement, tout a été refait à neuf, répondit-elle d'un ton qui contrastait avec sa monotonie habituelle.

Hugo le remarqua et ne tenta pas, à cet instant, de la faire changer d'avis. Il en était certain, quelques heures plus tard, elle ne penserait plus à cette demeure.

Une fois le déjeuner terminé, Hugo régla l'addition tandis que Lisa sortait téléphoner à sa fille. Émilie était ravie d'entendre la voix de sa mère, mais la conversation fut brève, car elle était en train de décorer le sapin de Noël avec son grand-père. Cette mission était de la plus haute importance et il n'était pas question qu'elle perde trop de temps. Lisa fut rassurée de constater que, malgré son absence, Émilie était heureuse et n'exprimait aucun signe de manque. Lorsque Hugo rejoignit Lisa, il aurait souhaité dire quelques mots à sa fille, mais il était trop tard, elle avait déjà raccroché.

— Elle ne t'a même pas parlé de sa future maîtresse, Mme Duluc, qui a eu la gentillesse de nous proposer de nous rencontrer pendant ses vacances ?

— Non, elle est encore bien loin de tout ça ! Tu sais, ça me tourmente, une nouvelle école, des nouveaux camarades à se faire. Y parviendra-t-elle ? s'inquiéta Lisa.

Hugo enveloppa sa femme de son bras et posa sa main sur son épaule. Ils se dirigèrent vers leur voiture.

— Elle y parviendra bien plus facilement que nous, affirma-t-il.

— Tu crois ?

— Arrête s'il te plaît. J'en suis certain, répondit Hugo qui boucla nerveusement sa ceinture de sécurité.

Une nouvelle fois, Lisa se perdait dans ses doutes.

— Et puis elle est toute seule avec mes parents. Nous devons lui manquer, qu'en penses-tu ?

Hugo haussa les épaules de dépit.

— Rien, je n'en pense rien. Alors, on y va à cette *Part des Anges* ?

*
* *

Durant tout le trajet, Hugo pensa à sa fille. Il savait que depuis la disparition de Théo Émilie avait besoin de ces trop rares périodes où elle n'était pas étouffée par la surprotection maternelle. Besoin de s'extraire de cette ambiance pesante. Souvent elle se réfugiait dans sa chambre pour échapper à une forme de responsabilité dont elle se sentait investie vis-à-vis de sa mère.

La petite fille en avait déjà parlé à son père.

— Papa, tu sais, je dois être parfaite et il ne doit rien m'arriver, autrement maman n'aura plus aucun enfant.

Hugo en avait été bouleversé et, la gorge nouée, n'avait pu que lui faire une réponse d'une affligeante banalité.

— Enfin, Émilie, arrête donc de dire des bêtises !

Ce jour-là, il avait pris définitivement conscience du danger de voir sa fille happée par une responsabilité qui ne lui incombait pas. Une raison de plus pour se dire qu'il était urgent d'emmener sa famille loin, afin de rompre avec ces habitudes qui les détruisaient peu à peu.

*
* *

Après une vingtaine de minutes de trajet, ils arrivèrent en vue de *La Part des Anges*, posée en haut de la colline. Hugo ralentit et s'engagea sur le chemin de pierre. Après un léger faux plat, à l'entrée d'une forêt de chênes et de pins, la pente devint plus abrupte. L'humidité et l'épaisse couche de feuilles mortes firent patiner à deux reprises la voiture. Dès la sortie du bois, la pente s'adoucit et la demeure s'imposa face à eux. Hugo ne put se retenir et laissa échapper quelques mots tout en ralentissant à l'approche des bâtiments.

— Ah oui, c'est... impressionnant.

Un large portail en fer forgé indiquait l'entrée de la propriété. Hugo s'avança, les deux vantaux s'ouvrirent automatiquement. Il roula au pas et immobilisa son véhicule au milieu de la cour tapissée de petits cailloux de calcaire clair.

Lisa descendit la première. À cet instant un rayon de soleil vint réchauffer son visage. Elle ferma les yeux, envahie par cette douce chaleur que lui offrait le hasard d'une journée d'hiver. Hugo resta silencieux, il constatait l'immensité des lieux. La cour était entourée de vieux bâtiments de pierre ne laissant rien deviner des champs et bois alentour. Un monde à part, protégé de l'extérieur, où la sérénité s'imposait.

Hugo se tourna vers sa femme. Elle souriait. C'est alors qu'une voix forte se fit entendre.

— Madame et monsieur Guadet, bienvenue !

Marcel Palain, l'un des deux frères copropriétaires, se tenait les mains sur les hanches, droit et fier. Il s'approcha d'Hugo qui lui tendit la main avec une certaine retenue.

— Vous avez trouvé facilement ? Depuis que nous interdisons à ces satanés chasseurs d'assassiner des animaux sur nos terres, ils n'ont rien trouvé de mieux que d'arracher les panneaux. Quelle bande de cons, je vous assure ! soupira-t-il.

Hugo, déconcerté par tant de naturel, eut à peine le temps d'articuler un timide :

— Oui, sans problème.

Marcel Palain se dirigea alors vers Lisa.

— Bonjour, madame. Je suppose que c'est vous que j'ai eue au téléphone ?

— Effectivement, je suis très heureuse de faire votre connaissance. Votre maison est magnifique ! lui assura Lisa.

— Vous avez à peine découvert l'extérieur et vous dites ça ? Eh bien quand vous aurez visité l'intérieur, quel adjectif allez-vous utiliser ? Je vais augmenter le prix, je crois, fit-il en ricanant à sa propre plaisanterie.

Hugo ne se sentait pas très à l'aise avec cet homme au franc-parler discutable alors que cela ne dérangeait pas Lisa qui, en fait, n'y prêtait guère attention. Une seule chose lui importait : découvrir au plus vite l'intérieur de la demeure.

Le propriétaire les invita à le suivre.

— Bon, allons-y ! Nous allons commencer par la partie habitable. Pour les bâtiments annexes, on verra plus tard, si cela vous intéresse bien évidemment. Qu'en pensez-vous ?

Il se tourna vers Hugo qui, d'un signe de tête, valida sa proposition.

Albert Palain les attendait dans une immense salle à manger. Il était en train d'alimenter en bûches de chêne la cheminée qui crépitait généreusement. Conformément à la description qu'en avait faite le maire, Albert était aussi effacé que Marcel était exubérant.

C'est d'ailleurs Marcel qui conduisit avec efficacité la visite de la maison. Parfois, lorsque le couple quittait une pièce, Albert se permettait une remarque pour compléter les propos de son frère.

Lisa était très attentive. Hugo l'observait. Elle posait beaucoup de questions, faisant parfois référence aux propos de M. Balin et à l'ancienneté de la demeure, ce qui ne tarda pas à agacer Marcel.

— Et que vous a-t-il raconté d'autre, notre cher maire ? Bon, en même temps, je suis bien obligé d'admettre qu'il vous a rapporté la stricte vérité.

— Eh bien, il m'a avoué qu'il regrettait qu'une si ancienne famille vende cette propriété.

Marcel accusa le coup. C'est son frère qui prit alors le relais.

— C'est vrai, il ne comprend pas. Nous non plus d'ailleurs.

Hugo fronça les sourcils de surprise.

— Vous souhaitez réellement vendre ? interrogea-t-il.

Albert poursuivit.

— Malheureusement oui ! Nous avons beaucoup investi dans cette maison. Vous avez pu le constater, tout a été refait à neuf excepté les bâtiments annexes. Cela nous a coûté une petite fortune. Mais nous habitons Toulouse, l'entretien est onéreux et nous avons chacun un métier qui ne nous permet pas de dégager beaucoup de temps libre. Alors, à quoi bon garder un bien pour le voir se dégrader ?

Marcel compléta.

— Et puis, vous savez, nos enfants ne se sentent pas attachés à cette maison. Bien sûr, ils sont heureux d'y passer quelques jours, mais aucun d'eux n'a envie de s'y investir. C'est bien normal, ils ont leur vie.

La sincérité des deux frères ne faisait aucun doute. Lisa fut touchée par leurs témoignages et tenta de faire une remarque.

— Je vois ce que...

Marcel ne l'entendit pas, absorbé par son propos, et l'interrompit.

— Vous savez, ce qui est important, ce ne sont pas les êtres, nous sommes tous de passage. Le plus important ce sont ces murs, ces poutres, ces greniers, ils en ont vu passer, des familles, depuis des siècles... Ce sont eux les vrais gardiens, pas nous.

À la faveur d'une éclaircie, la visite se poursuivit à l'extérieur par la découverte des parcelles de terre et de forêt que le voisin entretenait en échange de quelques brasses de bois pour l'hiver.

Lisa était conquise ; *La Part des Anges* l'intriguait et la rassurait. C'était ici, entre ces murs, qu'elle se reconstruirait ou qu'elle se perdrait définitivement.

Hugo savait que sa femme avait pris sa décision. Pour la forme, le couple s'isola un instant, mais leur choix était déjà fait. Ils ne discutèrent pas le prix, même s'il était élevé, il était justifié par la rareté et l'originalité des lieux. Marcel et Albert leur donnèrent un accord verbal, leur jurant qu'ils ne reviendraient pas sur leur parole et que la vente serait officialisée dans les meilleurs délais.

M. Balin ne put cacher sa déception quand Hugo lui téléphona pour lui annoncer que la dernière visite n'aurait pas lieu. Sa désillusion fut de courte durée ; il n'y avait désormais plus de doute, le jeune couple s'installait à Véminan.

C'était, pour lui et ses administrés, le plus important.

*
* *

Deux mois et demi plus tard, même si Hugo et Lisa avaient déjà emménagé dans les lieux, la remise officielle des clefs eut lieu dans le cabinet de maître Dumon, notaire à Sarlat. Marcel semblait très affecté et parla peu. Il se contenta de répondre laconiquement aux questions indispensables à la signature de l'acte de vente. *La Part des Anges*, désormais, ne lui appartenait plus. Marcel avait l'impression de trahir sa famille, comme s'il n'avait pas su perpétuer une tradition.

Albert souhaita bonne chance à Lisa et Hugo et leur fit une remarque étonnante :

— Prenez soin de *La Part des Anges*. Si vous respectez cette demeure, elle vous protégera. Apprivoisez-la, dites-vous que chaque pierre représente l'histoire de chacun de ses occupants, de leurs souffrances et de leurs bonheurs.

Ils n'y prêtèrent pas attention et mirent cet étonnant conseil sur le coup de l'émotion.

4

Des rires et des larmes

La vie est un perpétuel va-et-vient entre l'ombre et la lumière. Aux nuits d'orage succèdent les matins ensoleillés, au désespoir, les plus belles attentes.

La victoire viendra toujours après la défaite.

Nous n'y pouvons rien, c'est ainsi, le temps qui passe nous offre des sourires ou des cris de haine, du mépris ou de l'estime.

La vie est tout à la fois, des rires et des larmes.

*
* *

La Part des Anges, mai 2017

Trois mois s'étaient écoulés depuis l'installation d'Hugo et de sa famille à *La Part des Anges*. Chacun tentait, avec plus ou moins de facilité, de prendre ses marques dans cette nouvelle vie qui n'avait plus rien à voir avec ce qu'ils avaient pu connaître auparavant.

Contrairement à ce qu'ils auraient pu craindre, les facilités pratiques qu'offrait la vie parisienne ne leur manquaient pas. Même si le supermarché le plus proche et les premières boutiques étaient à trente minutes de voiture, cela ne contrariait pas Lisa qui, régulièrement, assurait les allers-retours à Sarlat. Au moins était-elle certaine de ne pas rester coincée dans les embouteillages en respirant l'odeur étouffante des gaz d'échappement. Elle appréciait cette vie plus sereine. Mais le manque de Théo et la douleur, encore trop intense, ne lui permettaient toujours pas d'envisager un avenir, quel qu'il soit.

Hugo s'investissait corps et âme dans ses nouvelles fonctions de médecin de campagne. Il était prêt à franchir un cap. Il en était sûr : désormais une nouvelle vie était possible.

Ses journées de travail étaient harassantes, mais il redécouvrait son métier. Ses patients n'étaient plus des corps qu'il soignait de façon mécanique à coups d'ordonnances plus longues les unes que les autres, mais des êtres humains qu'il apprenait à connaître. Il était le « nouveau toubib », comme le surnommaient les gens du coin et, même s'il avait été accueilli avec enthousiasme, il n'en restait pas moins le jeune médecin parisien qui devait faire ses preuves. Dans les campagnes, la confiance ne se donne pas, elle se gagne !

Il réapprenait des gestes qu'il avait oubliés depuis son internat à l'hôpital de la Pitié-

Salpêtrière. Il dut s'appliquer pour effectuer ses premiers points de suture, rechercher au fond de ses souvenirs d'étudiant afin de prendre l'habit de pédiatre lorsqu'une mère affolée déboulait à son cabinet avec son nourrisson qui présentait une fièvre de plus de 40 °C. Parfois, lorsque l'urgence le nécessitait, il se transformait en infirmier. Au début, cela ne lui plaisait guère de refaire un pansement ou d'effectuer une série de piqûres pour des traitements qu'il avait prescrits, il avait l'impression de perdre son temps, mais peu à peu, il constata que ces moments lui permettaient de mieux connaître ses patients. Les discussions s'égaraient souvent vers des sujets bien éloignés du simple cas médical. Il redécouvrait l'humain dans toute sa dimension. Après quelques semaines d'exercice, il accepta le café qu'on lui offrait ou la part de tarte tout juste sortie du four lorsqu'une de ses visites coïncidait avec la fin d'un repas.

Hugo partait pour ses urgences vers 7 h 30, puis commençait sa journée au cabinet à 9 heures, enchaînant les consultations jusqu'à midi passé. Bien souvent, il ne prenait même pas le temps de déjeuner avant d'effectuer ses visites à domicile jusqu'à 14 heures puis, de nouveau, retour au cabinet jusqu'à 19 heures et même plus tard si les cas qu'il avait à traiter l'exigeaient.

Lisa, comme elle l'avait promis au maire de Véminan, organisa des cours d'anglais pour les habitants qui le souhaitaient, et surtout pour les commerçants qui, l'été, étaient régulièrement en contact avec des vacanciers principalement d'origine britannique.

Sophie, la mère d'Elvira, s'inscrivit au cours du mardi après-midi. Elle était productrice de miel et elle aussi avait envie de progresser dans cette langue qui lui posait tant de problèmes quand elle devait expliquer à ses clients anglais la vie de la ruche et la récolte des différentes matières premières.

Comme leurs filles, les deux femmes se rapprochèrent. Elles appréciaient de passer du temps ensemble. Sophie proposa à Lisa de ne plus aller chacune de son côté faire leurs courses à Sarlat, Lisa accepta. C'est ainsi qu'elles prirent l'habitude de se retrouver pour se rendre au supermarché ou dans les boutiques du centre-ville.

Un jour, Sophie demanda à Lisa la raison de leur installation à Véminan. Lisa resta floue et se ferma. Sophie comprit que le sujet était sensible et n'insista pas.

Avant que sa fille lui en parle, Sophie était déjà persuadée qu'un couple de Parisiens bien établi ne chamboulait pas son existence sur un simple coup de tête pour s'installer dans un village perdu au beau milieu du Périgord. Et c'est par sa fille qu'elle apprit la triste vérité.

Émilie s'était confiée à Elvira. À cet âge, les secrets sont difficiles à garder et Elvira avait tout raconté à sa mère. Sophie se jura de ne plus jamais prendre l'initiative d'aborder un sujet aussi délicat.

Au cours d'un après-midi passé à Sarlat à flâner dans les rues de la vieille ville, Lisa proposa à Sophie de s'arrêter à la terrasse d'un café avant de rentrer à Véminan. Celle-ci accepta avec plaisir. Et pour la première fois depuis son arrivée dans la région, Lisa s'autorisa à évoquer la disparition de son fils Théo. Habituellement elle ne partageait ses tourments qu'avec Hugo, le docteur Mader, son amie Cléa et à de rares occasions avec sa mère. Mais aujourd'hui, peut-être que Lisa avait besoin de déposer son fardeau...

Sophie ne disait rien, elle écoutait sa nouvelle amie qui, à mesure que la conversation avançait, se livrait sans retenue. Au bout d'une quinzaine de minutes, Lisa se tut et fixa Sophie de ses grands yeux sombres qui trahissaient une profonde mélancolie. Au bord des larmes, elle s'excusa.

— Désolée, je t'embête avec mes histoires. Tu veux sans doute rentrer ? dit-elle en essuyant ses pleurs avec le dos de sa main.

Sophie attendit quelques instants avant de s'exprimer. La confession de Lisa l'avait bouleversée et elle ne voulait pas réagir sous le coup d'une trop forte émotion. Elle choisit la banalité d'un propos convenu.

— Tu sais, si tu as encore besoin de te confier, n'hésite pas. J'ai tout mon temps.

Lisa baissa les yeux et tritura nerveusement son jean. Sophie poursuivit :

— Je suis touchée que tu me fasses confiance...
Pour être sincère, je connaissais déjà un peu ton
histoire.

Lisa eut un sourire timide.

— Émilie, je suppose ?

— Oui, mais ne lui en veux pas, elle a besoin
de s'exprimer. Tu sais... elle en parle parfois
avec Elvira.

Lisa replongea aussitôt dans ses tourments.

— Je sais, je délaisse ma fille. La culpabilité
que je porte pour l'accident de Théo consume
toute mon énergie. Émilie ne dit rien, mais elle
en souffre. Elle espère du soutien de la part de
sa mère alors que je ne lui offre que ma tristesse.

Sophie ne put s'empêcher de rectifier les mots
de son amie.

— D'après ce que tu m'as dit, je crois que tu
ne « portes » aucune culpabilité, tu te l'infliges,
c'est différent.

— Bien sûr que non, soupira Lisa.

Sentant le sujet sensible, Sophie préféra revenir au cas d'Émilie.

— Elvira m'a dit que ta fille ne savait pas
comment réagir avec toi, elle n'ose pas aborder
la conversation. Tu devrais peut-être lui parler.
Les enfants sont capables de comprendre bien
plus de choses que ne le supposent les adultes.

— Que veux-tu que je lui dise ? répliqua Lisa
en haussant les épaules.

— Tout simplement, lui parler de son frère.
Que vous exprimiez chacune votre chagrin. Il
n'y a rien de pire que le silence.

— Ce n'est pas facile, je...

Lisa ne put poursuivre, étranglée par l'émotion qui lui nouait la gorge.

— Allez, nous ferions mieux de reprendre la route. Les filles vont nous attendre, proposa Sophie.

Lisa se leva et déposa un billet de dix euros sur la table. D'un geste de la main, elle signifia au serveur de ne pas lui rendre la monnaie ; elle était pressée de rentrer. Les deux femmes regagnèrent rapidement le parking. Lisa prit alors les mains de son amie dans les siennes :

— Merci, ça m'a fait du bien.

Elles s'installèrent dans la voiture. Sophie enclencha la marche arrière et, tout en tournant la tête, regarda Lisa droit dans les yeux.

— Pas de merci ! Et si tu as besoin, je suis là. Allez, maintenant parlons d'autre chose. Alors la déco de la maison, où en es-tu ?

Durant le trajet, Lisa se détendit. Elle évoqua les quelques aménagements qu'elle souhaitait réaliser à *La Part des Anges*. Son visage s'apaisait à mesure qu'elle racontait ses choix pour les rideaux du salon, la nouvelle peinture pour la chambre d'Émilie, son projet d'aménagement d'un des greniers en bureau mansardé...

Elles arrivèrent juste à l'heure devant le portail de l'école, la sonnerie venait de retentir. Elvira et Émilie s'engouffrèrent dans la voiture, puis Sophie déposa son amie et sa fille à *La Part des Anges*. Avant de se quitter, les deux femmes s'embrassèrent chaleureusement.

Lisa regardait le véhicule de Sophie descendre le chemin lorsque la sonnerie du téléphone retentit. C'était le docteur Mader qui, comme à son habitude, respectait à la minute près l'horaire convenu. Pour la première fois, Lisa prit son temps et ne se précipita pas pour répondre.

Le psychiatre s'étonna.

— Bonjour, Lisa, comment allez-vous ? Je vous dérange ?

— Pas du tout, docteur, répondit-elle d'une voix plus apaisée que d'habitude.

— Vous paraissez plus calme. Votre voix est posée, c'est bien. Vous avez peut-être quelque chose à me dire ?

Lisa hésita un instant.

— Eh bien… je me suis fait une amie, ici, au village. La mère d'une camarade d'Émilie. Je me sens… bien quand je suis avec elle. Elle ne me juge pas.

Il pensa qu'enfin elle s'autorisait à se tourner vers autre chose que cette tristesse maladive qui ne la quittait pas depuis la disparition de son fils.

— C'est une bonne chose, fit-il. Je vous félicite. Vous voyez, le temps ne guérira pas votre blessure, mais il l'apaisera. Vous vous autoriserez à vous ouvrir aux autres.

L'espoir du médecin fut de courte durée. Agacée, Lisa l'interrompit.

— Non, je ne m'autoriserai rien, je n'en ai pas le droit ! affirma-t-elle.

— Ne dites pas ça. Bien sûr que si vous en avez le droit. Jusqu'à quand allez-vous vous imposer cette souffrance ?

— Je ne m'impose rien, je paye ma dette. Je dois l'aimer plus que tout puisque je n'ai pas su le protéger, voilà tout, insista-t-elle.

Le psychiatre ne put réprimer un long soupir de lassitude. Depuis plus d'une année, tous ses arguments semblaient vains. Il doutait de sa capacité à aider Lisa, mais il ne pouvait pas abandonner sa patiente, il se devait de persévérer.

— Vous avez donc une nouvelle amie ?

La voix de Lisa reprit un peu de clarté.

— Oui, c'est durant les cours d'anglais que nous avons naturellement sympathisé. Nous allons ensemble à Sarlat. C'est plus agréable de faire le trajet à deux, ou à quatre lorsque les filles sont en vacances.

Le docteur Mader sauta sur l'occasion.

— « Naturellement », « agréable », quel plaisir de vous entendre prononcer ces mots !

— Pourquoi donc ? s'étonna-t-elle.

— Parce qu'il faut laisser du temps au temps et que la vie, *naturellement*, peut redevenir *agréable*.

Lisa s'installa dans un des fauteuils de l'entrée, elle regardait à travers la baie vitrée. Elle tarda à répondre, perdue dans ses pensées.

— Lisa ? s'enquit-il.

— Oui, oui, désolée. Je réfléchissais.

— Ne vous excusez pas, je peux connaître le sujet de votre réflexion ?

— C'est compliqué, répondit-elle.

Il l'incita à poursuivre.

— Pourquoi dites-vous cela ?

— Je me demande parfois ce que nous allons devenir avec Hugo. Son nouveau poste le passionne.

— C'est une très bonne nouvelle, se réjouit-il.

— Oui, mais je le vois peu. Il part très tôt et rentre tard. Il peut même repartir après dîner si une urgence se présente. Malgré mes cours d'anglais et les moments passés avec Sophie, je me retrouve souvent seule.

Le docteur lui rappela qu'en s'installant à Véminan elle avait accepté certaines contraintes. Celle de voir son mari accaparé par ses patients en faisait partie.

— Vous le saviez, un médecin qui exerce à la campagne se doit de ne pas compter ses heures.

— C'est vrai, mais j'espérais...

Elle ne put terminer sa phrase.

Une nouvelle fois, il tenta de la faire réagir, de provoquer enfin l'électrochoc qui la sortirait de cette prison dans laquelle elle s'était enfermée.

— Écoutez, vous ne pourrez pas éternellement vous cacher derrière votre chagrin, Hugo ou toute autre raison.

— Je ne me cache derrière rien...

Fermement, il lui coupa la parole.

— Si, et vous en êtes parfaitement consciente ! Hugo tente de se reconstruire, c'est bien. Si vous estimez qu'il devrait consacrer plus de temps à votre couple et à sa fille, dites-le-lui, arrêtez de tergiverser ! Lui aussi souffre de la perte de son fils, il n'y a pas que vous !

Dès qu'il eut prononcé cette dernière phrase, le thérapeute regretta son propos. N'était-il pas allé un peu trop loin ? Inquiet, il attendait la réponse de Lisa qui tardait à venir. Elle finit par s'exprimer, hésitante.

— Vous… avez raison. Depuis que je suis ici, je pense toujours beaucoup à Théo, mais… je réfléchis aussi souvent à ce que je souhaite, et, comment dire, cela me paraît paradoxal…

— Qu'entendez-vous par là ? s'étonna-t-il.

— Je ne sais pas, tout se brouille dans mon esprit. Jusqu'à présent, je n'ai vu que mon chagrin, j'ai négligé celui d'Hugo et d'Émilie. D'un autre côté, être loin de Théo m'a ouvert les yeux, mais ça me fait peur.

Ses propos étaient confus, le psychiatre eut du mal à en faire la synthèse, il lui suggéra de préciser sa pensée.

— Que craignez-vous exactement ?

— Que mon chagrin soit une forme d'égoïsme. J'aimerais redevenir la mère et l'épouse que j'étais. Émilie en a besoin et Hugo le mérite, il m'a tellement aidée… jusqu'à en négliger sa propre détresse. Vous voyez, docteur…

Elle hésita encore, il l'encouragea.

— Je vous écoute, Lisa, poursuivez.

— Lorsque nous sommes retournés à Paris au cours des vacances de printemps, j'ai ressenti le besoin de rendre visite à Théo tous les jours, mais au moment du départ, j'étais soulagée. Lorsque j'ai embrassé mes parents, j'ai éprouvé une étrange impression : j'étais heureuse de rentrer à Véminan et de retrouver le calme. J'avais la sensation que si je devais me reconstruire ce ne pouvait être qu'ici… Surprenant, non ? J'en ai parlé à Hugo, il n'a pas compris, notre discussion a tourné court.

Le docteur Mader était partagé entre deux sentiments contradictoires. D'un côté, les propos de Lisa le rassuraient, car, pour la première fois, elle évoquait l'avenir. En même temps, il craignait que sa patiente ne trouve jamais les ressources suffisantes pour accompagner Hugo. Le couple n'était pas en phase, c'était évident. Hugo avançait bien plus vite que sa femme. Aurait-il la patience, une fois de plus, de consacrer une grande partie de son énergie à apaiser la détresse de Lisa ? Il en doutait fortement, mais insista sur l'aspect positif des propos de sa patiente.

— Vous avez pris conscience de pas mal de choses. Vous devez continuer dans ce sens.

Elle acquiesça.

— J'essaye.

— Nous n'avons plus que quelques minutes avant la fin de notre séance, j'aimerais savoir où en est votre dossier de mutation au collège de Sarlat pour la rentrée prochaine. Cette démarche est essentielle, vous le savez.

Lisa confirma ce que le docteur Mader craignait.

— Eh bien, je n'ai pas encore envoyé mon dossier.

— Pourquoi donc ?

— Je vais le faire, je dois, comme je vous l'ai déjà dit…, trouver la force, répondit-elle sur un ton dont la motivation frisait le néant.

— Je dois vous laisser. Lisa, il faut agir, agir, vous comprenez ! s'acharna le psychiatre.

— Bien sûr, docteur.

Elle raccrocha.

*
* *

Les semaines passaient et les craintes du docteur Mader ne firent que se confirmer. Les relations entre Hugo et Lisa devenaient de plus en plus tendues. Si, sur le fond, leurs attentes étaient identiques, ils n'arrivaient pas à dépasser leurs divergences quant à la façon d'y parvenir.

Hugo se projetait dans cette nouvelle vie, cette nouvelle région, ces nouvelles habitudes, ce nouveau travail. Tout ce que sa femme lui avait, d'une certaine façon, imposé. Il pensait souvent à son fils. Et même si la souffrance était présente, il était conscient qu'il devait laisser s'envoler certains souvenirs et se donner la permission d'en construire d'autres.

Le comportement de Lisa agaçait de plus en plus son mari. Il ne supportait plus l'apathie dont elle faisait preuve. Elle souffrait, il le savait, mais elle devait surmonter son chagrin, ne serait-ce que pour Émilie.

Un soir, Hugo rentra encore plus tard que d'habitude. Il était près de 21 heures lorsque Lisa, le nez collé à la vitre, aperçut les phares de la voiture qui montait le chemin à vive allure.

Hugo se gara dans la cour et claqua bruyamment la portière. Émilie se jeta dans les bras de son père, elle l'attendait avant d'aller se coucher.

— Tu arrives super tard, papa, lui fit-elle remarquer.

Hugo se saisit de la main de sa fille et monta rapidement les quelques marches du perron. Il paraissait très énervé, il s'approcha et embrassa sa femme qui n'eut pas de réaction particulière, ce qui eut pour effet de renforcer son agacement. Il préféra ne rien dire et se dirigea vers la chambre d'Émilie. La petite se glissa dans son lit, il lui caressa le front, l'embrassa et lui souhaita une bonne nuit.

— Papa, n'oublie pas de laisser l'éléphant éclairé, lui dit-elle alors qu'il s'apprêtait à refermer la porte.

— Bien sûr, soupira Hugo.

Il alluma la veilleuse, qui diffusa un faible halo de lumière sur la commode située en face du lit de sa fille. Depuis le décès de son frère, Émilie ne pouvait plus s'endormir dans l'obscurité totale. Hugo avait bien tenté de proposer à Lisa de mettre un terme à cette habitude. Là aussi sans succès, sa femme s'y opposait.

Il descendit l'escalier qui menait au salon et découvrit sa femme assise sur le canapé devant un écran de télévision éteint. Elle semblait, encore une fois, déconnectée du monde réel. Hugo souffla bruyamment de dépit.

— Tu fais quoi ? lui lança-t-il.

— Eh bien... je t'attends pour dîner.

— Très bien, alors à table ! répliqua-t-il en se dirigeant à grands pas vers la cuisine.

Lisa comprit que le comportement d'Hugo dépassait le cadre habituel de leurs divergences. Elle tenta d'en savoir plus sans se douter de ce que sa question allait provoquer.

— Quelque chose ne va pas ? demanda-t-elle.

Hugo se tourna vers sa femme et la fusilla du regard. Il tenait entre ses mains un verre de vin rouge qu'il venait de se servir, le liquide tremblait. Il vida son verre d'un trait avant de s'exprimer d'une voix forte.

— Quelque chose ne va pas ? Tu oses poser cette question ? Mais rien ne va !

Hugo, d'habitude si posé, prêt à tous les efforts pour calmer les angoisses de sa femme, était hors de lui. Lisa avait en face d'elle un homme qu'elle ne connaissait pas. Le couple avait déjà eu des accrochages, mais jamais d'une telle intensité.

Hugo et Lisa ne supportaient pas les conflits. Inconsciemment, ils pensaient que l'affrontement des points de vue était synonyme de rupture, sans aucun doute un reste de leur éducation où ils avaient pris l'habitude de ne pas exprimer leurs ressentis, alors chacun faisait l'effort de prendre sur lui, quitte à prolonger les malentendus.

Mais ce soir, Hugo était trop las pour, une fois de plus, se taire, dût-il atteindre le point de non-retour.

Lisa s'approcha de son mari et lui caressa la main. Il la repoussa d'un geste brusque avant de se resservir un verre. Décontenancée, elle balbutia quelques mots.

— Mais Hugo, qu'est-ce qu'il y a ? Ta journée ne s'est pas bien passée ?

Le regard fixe et les yeux rougis, il se mit à marcher de long en large dans la cuisine, tel un animal en cage à la recherche d'une improbable sortie. Son débit de paroles était rapide. Lisa avait quelquefois du mal à le comprendre ; le dos appuyé contre le mur, elle ne bougeait pas. Elle l'écoutait.

— Non, ma journée a été... je ne sais pas comment dire. Une journée de merde ! Oui, voilà, une journée de merde ! J'ai annoncé à trois personnes qu'elles étaient atteintes d'un cancer, sans grand espoir qu'un traitement soit véritablement efficace. Puis j'ai reçu la mère de Sophie, qui ne devrait pas tarder à ne plus pouvoir se passer d'un fauteuil roulant. Sa sclérose en plaques progresse vite. Putain, fait chier ! J'en ai marre ! Et pour finir, j'ai eu des nouvelles du procès du chauffard qui nous a enlevé Théo, l'avocat m'a annoncé qu'il venait de faire appel du jugement. Il est gonflé ! Au moment de l'accident, il a fui par peur de la foule pour revenir se dénoncer une heure plus tard. Nous sommes encore repartis pour des mois de procédure, c'est épuisant.

Lisa avait eu beaucoup de mal à supporter le procès, la condamnation du conducteur à une forte amende et à une peine de prison avec sursis n'avait pas apaisé sa douleur, rien ne pourrait compenser la perte de Théo. Désormais, c'était uniquement Hugo qui, à distance, gérait la suite du dossier judiciaire. Hugo ne se calmait toujours pas. Elle orienta leur échange vers la maladie de la mère de son amie.

— Sophie m'en a parlé, elle s'inquiète. Elle sait que dans quelques mois sa mère ne pourra plus se déplacer seule.

Hugo s'assit et prit sa tête entre ses mains, Lisa ne pouvait pas voir son visage. Elle poursuivit d'une voix hésitante :

— C'était une journée difficile, oui. Depuis que tu es installé ici... tu as beaucoup de travail, c'est vrai, mais... tu te sens bien dans ce nouveau poste. Tu me l'as souvent dit, non ?

Hugo releva la tête. Lisa découvrit son visage plein de larmes. Sa gorge se serra, elle s'approcha et enserra la tête de son mari de ses bras. Le front posé contre le ventre de Lisa, il ne pouvait s'arrêter de pleurer. Il voulait s'exprimer, mais ses sanglots l'empêchaient de parler.

— Calme-toi, murmura-t-elle en lui caressant les cheveux.

Lisa n'avait pas vu son mari pleurer depuis l'enterrement de Théo, lorsqu'il avait dû dire au revoir à son fils à la fermeture du cercueil.

Hugo avait trop contenu sa peine et son chagrin. Il n'avait rien exprimé ou si peu de choses, toujours obnubilé par ce seul et unique objectif : le bien-être de sa famille. Mais tous ces efforts avaient été vains, Lisa n'allait pas mieux. Hugo avait peur, il était terrorisé à l'idée de perdre sa femme et de s'éloigner de sa fille.

Il parvint à prononcer quelques mots.

— Qu'allons-nous devenir, Lisa ? Qu'allons-nous devenir ?

Lisa fit l'effort de contenir son chagrin. Elle serra plus fort la tête d'Hugo, elle pouvait sentir son front s'appuyer avec force contre son ventre, comme pour s'y enfoncer.

À travers la porte-fenêtre, elle voyait le soleil, d'un orange intense, se coucher sur les forêts de chênes et de pins, pour disparaître progressivement derrière les bouquets d'arbres. La sérénité du paysage contrastait avec leur détresse. Hugo ne bougeait pas, ce contact physique avec sa femme, si rare désormais, l'apaisait. Ce soir, à *La Part des Anges*, deux êtres se recroquevillaient l'un contre l'autre pour tenter de croire qu'il existait encore un espoir de ne pas sombrer. Hugo, peu à peu, se calmait. Lisa, avec douceur mais fermeté, déclara :

— Nous y arriverons.

Étonnamment, elle s'exprimait avec une certitude dont elle n'avait pas fait preuve depuis bien longtemps. Ce soir, c'était elle qui prenait soin d'Hugo. Elle était là, présente pour lui. Il leva la tête et fixa sa femme d'un regard vide.

— Je ne sais pas, c'est si difficile, murmura-t-il.

Elle répéta, plus fermement encore que la première fois :

— Nous y arriverons, Hugo, j'en suis sûre !

Il préféra se taire et faire durer cet instant le plus longtemps possible : rester ainsi, la tête contre le ventre de Lisa. Cette femme qu'il aimait tant et qu'il allait, sans aucun doute, perdre. Tous deux n'avaient pas su faire face ensemble à la disparition de leur fils. Chacun de son côté s'était épuisé.

Ils profitaient de ce moment rare entre deux êtres meurtris par la vie. Hugo chuchota quelques mots.

— Je me sens bien ici, mais sans toi ni Émilie je n'y arriverai pas.

La pleine lune éclairait désormais la campagne et sa lumière se reflétait sur les murs de pierre de l'ancienne ferme. À travers la vitre, Lisa regardait les silhouettes des arbres qui se détachaient dans la nuit et dessinaient d'improbables créatures.

— Nous trouverons la force, je te le jure.

— Espérons, dit Hugo d'un air las.

5

Qu'importe le papier

Mademoiselle Alice,

Vous devez penser que ce sont toujours les mêmes cartes que je vous envoie, mais ici, dans ce pays perdu, c'est tout ce qu'il y a. Mais qu'importe le papier quand il vient de celui qui vous aime, cela vaut beaucoup plus que tout le reste. Avant de finir, je vous renouvellerai l'espoir de vous voir dimanche prochain et de passer une bonne journée avec vous.

Recevez, mademoiselle, mes plus affectueuses pensées.

Gabriel

*
* *

Paris, juillet 2017

Lisa profita du début des vacances scolaires d'été pour passer quelques jours chez ses parents avec Émilie. Hugo, cette fois, ne fut pas du voyage comme lors du long week-end de

Pâques. En effet, à cette période de l'année, la population de Véminan triplait. Les vacanciers envahissaient la région, il n'était donc pas question que le seul médecin disponible s'absente.

Hugo prit quand même le temps de conduire sa femme et sa fille à la gare de Sarlat. Il ne s'attarda pas, déposa les bagages à terre, embrassa Émilie puis Lisa, et redémarra en trombe en direction de son cabinet où de nombreux patients devaient déjà l'attendre.

Le voyage en train fut long et pénible, près de six heures, avec deux changements, à Périgueux puis à Bordeaux, afin de récupérer le TGV qui les conduirait à Paris-Montparnasse.

Les grands-parents d'Émilie patientaient sur le quai. Près d'eux se tenait Anaïs. Lisa en fut plus étonnée qu'heureuse ; les deux sœurs n'avaient jamais eu des relations très suivies. Depuis le départ d'Anaïs et son installation dans une bergerie alpestre, elles avaient déjà passé de très longues périodes sans le moindre contact.

Les aléas de l'existence avaient fini de les éloigner. Lisa avait découvert la vie estudiantine et Anaïs passait plus de temps en altitude à s'occuper de ses brebis et de sa production de fromages avec Émilien qu'à se soucier de ses proches.

Elles s'appelaient une ou deux fois par an, mais les rencontres restaient rares. Leurs parents avaient bien essayé d'organiser des réunions de famille où elles auraient pu avoir l'occasion de se rapprocher, mais sans succès. Elles n'étaient pas fâchées, elles n'avaient tout simplement pas grand-chose à se dire.

Depuis les obsèques de Théo, pourtant, Lisa et Anaïs se téléphonaient plus souvent. Parfois Lisa recevait un SMS de sa sœur lui disant qu'elle pensait à elle, mais aucune visite à Véminan n'avait été programmée, chacune avait sa vie. Les deux sœurs n'avaient jamais manifesté le moindre signe de frustration à ce sujet. Cela avait toujours surpris Hugo, lui le fils unique, qui, au début de sa relation avec Lisa, avait posé de nombreuses questions. Il avait toujours obtenu la même réponse : « Nous ne sommes pas très proches, tu sais. » Il commença par s'en étonner, pensant que Lisa lui cachait une brouille familiale, mais avec le temps il comprit qu'il n'en était rien. Alors, lui aussi s'habitua à presque oublier qu'il avait une belle-sœur.

— Anaïs ! Mais que fais-tu là ?
— Je viens voir ma petite sœur.
Lisa répondit d'un ton ironique :
— Les Alpes se sont-elles écroulées ? Ou alors tes brebis se sont transformées en moutons…
Martine et Alain ne disaient rien, mais on pouvait lire de la résignation sur leurs visages. Émilie s'agrippa aux bras de son grand-père, qui dissimula sa déception en engageant la conversation avec sa petite-fille tandis que Martine se saisissait d'une des valises et commençait à remonter le quai, distançant ses deux filles de quelques pas.

— Bon, tu vas me dire ce que tu fais ici ? insista Lisa.

Sans aucune forme de gêne, Anaïs lui répondit :

— Avec Émilien, nous avons décidé de nous équiper d'une trayeuse électrique. Je suis venue voir un fournisseur. Papa et maman m'ont dit que tu étais là avec la petite, c'était l'occasion.

— Puisque c'est l'occasion... comme tu dis. Je suis contente de te voir.

— Moi aussi.

Lisa poursuivit :

— Si tu veux venir un jour à Véminan avec Émilien, ce sera avec plaisir que nous vous recevrons. Les brebis y sont rares, mais je pense que l'air y est aussi pur que dans tes montagnes.

— Pourquoi pas ? Un jour, peut-être.

— OK. Tu as donc une invitation officielle, ironisa Lisa.

— Et toi, comment vas-tu ? Quand je t'ai eue au téléphone, vous veniez d'arriver dans votre nouvelle maison... Comment s'appelle-t-elle déjà ?

— *La Part des Anges* !

— C'est vrai ! J'adore ce nom ! Bon qu'est-ce que je disais ? Ah oui, tu semblais heureuse de t'y installer.

Lisa tempéra les propos de sa sœur.

— Heureuse, je ne sais pas. Je m'y sens bien. Mais avec Hugo, ce n'est pas évident.

Recevoir des confidences ne faisait pas partie des habitudes d'Anaïs. Sa réponse fit comprendre à sa sœur que ce ne serait pas à ses côtés qu'elle puiserait le moindre réconfort.

— Si tu t'y trouves bien alors c'est parfait. Dépêchons-nous, on va perdre les vieux de vue. Ils sont déjà dans l'Escalator pour rejoindre le métro.

Lisa ne s'offusqua pas de ce manque de compassion.

— Tu as raison, allons-y !

Tout comme lors de son précédent séjour, Lisa alla se recueillir tous les jours sur la tombe de son fils. Elle avait demandé à ses parents de s'occuper de l'entretien du caveau. Ce à quoi ils s'appliquaient avec la plus grande attention. Les fleurs étaient régulièrement changées, la pierre de marbre brillait à force d'être frottée.

Le dernier jour de son séjour parisien, Lisa s'agenouilla plus longtemps que d'habitude. À voix basse, elle décrivit à son fils la nouvelle vie qu'elle menait avec son père et sa sœur, lui expliquant qu'il aurait été heureux de courir à travers champs et forêts. Elle lui parla de ces endroits où ils étaient déjà allés tous ensemble, comme s'il pouvait l'entendre. Avant de se relever, elle lui chuchota, sous forme d'excuse :

— Tu sais, je me sens bien dans cette région, la vie y est si tranquille. Et la maison, j'en suis sûre, tu l'adorerais. Si tu savais le nombre de recoins que tu dénicherais pour te cacher. Nous sommes loin désormais, mais tu es toujours là, dit-elle en collant son poing contre sa poitrine.

La Part des Anges, juillet 2017

Lisa et Émilie effectuèrent le voyage de retour en compagnie de Martine et Alain. Leur séjour à *La Part des Anges* avait été programmé de longue date. Lisa était heureuse de leur faire découvrir son nouvel univers. Ils appréhendaient de se rendre dans cet endroit où leur fille vivait désormais avec sa famille, mais sans Théo. Ils ne disaient rien, mais ils supportaient mal de savoir leur petit-fils si loin de ses parents et de sa sœur.

Au cours du week-end, Martine et Alain donnèrent le change, paraissant s'intéresser au moindre détail et à la beauté des paysages, mais le cœur n'y était pas. Le soir, dès le repas terminé, ils prétendaient être fatigués par le grand air pour aller se coucher bien plus tôt qu'à l'accoutumée et ne pas avoir à soutenir de trop longues conversations où ils craignaient que leur déception soit trop visible.

Lisa n'était pas dupe, elle savait que ses parents, même s'ils ne disaient rien, n'appréciaient guère cet éloignement.

Lorsqu'ils se quittèrent sur le quai de la gare de Sarlat, ce fut un soulagement pour tout le monde. Chacun revenait à sa vie, Martine et Alain repartaient pour Paris dans leur rôle de « gardiens » de Théo qu'ils prenaient parfois trop à cœur. Lisa ne leur en voulait pas ; leurs réactions de parents et de grands-parents étaient compréhensibles. Les visites de Lisa au cimetière de Montmartre étaient rares et savoir ses parents si présents la rassurait.

Sur la route du retour, Lisa avait déjà à l'esprit la venue de son amie Cléa accompagnée de son mari et de la petite Jade. Ils avaient promis de venir passer quelques jours de vacances à la découverte du Périgord, ils avaient tenu parole : ils arrivaient dans trois jours.

Lisa s'efforça de préparer leur séjour dans les meilleures conditions, s'affairant à aménager pour eux l'immense chambre d'amis. Elle installa un lit supplémentaire dans la chambre d'Émilie, qui se réjouissait d'accueillir Jade à ses côtés. Elle programma les visites des lieux les plus emblématiques de la région : le château de Beynac, la vallée de la Vézère, Rocamadour et, bien évidemment, Lascaux IV, le nouveau centre international de l'art pariétal.

Hugo fut d'abord surpris de constater ce regain d'énergie chez son épouse, mais il connaissait l'amitié sincère qu'entretenaient les deux femmes et laissa le champ libre à Lisa. Il se contenta de rester simple spectateur, acquiesçant à chaque proposition de celle-ci. Il ne pouvait s'empêcher de penser à la période qui succéderait au départ de leurs amis : comment sa femme allait-elle gérer le vide ?

Le portable de Lisa vibra. Son amie venait de lui envoyer un SMS lui signifiant qu'ils avaient passé Véminan et qu'ils étaient en vue du hameau de Saint-Boliès. Lisa sortit de la maison, elle entendait déjà le crissement des pneus sur le calcaire du chemin.

— Salut ma belle, s'exclama Cléa à peine descendue de la voiture que Lilian venait d'immobiliser dans la cour.

Lisa s'avança, un large sourire sur le visage, elle enlaça longuement son amie.

— Ça me fait tellement plaisir de vous voir ici ! fit-elle, les yeux embués.

Cléa essuya la joue de son amie et, sur le ton de la plaisanterie, déclara :

— Ah non, pas de pleurs pendant notre séjour, même de joie ! Des sourires et des rires uniquement !

Lisa acquiesça d'un signe de tête avant de commencer à dérouler l'organisation quasi militaire qu'elle avait mise en place.

— Vous allez d'abord vous installer dans vos chambres. Jade va dormir avec Émilie, j'ai pensé que ce serait mieux, non ? Ensuite, nous vous ferons visiter la maison, puis les dépendances. Je pense que nous aurons le temps avant le repas de…

— Quel programme, dis-moi ! Nous avons tout notre temps, fit remarquer Lilian qui venait de saluer Hugo.

— Effectivement. Nous allons d'abord vous aider à vider votre voiture, confirma Hugo. Après nous verrons.

— Très bien, déclara Lisa, qui tentait de tempérer son agitation.

Cléa reprit l'initiative de la conversation.

— Nous, on s'occupe d'installer Jade, vous les hommes, vous vous chargez du reste des bagages.

— C'est parti ! fit Hugo en saisissant une des valises dans le coffre de la voiture.

Le séjour se déroula dans la quiétude et la bonne humeur. Le programme concocté par Lisa fut mis à mal ; chacun avait envie de prendre son temps, de laisser glisser doucement les moments de partage. Certaines visites furent annulées et remplacées par de longues promenades dans les bois ou des discussions le soir sur la terrasse lorsque la fraîcheur s'installait.

À plusieurs reprises au cours de la semaine, lorsque le dîner fut terminé, les hommes partirent se balader, laissant leurs épouses échanger leurs confidences. Tandis qu'Émilie et Jade préféraient se réfugier dans leur chambre.

Lilian, guidé par Hugo, découvrait avec plaisir et intérêt les dépendances de la bâtisse. Si la maison d'habitation avait été entièrement rénovée pour offrir un confort maximal, le reste des bâtiments avait bénéficié uniquement de la réfection des toitures et de la mise aux normes de l'installation électrique. Les frères Palain, lorsqu'ils avaient fait réaliser les travaux par les artisans de la région, avaient décidé de sécuriser l'ensemble de la bâtisse. Ils espéraient que, plus tard, leurs enfants auraient à cœur de continuer l'embellissement de la propriété. En pure perte ; ce ne fut pas le cas.

Lilian s'émerveilla devant la Fournial, une petite pièce au sol de terre battue où trônait l'ancien four à pain avec sa voûte encore intacte. Lors de la vente de la maison, les frères Palain avaient expliqué que la dernière fois que ce four avait laissé échapper les odeurs de grillé de farine de blé se transformant en pain, c'était au cours de la Seconde Guerre mondiale. Les denrées se faisaient rares dans les villes, les familles se retiraient alors dans les campagnes pour profiter des récoltes qu'offraient les terres fertiles de la région. Durant cette période, une ferme qui disposait d'un four était une bénédiction.

Lilian, le Parisien pure souche, avait du mal à imaginer ce que devait être la vie à l'époque où *La Part des Anges* n'était qu'une simple ferme et où la culture des céréales s'ajoutait à la récolte des noix et des châtaignes, et à l'élevage de quelques animaux. La suite de la visite ne fit que renforcer son étonnement : la grange avec sa douzaine de crèches où l'on pouvait imaginer les petits veaux venant de naître étendus sur un lit de paille, réchauffés par la chaleur naturelle de leur mère.

Lors de son arrivée, Hugo, lui aussi, n'imaginait que le côté rustique de cette vie d'autrefois où les hommes et les femmes passaient la plupart de leur temps à se casser le dos pour tenter d'obtenir le meilleur de cette terre, si difficile à travailler. C'était une autre époque, et la mécanisation était rare. Seules les propriétés les plus importantes s'équipèrent d'un tracteur au début des années 1950 pour détrôner définitivement les chevaux et les bœufs.

Mais à force d'écouter les anciens de Véminan lui conter avec nostalgie les difficultés de cette existence, Hugo éprouvait une forme de compassion et de respect envers ces hommes et ces femmes d'un autre temps. Quand il quittait une ferme où le grand-père venait de lui confier ses souvenirs et qu'il apercevait le petit-fils installé dans la cabine climatisée de son tracteur relié par GPS au reste du monde, il s'interrogeait : lequel des deux avait été ou était le plus heureux ?

Hugo s'imprégnait peu à peu des habitudes de cette région, de ses codes, de son histoire. Il avait quitté son cabinet parisien depuis quelques mois seulement et pourtant il avait l'impression d'être parti depuis des années.

Lilian remarqua que son ami avait changé. Il ressentait chez Hugo une envie d'aller de l'avant. À plusieurs reprises, il eut l'impression de retrouver celui qu'il avait connu avant la disparition de Théo. Il était heureux pour lui.

*
* *

Le dernier soir, Lisa et Cléa, allongées sur les transats de la terrasse, profitaient de la fraîcheur de la soirée et de l'eau-de-vie de noix que Sophie avait offerte à Lisa. L'alcool aidant, chacune se confia sur sa vie, ses désirs et ses déceptions.

Cléa ne s'éternisa pas sur son cas, elle se contenta d'évoquer des sujets très généraux sans entrer dans des détails qui auraient pu impacter les émotions de Lisa. En fait, Cléa n'avait qu'une idée en tête : savoir où en était son amie !

Au cours de la semaine, elle avait bien tenté de la questionner, mais chaque fois elle avait ressenti une retenue qui l'inquiétait.

C'était la dernière occasion d'en savoir un peu plus.

Ce n'était pas son habitude, Cléa n'appréciait pas de brusquer Lisa, mais là, elle était décidée à le faire.

— Nous avons passé une super semaine, non ?

— Oui, j'ai adoré, confirma Lisa en sirotant son deuxième verre d'eau-de-vie.

— Bon, écoute, j'ai besoin de savoir…

Lisa haussa les épaules.

— Tu veux savoir où j'en suis ? C'est ça ?

— Oui, comment te sens-tu ici ? Dans cette nouvelle vie si différente de celle de Paris.

Lisa sourit et remplit à nouveau les deux verres à liqueur.

Cléa n'osa pas refuser bien que sa tête commençât à tourner. Lisa contempla le ciel et se lança.

— Tu vois, c'est paradoxal. Ici, à Véminan, dans cette maison, je me sens bien. Je me sens chez moi, je ne regrette absolument pas la vie parisienne. Par contre mes visites à Théo me manquent. J'ai l'impression de l'avoir abandonné.

— C'est normal, tu sais...

Lisa l'interrompit aussitôt, un peu brutalement.

— Non, ce n'est pas normal. Je ne devrais pas être bien ici, si loin de lui. J'ai déjà dit à Hugo que si j'en trouvais la force, il n'y a qu'ici que je serais capable de me projeter... Mais il n'a pas compris.

— Avec Hugo, c'est donc toujours aussi difficile ? s'autorisa son amie.

— Ce n'est pas évident. Mais lui aussi se sent bien ici.

— Alors c'est super ! la félicita Cléa.

— Sauf que... lui est prêt à construire une nouvelle vie... Il est prêt, et pas moi...

Cléa se tut, elle devina dans la pénombre une larme sur la joue de son amie. Elle se garda de faire la moindre remarque et se contenta de demander :

— Que veux-tu dire par « il est prêt » ?

Lisa balbutia sa réponse.

— Il m'a demandé... de donner une petite sœur ou un petit frère à Émilie. Elle aussi m'en parle... quelquefois.

— Et... que lui as-tu répondu ?

La réponse fusa.

— Que je ne pourrais jamais !

— Pourquoi es-tu si catégorique ?

— C'est inimaginable, affirma Lisa.

Cléa comprit que les confidences s'arrêtaient là. Elle s'inquiétait pour l'avenir de ce couple, mais elle décida de revenir à un sujet plus léger.

— Alors, dis-moi : l'autre jour, tu m'as parlé des décorations que tu souhaitais réaliser dans la maison...

Lisa posa son verre à terre et essuya ses pleurs. Elle paraissait ailleurs, repartie sans doute vers Montmartre.

— Oui... Nous avons un projet de bureau. Mais je ne sais pas si c'est une bonne idée.

— Mais bien sûr que c'est une bonne idée ! rétorqua aussitôt Cléa. Tu me montres ?

— Quoi donc ? s'étonna Lisa.

— Eh bien, l'emplacement du bureau ! Tu m'expliqueras mieux l'agencement sur place, non ?

— Euh, si tu veux, mais c'est un des greniers que nous souhaitons réaménager, et tu sais, il y a quelques toiles d'araignées...

— Pas grave, badina Cléa, même si elle pensait exactement le contraire : sa peur des araignées tournait parfois à la phobie.

Lisa se leva et monta l'escalier conduisant au dernier étage de la tour carrée située à l'angle de la bâtisse.

Cléa découvrit un vaste espace juste sous les toits.

— Waouh, c'est magnifique ! Regarde-moi cette charpente ! fit-elle en tapotant sur les épaisses poutres.

Lisa expliqua en détail ce qu'Hugo et elle avaient prévu.

— C'est un super projet, ce lieu est vraiment superbe.

— Oui... Nous verrons.

Cléa se dirigea vers un coin plus sombre du grenier où elle devina trois vieux meubles. Trois armoires qui paraissaient plantées là, comme oubliées.

— Tu as vu ça ?

— Les anciens propriétaires les ont laissées. Ils ne souhaitaient pas les récupérer, elles étaient trop imposantes pour leur domicile.

Cléa s'approcha et ouvrit la première porte. Elle eut l'air surprise.

— Tu as vu ? Il y a des cartons à l'intérieur.

— Des vieux trucs sans importance, je suppose...

Cléa souleva le couvercle d'un des cartons. Il ne contenait que des cadres mités et d'anciennes nappes jaunies par le temps.

— Beurk, il y a des toiles d'araignées partout. Ça n'a pas dû être ouvert depuis une éternité.

— D'après ce qu'ils nous ont dit, effectivement, c'est stocké là depuis bien longtemps. Viens ! Les hommes sont revenus, j'entends la voix d'Hugo.

— Deux minutes, suggéra Cléa.

Elle ouvrit la deuxième armoire et fit la même découverte : encore des cartons, remplis cette fois de vaisselle ancienne.

— C'est bon, viens maintenant. Je croyais que tu avais peur des araignées ? insista Lisa, impatiente de descendre retrouver Hugo et Lilian.

— Allez, la dernière ! C'est marrant, on dirait une chasse au trésor, s'amusa Cléa.

— Tu es nulle. Regarde, encore des vieilleries ! Il faut que je prenne le temps de ranger tout ça. Oh et puis, tu m'énerves ! Je te laisse avec les araignées.

Lisa se dirigea vers l'escalier, et s'étonna que son amie ne la suive pas.

— Tu fais quoi, là ?

Pas de réponse. Lisa revint sur ses pas. Cléa tenait entre ses mains un vieux carnet bleu délavé à la couverture rigide.

— Tu savais qu'il y avait ça dedans ? demanda-t-elle.

Cléa lui montra la boîte métallique qu'elle avait découverte. Elle contenait des lettres, des cartes postales et le carnet qu'elle avait en main.

— Non, c'est quoi ?

Cléa pointa du doigt la carte postale collée sur la couverture du carnet et qui menaçait de tomber.

— Lis ça, c'est trop beau ! fit-elle.

Lisa prit le document avec mille précautions et découvrit, tracées à l'encre noire, quelques lignes à peine effacées par le temps. Une écriture appliquée, une lettre toute douce.

Mademoiselle Alice,
Vous devez penser que ce sont toujours les mêmes cartes que je vous envoie, mais ici, dans ce pays perdu, c'est tout ce qu'il y a. Mais qu'importe le papier quand il vient de celui qui vous aime, cela vaut beaucoup plus que tout le reste.

Avant de finir, je vous renouvellerai l'espoir de vous voir dimanche prochain et de passer une bonne journée avec vous.

Recevez, mademoiselle, mes plus affectueuses pensées.

Gabriel – 23 octobre 1933

6

Tenir debout

Il faut du courage pour tenir debout lorsque la vie s'acharne.

Ne pas hésiter à se battre et se dire que quelqu'un, quelque part, a besoin de nous. S'imaginer qu'il est là, qu'il nous attend.

Inlassablement se répéter que la solitude ne sera pas notre seule compagne de voyage. Se persuader que le manque s'estompera.

Se forcer, résister et tenir debout !

*
* *

La Part des Anges, juillet 2017

Depuis le départ de Cléa et de sa famille, les habitudes avaient repris à *La Part des Anges*. Chacun s'était replongé dans ses activités.

Pour Hugo, la nostalgie de ces quelques jours passés avec ses amis n'eut pas le temps de s'installer. Les jours qui suivirent correspondaient au rush des arrivées de la semaine du 15 juillet, début de la très haute période touristique qui s'étalait jusqu'au 15 août. Les campings, gîtes, chambres d'hôtes et locations de toutes sortes affichaient complet.

Son cabinet ne désemplissait pas et, malgré les efforts de Katia, sa secrétaire, qui priorisait les appels, les rendez-vous s'accumulaient. À la demande d'Hugo, Katia travaillerait désormais à temps plein jusqu'à la fin du mois de septembre. M. Balin, appuyé unanimement par son conseil municipal, n'avait pas hésité un instant à faire participer financièrement la mairie à ce surcoût salarial. En effet, il n'était pas question que le jeune médecin renonce face à cette impressionnante charge de travail. Même si Hugo n'avait aucunement l'intention de rompre son engagement, il laissait parfois planer le doute. C'était une forme de pression sur le maire de Véminan. Hugo en usait sans exagérer, il s'autorisait à émettre des vœux avec la certitude qu'ils seraient réalisés dans les meilleurs délais.

C'est ainsi qu'il obtint le changement du matériel informatique du cabinet ainsi que l'aménagement d'une pièce supplémentaire réservée aux infirmières libérales qui dispensaient des soins à domicile sur le canton de Véminan. Le but d'Hugo était de fidéliser deux à trois jours par semaine des praticiennes de Sarlat à son cabinet afin de se délester le plus possible de cette activité, certes conviviale, mais particulièrement chronophage.

Il obtint également la promesse d'une participation de la mairie afin que le temps plein de Katia soit reconduit après les mois d'été et converti en contrat à durée indéterminée. La jeune femme ne demandait que ça ; les emplois stables ne couraient pas les rues dans la région. Bien qu'elle manque d'expérience, Hugo était satisfait de son travail qui, parfois, allait bien au-delà de son simple rôle de secrétaire médicale. En effet, elle n'hésitait pas, lorsque l'activité l'imposait, à se rendre à Sarlat, en dehors de ses heures de travail, pour régler un problème administratif ou se procurer du matériel manquant au cabinet.

Contrairement à Hugo, Lisa eut du mal à supporter le départ de son amie Cléa. La présence d'Émilie, les cours d'anglais qu'elle donnait désormais trois fois par semaine ainsi que les moments passés avec Sophie ne suffisaient pas à combler sa mélancolie.

Cette semaine avec Cléa, Lilian et la petite Jade avait laissé un sentiment paradoxal chez Lisa. D'abord la sensation de s'être laissée aller pendant quelques jours et d'avoir vécu des moments plus légers où le manque s'estompait comme si la vie tentait de reprendre ses droits. Mais aussi cette boule au ventre qui revenait plus forte, plus intense, depuis que son amie, sa confidente, n'était plus là. Lisa se retrouvait, une fois de plus, seule à triturer sa culpabilité.

Les consultations téléphoniques avec son psychiatre avaient pris une tournure inquiétante,

Lisa ne progressait pas. Le docteur Mader reculait l'échéance, mais il ne pouvait plus continuer de la sorte. Il mentait à sa patiente, et cela, il ne le supportait pas. À la fin de chaque entretien, lorsqu'il raccrochait, il se faisait des reproches. Une fois de plus, il n'avait pas eu le courage de lui annoncer qu'il ne voyait pas l'intérêt de poursuivre ce ronronnement verbal où Lisa passait son temps à ressasser éternellement les mêmes idées qui se résumaient en quelques phrases obsédantes : elle était responsable de la mort de Théo, rien ne pourrait le remplacer, elle tentait de faire des efforts, elle devait trouver la force… Mais ses actes ne suivaient pas. Rien dans son comportement ne laissait espérer qu'elle puisse un jour avoir envie de se donner les moyens d'aller vers un mieux-être.

Son psychiatre le savait, Lisa se confortait dans son état. Se réfugier à l'infini dans la culpabilité était une forme de protection. Tant qu'elle ne ferait pas l'effort de transcender sa peur d'envisager un avenir bienfaisant, rien ne changerait.

Vers la fin du mois de juillet, le docteur Mader prit l'initiative de contacter Hugo sans en avertir Lisa. Ses craintes ne firent que se renforcer. Il eut vite fait de constater que le couple vacillait dangereusement. Hugo s'investissait dans son nouveau travail, parfois trop, mais c'était une étape indispensable dans sa reconstruction. Étape que sa femme n'avait toujours pas initiée. Le jeune médecin promit à son confrère de le tenir au courant des progrès de Lisa, mais, là aussi, chacun se mentait. La peur de la voir s'écrouler définitivement tétanisait l'évidence. Combien de temps le docteur Mader ferait-il encore semblant de croire qu'il pouvait aider sa patiente ? Combien de temps Hugo se cacherait-il la vérité ? Lisa était en train de perdre son mari, il avait envie d'un nouveau projet de vie.

Désormais Hugo se posait la question qu'il avait refusé d'imaginer jusqu'alors : serait-ce avec Lisa ou sans elle ?

Sophie avait très vite constaté que son amie n'allait pas bien et ne se tournait pas assez vers le monde extérieur. Elle lui proposa de l'accompagner sur le marché de Sarlat, deux fois par semaine, pour l'aider à vendre ses produits. La saison estivale correspondait au pic des ventes et la présence de Lisa aurait aussi l'avantage de la soulager.

Une seule ombre au tableau : il fallait partir pour le marché à 6 h 15 du matin. Ce n'était pas un problème pour Lisa, qui trouvait ainsi l'occasion d'occuper une partie de ses insomnies. Ce qui la faisait hésiter, c'était Émilie. Elle pensait que réveiller sa fille si tôt n'était pas souhaitable.

Les jours de marché, Elvira était sous la surveillance de son père lorsque les travaux le retenaient à la ferme. Émilie serait donc elle aussi sous bonne garde. Et dans le cas où Cédric devait travailler aux champs, Mme Walsh, leur voisine, se ferait un plaisir de veiller sur la petite fille. Elle avait déjà l'habitude de s'occuper d'Elvira lorsque c'était nécessaire.

*
* *

Sarah Walsh était une Irlandaise venue s'installer dans le Périgord après le décès de son mari, de trente ans son aîné, qui avait fait fortune dans l'immobilier. Elle avait acheté une vieille grange désaffectée sur les terres de la famille de Sophie. Après une restauration coûteuse, elle l'avait transformée en maison d'habitation dotée d'un spacieux atelier où elle s'adonnait à sa passion pour la sculpture et la poterie.

Cela faisait désormais trois ans qu'elle était installée à Véminan. Même si sa personnalité atypique pouvait surprendre, les personnes qu'elle côtoyait régulièrement l'appréciaient. Elle s'était rapidement intégrée, en partie grâce à son français, teinté d'un accent irlandais, qui était parfait. Son côté solitaire intriguait les villageois, qui ne lui connaissaient aucune relation intime durable, même si certains jeunes gens s'étaient laissé emprisonner dans ses filets pour une soirée ou une semaine tout au plus.

Comment une femme de trente-cinq ans, riche, belle et distinguée, avait-elle pu choisir Véminan pour y vivre seule et y créer son atelier d'artiste ?

Les anciens du village n'avaient, bien évidemment, pas pu se retenir de colporter les plus folles rumeurs à son égard : son mari serait mort dans des conditions étranges selon certains, d'autres pensaient qu'elle était à moitié sorcière, car elle pratiquait le yoga, la méditation et s'adonnait aux médecines douces ; elle se soignait exclusivement avec des plantes qu'elle récoltait dans les champs et les forêts au cours de ses longues promenades. De plus, son activité de sculptrice d'œuvres contemporaines avait, dès son installation, catégorisé Sarah comme une personne vivant dans un monde à part.

Avec le temps, elle avait appris à ne plus s'occuper de ce qu'on disait sur elle. Certains curieux avaient poussé la porte de son atelier pour lui demander des explications sur son travail. Depuis un an, elle initiait bénévolement quelques villageois au yoga. Un groupe exclusivement féminin avait pris goût à cette pratique. C'est ainsi qu'une dizaine de personnes se retrouvaient régulièrement chez elle tous les mardis en fin d'après-midi.

*
* *

Sophie proposa à Lisa et Hugo de rencontrer Sarah pour organiser la garde d'Émilie en même temps que celle d'Elvira et, ainsi, finir de convaincre Lisa de l'accompagner sur le marché de Sarlat. Ils acceptèrent.

Sarah Walsh les accueillit avec un calme et une bienveillance qui respiraient la sincérité. Lisa se sentit rassurée. Au bout de quelques minutes, elle s'exprima en anglais, et Sarah ne se fit pas prier pour relancer la conversation dans sa langue maternelle. Hugo arrivait tant bien que mal à suivre leurs échanges, mais Sophie et Cédric décrochèrent rapidement.

Les deux femmes discutèrent longuement. Sarah semblait ravie de trouver quelqu'un avec qui converser dans cette langue qui lui manquait parfois, même si de nombreux touristes britanniques avaient déjà eu l'occasion de visiter son atelier.

Lisa ne tarda pas à se rendre compte de la gêne qui s'installait. Sophie et Cédric avaient préféré se mettre en retrait.

— Je crois que nous ferions mieux de continuer en français, proposa-t-elle.

— Effectivement Molière aura plus de succès que Shakespeare, fit remarquer la jeune Irlandaise sur le ton de la plaisanterie.

— Et si nous nous tutoyions ? suggéra Lisa.

Hugo intervint brusquement.

— Allons, qu'est-ce qui te prend ? Mme Walsh a la gentillesse de nous proposer de s'occuper d'Émilie. Et toi tu lui demandes de la tutoyer, enfin !

Lisa, surprise par la remarque de son mari, s'excusa.

Sarah se mit à rire.

— Au contraire, je crois que c'est une très bonne idée, qu'en penses-tu, Hugo ? ironisa-t-elle en lui prenant le bras.

Hugo, d'habitude si sûr de lui, semblait déstabilisé par cette femme. La chaleur de sa main sur sa peau le troublait. Il ne put que bafouiller quelques mots.

— Oui... oui... Bien sûr. Ce sera plus...

— Facile ! C'est ça que tu voulais dire ? lança Sarah en lâchant son bras.

— Exactement, affirma-t-il.

Puis Hugo rejoignit son ami Cédric, comme s'il cherchait à s'éloigner de Sarah.

Les trois femmes discutèrent de l'organisation pratique des matinées de marché. C'était donc acté, Lisa accompagnerait Sophie sur son stand deux matinées par semaine. Hugo était soulagé, Lisa allait rencontrer beaucoup de monde et cela ne pouvait être que bénéfique. Elle se devait de s'ouvrir aux autres, de penser à autre chose qu'à ce drame qui la retenait prisonnière. La proposition de Sophie tombait à pic, Hugo la remercia chaleureusement.

— Sincèrement, merci Sophie. Cela fera beaucoup de bien à Lisa.

— C'est gentil, mais c'est mon mari qui a eu cette idée.

Il se tourna vers Cédric et réitéra ses remerciements.

Les deux hommes se serrèrent la main. Sarah paraissait étonnée par tant de congratulations, mais elle ne fit aucune remarque.

Lisa intervint pour confirmer les propos de son mari.

— Oui, reprendre le cours de... la vie, c'est important, je crois. Et puis, cela fera le plus grand bien à Émilie de sortir de la maison. De voir autre chose.

Sarah, qui n'avait pas connaissance du drame qu'avaient vécu Lisa et Hugo, eut du mal à cacher sa surprise.

— Excusez-moi, mais je ne vais rien faire d'extraordinaire. Juste m'occuper d'Émilie.

— Oui, oui… bien sûr, bafouilla Lisa.

Une ambiance étrange s'installa. Sophie et Cédric baissèrent la tête, Hugo cherchait sa fille du regard. Personne n'osait poursuivre. Sarah comprit qu'il était préférable de ne pas insister. On lui cachait quelque chose, c'était évident. Plus tard, elle tenterait d'en savoir plus.

Elle s'adressa à Elvira, déjà partie dans l'atelier de sculpture avec Émilie.

— Tu fais découvrir ton travail ?

La petite fille répondit avec enthousiasme :

— Je lui montre les dessous de verre en céramique que j'ai faits. Dis, tu lui apprendras aussi ?

Sarah se dirigea vers une petite table réservée aux travaux d'Elvira.

— Bien sûr, mais il faudra que tu lui fasses un peu de place.

Elvira se tourna vers Émilie.

— Yes ! Tu vois, je te l'avais dit. Elle est trop cool !

Sarah s'approcha d'Émilie qui n'osait pas parler. Elle s'accroupit, posa son index sous son menton et releva son visage.

— Et toi, dis-moi, tu es d'accord ? Mais tu sais, il ne faut pas avoir peur de se salir. Tu verras, je te prêterai un tablier.

Émilie ne disait toujours rien, elle acquiesça d'un simple signe de tête.

Hugo intervint.

— Tu pourrais répondre à Sarah, fit-il remarquer à sa fille.

Sarah se redressa et, tout en s'adressant à Hugo, posa sa main sur l'épaule de la petite fille.

— Ne t'inquiète pas. Elle aura tout le temps pour s'habituer et prendre ses marques.

— Bien sûr, répondit timidement Hugo qui n'arrivait pas à soutenir le regard vert puissant de la jeune femme.

Sarah proposa aux deux couples de continuer la visite de l'atelier afin de découvrir ses œuvres en cours de réalisation. Seule Sophie avait déjà eu l'occasion de passer quelquefois un peu de temps avec elle.

— Très bonne idée, se réjouit Cédric. Cela fait trois ans que tu es là et je n'ai jamais pris le temps de venir apprécier ton travail.

— Alors, on y va !

Une fois la visite terminée, la jeune Irlandaise les invita tous à partager le verre de l'amitié. Les deux couples refusèrent, mais devant l'insistance de leurs filles, qui espéraient rester un peu plus longtemps à farfouiller dans l'atelier, ils acceptèrent.

Cédric honora les diverses bières irlandaises. C'était un bon vivant et il avait une certaine appétence pour les boissons alcoolisées. L'eau-de-vie et le vin rouge avaient habituellement sa préférence, mais ce soir les bières firent sans aucun problème l'affaire. Brune, blonde, ambrée, peu importait. Sophie tenta, sans succès, de calmer l'ardeur de son mari. Cédric avait l'alcool gai, ce qui eut pour avantage de rendre l'atmosphère plus légère.

Sarah tenta d'en savoir un peu plus sur Lisa et Hugo. Elle avait toujours à l'esprit les remerciements appuyés d'Hugo et la remarque de Lisa qui lui paraissaient hors de propos. Ce couple l'intriguait. Pourquoi étaient-ils venus s'installer à Véminan ?

— Sophie m'a dit qu'auparavant vous habitiez Paris, c'est bien ça ?

Hugo fit semblant de ne pas entendre et poursuivit sa conversation avec Cédric, qui avait de plus en plus de mal à discerner les subtiles nuances d'amertume entre la Smithwick's et la Kilkenny.

Lisa se sentit obligée de répondre. Elle décida de confirmer sans entrer dans des détails trop intimes.

— Oui, nous avions un appartement à Montmartre.

— Très beau quartier. Je l'ai visité à plusieurs reprises avec mon mari lorsque je l'accompagnais pour ses voyages d'affaires, je ne ratais jamais ses déplacements à Paris. Maintenant ce n'est plus possible...

Sarah sentit une forme d'émotion lui monter à la gorge, elle finit son verre et se resservit. Sophie décida de s'immiscer dans la conversation afin qu'il n'y ait pas de malentendu.

— Tu sais, Sarah, Lisa est au courant pour ton mari. Je le lui ai dit.

La jeune Irlandaise prit un ton nostalgique, presque triste.

— C'est bien. Enfin... façon de parler. J'ai énormément souffert. Mais je me suis construit une forme d'équilibre ici. J'ai la chance d'être financièrement à l'abri pour le restant de mes jours. Nous n'avions pas d'enfant avec Edward. Je vis grâce à la fortune qu'il avait accumulée. Je ne sais pas si c'est respectable, je sais que certains se posent des tas de questions, mais je m'en moque. Je n'ai pas besoin de travailler et je l'assume.

— Désolée, je ne voulais pas faire remonter de mauvais souvenirs, s'excusa Lisa.

— Ne t'inquiète pas, c'est ainsi... Quelquefois j'en veux à cette satanée « longue maladie », comme vous dites en France.

Le silence s'imposa quelques instants avant que Sarah reprenne sur un ton plus gai, constatant que Lisa avait à peine trempé les lèvres dans son verre :

— Tu n'aimes pas, peut-être ? Tu veux autre chose ? Je peux te proposer un jus d'orange ou de pomme...

— C'est gentil. Un jus de pomme, ça ira très bien.

— Pas de problème.

Tout en se dirigeant vers la cuisine, Sarah continua de questionner Lisa.

— Donc, vous en aviez assez de la vie parisienne ? Je vous comprends !

Lisa cherchait du regard Hugo, qui ne semblait toujours pas à l'aise face à Sarah. Elle le remarqua et répondit à la jeune Irlandaise :

— Eh bien, oui et non.

Sophie s'agaçait sur sa chaise. Elle avait de la peine pour son amie, elle aurait voulu lui venir en aide, mais elle ne s'en sentait pas le droit.

— Oui et non ! Curieuse réponse, s'étonna Sarah.

Lisa décida de mentir sur la raison qui avait tout déclenché. Elle prit soin de vérifier qu'Émilie ne pouvait pas l'entendre. Sa fille aurait vite fait de corriger ses propos.

— En fait, comme tu le sais, je suis professeur d'anglais. Dans les collèges de banlieue, les élèves sont de plus en plus difficiles et... j'ai craqué. J'ai plongé dans une longue dépression. Le psychiatre avec qui je suis une thérapie m'a conseillé un changement radical de vie ; je n'arrivais pas à surmonter ces difficultés. Je ne faisais que m'enfoncer.

Hugo leva enfin les yeux, surpris par l'aplomb avec lequel sa femme venait de maquiller la vérité. Si Lisa dissimulait la raison de leur départ, ce n'était ni par peur, ni par honte, ni même par pudeur. Pour elle, raconter ce qui était arrivé à Théo et pourquoi ils s'étaient installés à Véminan, c'était comme dire qu'elle abandonnait son fils, et ça, il n'en était pas question !

— Méthode radicale ! Mais si c'est pour ton bien, alors, c'est une bonne décision, déclara Sarah.

Ne souhaitant pas que cette conversation s'éternise, Lisa se leva et se dirigea vers l'atelier où l'on entendait résonner les rires des deux petites filles. Avant de disparaître dans le couloir, elle lança un hypothétique :

— Sans doute, l'avenir le dira !

Comme trop souvent, Cédric avait atteint sa limite de tolérance à l'alcool. Ses paroles n'avaient plus rien d'amusant, elles étaient confuses et chaotiques. Il tenait à peine debout. Sophie ne voulait pas que sa fille, une fois de plus, découvre son père dans cet état. Honteuse du comportement de son mari, elle prit rapidement congé et demanda à Hugo s'il pouvait ramener Elvira lorsqu'ils rentreraient chez eux. Hugo accepta et soutint Cédric jusqu'à la voiture. Sophie démarra rapidement.

Hugo s'apprêtait à rejoindre sa femme lorsque Sarah se planta devant lui. Elle avait remarqué qu'elle le mettait mal à l'aise et cela l'amusait. Une sorte de jeu débuta entre eux.

Il aurait pu la contourner, mais il ne bougea pas et soutint enfin son regard.

— Et toi ? fit-elle.

— Moi ? Comment ça, moi ? s'étonna-t-il.

— Eh bien oui, toi ! Comment te sens-tu ici ? Médecin de campagne, avec toutes les contraintes que cela suppose, après la facilité d'un cabinet pour bobos parisiens, tu ne te sens pas un peu seul et perdu ? suggéra Sarah d'un ton volontairement provocateur, les bras croisés.

Hugo quitta les yeux de la belle Irlandaise. De l'atelier lui parvenait le rire d'Émilie. Il s'avança d'un pas, Sarah ne s'écartait pas. Leurs bras se frôlèrent. Il répondit en avalant sa salive :

— Ça n'a pas été facile. Mais j'ai trouvé ici...

Il hésita, elle l'incita à poursuivre.

— Tu as trouvé ?

— Une forme d'humanité. Gagner la confiance des habitants de Véminan n'est pas évident, mais ce sont des personnes vraies. Et, malgré la charge de travail, je me plais ici.

— C'est bien, répondit-elle en cherchant son regard.

— Je vais rejoindre ma femme et les filles, nous n'allons pas tarder à te laisser. Merci encore pour Émilie.

— C'est avec plaisir.

— Bon...

Sarah s'écarta enfin. Comme il s'éloignait à pas lents, elle l'interpella à nouveau.

— Je voudrais connaître ton avis.

— Oui, je t'écoute.

— Tu sais, je me passionne pour la phytothérapie. Ici, ils sont peu réceptifs à cette médecine. Et toi, en tant que professionnel, qu'en dis-tu ?

Bien qu'il ne s'attendît pas du tout à la question de Sarah, Hugo était en terrain connu, il retrouva un peu d'assurance.

— Ce peut être un bon complément à la médecine dite conventionnelle. J'en prescris quelquefois, précisa-t-il.

Le visage de Sarah s'illumina.

— On pourrait en discuter un jour... tous les deux ?

— Oui... Enfin, si tu veux, à l'occasion, bafouilla-t-il.

Sarah mit abruptement un terme à la conversation.

— Très bien, je passerai à ton cabinet. Va donc rejoindre ta femme et ta fille. J'arrive, je vais d'abord ranger les verres.

Hugo n'eut pas le temps de répondre, Sarah avait déjà disparu. Il se dirigea vers l'atelier et découvrit sa femme s'amusant telle une petite fille. Les mains pleines d'argile, elle tentait de façonner un simple dessous de verre. Émilie et Elvira riaient de bon cœur en constatant le peu de dextérité de Lisa. Hugo sourit, il se souvint de cette femme-enfant avec laquelle il vivait... avant que l'enfant qui l'habitait ne s'éteigne. Il resta quelques minutes à l'observer, puis lança en s'approchant :

— Alors les artistes, je vois que ça travaille dur !

Émilie répondit à son père avec la simplicité et la franchise de ses huit ans.

— Oh papa, si tu savais comme maman est nulle !

Lisa, assise sur un tabouret, se retourna vers Hugo. Elle paraissait énervée.

— C'est super dur, je ne crois pas que je vais me lancer dans la poterie, ça m'agace, déclara-t-elle en se dirigeant vers l'évier pour tenter d'ôter l'argile collée sur ses mains.

Il se faisait tard, Hugo avait prévu de revoir le dossier d'un patient qui devait subir une intervention chirurgicale le lendemain à Toulouse.

— Je ne voudrais pas vous déranger dans vos créations, mais il est l'heure de rentrer ; j'ai encore du travail. Et puis, nous devons déposer Elvira chez elle.

— Pas de problème, elles finiront plus tard, fit Sarah.

Hugo sursauta, il ne s'était pas rendu compte de sa présence.

Lisa s'essuyait consciencieusement les mains puis les avant-bras, elle dut s'obliger à adresser à la jeune Irlandaise un dernier remerciement. Elle avait remarqué son comportement étrange et le jeu qu'elle jouait avec son mari.

— Merci encore pour Émilie, dit-elle sèchement.

— Arrêtons les mercis. Je crois qu'elle a adopté l'atelier. Nous allons bien travailler ensemble. Allez les enfants, il est l'heure de rentrer.

Sarah les raccompagna jusqu'à leur voiture. Depuis qu'elle avait appris que Lisa et Hugo avaient racheté la maison des frères Palain, une interrogation la tourmentait. Elle se lança.

— Je ne voudrais pas être indiscrète, mais comment avez-vous convaincu les anciens propriétaires de vous céder *La Part des Anges* ?

Hugo ne comprenait pas le sens de sa question. Il se tourna vers sa femme, qui répondit abruptement :

— La maison nous convenait, voilà tout.

Hugo hocha la tête, Lisa se reprit.

— Enfin, la maison me convenait, Hugo aurait souhaité que nous vivions dans le village.

— Oui, mais ils ont accepté rapidement ? Et à quel prix ? insista Sarah.

— Eh bien, au prix demandé. Je ne vois pas ce que tu veux dire ! fit Lisa, énervée par tant d'indiscrétion.

— Excuse-moi, ça ne me regarde pas. Mais cette maison, je la voulais absolument. Elle dégage une ambiance particulière. J'avais prévu d'y aménager des gîtes, mais alors même que je leur proposais un prix supérieur à tous les autres, Albert et Marcel Palain ont toujours refusé de me la céder. Pour moi, c'était certain, ils ne vendraient jamais.

Hugo mit le moteur en marche, il pensait à ce dossier qu'il devait étudier et préféra mettre un terme à la conversation.

— Eh bien, tu vois, ils ont changé d'avis.

— Bien sûr, bien sûr, répéta Sarah.

— Pas de souci, fit Lisa. Tu auras l'occasion de venir visiter, enfin revisiter, suggéra-t-elle d'un ton moqueur.

— Avec plaisir, conclut Sarah.

*
* *

Sur le chemin du retour, le silence régnait dans la voiture. Même Émilie et Elvira, d'habitude si bavardes, ne disaient rien. Chacun paraissait perdu dans ses pensées.

Quand Hugo s'arrêta pour déposer Elvira, Sophie sortit afin d'accueillir sa fille. Lisa descendit sa vitre et s'inquiéta de l'état de Cédric. Son amie lui répondit d'un haussement d'épaules qui valait toutes les explications.

Une fois arrivée à *La Part des Anges*, Lisa fit couler un bain à Émilie tandis qu'Hugo s'installait dans le canapé, avec le dossier de son patient, qu'il étudia dans le moindre détail. Lorsque Émilie fut enfin sortie du bain après une longue bataille de mousse avec sa mère, elle enfila son pyjama et partit s'amuser dans sa chambre avant l'heure du coucher.

Lisa descendit dans le salon, elle paraissait plus énervée que tourmentée. Hugo le remarqua, mais, absorbé par son dossier, il ne lui fit aucune réflexion. Après plusieurs allers-retours entre le salon et la cuisine, Lisa se planta devant son mari et se décida enfin à ouvrir la bouche.

— Tu as passé une bonne soirée ?

Son ton était ironique. Hugo ne put cacher son étonnement.

— Euh… oui. Enfin, comme toi.

Elle insista.

— Un peu plus que moi, non ?

Il posa son dossier sur ses genoux.

— Mais qu'est-ce que tu veux dire ?

— Sarah.

— Quoi, Sarah ?

Elle poursuivit sur le même ton caustique.

— Belle, charmante ? Les deux à la fois peut-être ? Tu crois que je n'ai pas vu ta façon de lui tourner autour.

Hugo haussa les épaules.

— Et toi, tu crois que je n'ai pas autre chose à penser ? Surtout ce soir !

— « Autre chose à penser », nous y voilà. C'est de moi que tu parles ? Je sais que je ne t'apporte plus ce que tu souhaiterais...

Il l'interrompit.

— S'il te plaît, arrête, ce n'est pas le moment. Je dois terminer l'étude du dossier de M. Gileron.

Lisa s'énervait de plus en plus. Elle se mit à crier.

— Je me fous de ton dossier ! Dis-le-moi, elle t'intéresse, l'Irlandaise ?

Hugo tenta de raisonner sa femme.

— Mais enfin, calme-toi. Tu vas faire peur à Émilie. Qu'est-ce que tu racontes ?

— Je raconte ce que j'ai vu !

Hugo ne pouvait plus contenir son exaspération. Il balança son dossier à terre.

— Tu me fatigues ! lâcha-t-il.

Et il monta se coucher.

Lisa s'était exprimée avec excès, comme une femme jalouse et peu sûre d'elle. Mais au fond de lui, Hugo le savait, sa femme avait raison, Sarah ne le laissait pas indifférent. Était-ce l'originalité de cette jeune étrangère qui l'attirait ? Était-ce sa troublante beauté ? Ou tout simplement était-il las d'une relation qui ne lui apportait plus aucune tendresse ?

Après avoir couché sa fille, Lisa se retrouva seule. Comme souvent, elle n'avait pas sommeil. Elle s'allongea sur le canapé, et son esprit se mit à divaguer. D'abord les images de Sarah et d'Hugo emplirent ses pensées puis, très vite, les souvenirs de Théo s'imposèrent. Elle ferma les yeux, même si cela lui faisait mal, elle repensa aux moments de rire et d'insouciance qu'elle avait vécus avec son fils. À tous ces instants qu'elle ne connaîtrait plus, à tout ce bonheur qui, à jamais, s'était enfui.

Elle commençait à s'assoupir lorsqu'elle entendit son Smartphone vibrer sur la table basse. Elle décrocha sans regarder l'origine de l'appel.

— Hello, ma belle, comment vas-tu ?

— Cléa ! Trop contente de t'entendre !

— Alors, le Périgord, toujours aussi beau ?

Lisa répondit, laconique.

— Oui…

— Ouh là là, ça ne va pas, toi !

— Je me suis pris la tête avec Hugo. J'ai l'impression, enfin comment dire…

— Ben, tout simplement avec des mots, s'exclama Cléa qui tentait de détendre l'atmosphère.

Lisa sourit à la remarque de son amie.

— Une voisine, Hugo la regarde un peu trop et… j'ai peur de le perdre.

— S'il ne fait que la regarder, ce n'est pas grave.

— Arrête, c'est pas marrant ! En même temps, je ne lui offre plus grand-chose, alors peut-être que… Enfin je ne sais plus.

Cléa ne laissa pas son amie s'enferrer dans ses éternelles ruminations. Elle préféra changer de sujet.

— Mais dis-moi, comment vont Alice et Gabriel ?

— Alice et Gabriel ?

— Oui, les cartes et le carnet, tu te souviens ?

Lisa se remémora la découverte de la boîte dans une des vieilles armoires du grenier.

— Ah oui, c'est vrai. Un de ces jours, je regarderai tout ça.

— Ce soir ! fit Cléa, qui tentait d'imposer à Lisa de penser à autre chose qu'à ses incessantes inquiétudes.

— Quoi, ce soir ?

— Eh bien, tu vas ouvrir la boîte ce soir. Tu vas commencer à regarder tout ça dès maintenant. Imagine que tu découvres un trésor, plaisanta Cléa.

— Tu es nulle !

— Pas du tout, mais promets-moi, occupe-toi l'esprit. Faut que je te laisse, Lilian me fait signe, il est perdu avec un des jeux de Jade.

— Des bises, ma Cléa.

— Au fait, on fait cinquante/cinquante pour le trésor ! C'est chez toi, mais c'est moi qui ai découvert la carte au trésor.

— Tu es vraiment nulle. Allez, va faire ton devoir de mère.

— J'y cours, déclara Cléa avant de raccrocher.

Lisa se mit à repenser à la magnifique carte écrite par un certain Gabriel et adressée à Mlle Alice. Elle se souvint de la date, il y avait presque quatre-vingt-cinq ans.

Elle monta au grenier récupérer la boîte contenant les cartes, les lettres et le carnet. Elle s'installa à la table de la salle à manger et étala la vingtaine de pièces de la correspondance sur la toile cirée. Certains passages avaient été effacés par le temps, d'autres étaient encore parfaitement lisibles. Lisa feuilleta aussi le carnet et découvrit qu'il s'agissait d'un journal intime qu'avait tenu Alice et où elle s'adressait à Gabriel. Elle y racontait tout sur sa vie, comme dans une conversation qu'elle aurait eue avec l'être aimé.

Le carnet commençait en date du 3 juin 1940, pour se terminer le 25 mai 1944. Lisa ne put se retenir et en lut les premières pages.

7

L'unique rencontre

Il y a des rencontres qui nous amusent, certaines qui nous rassurent, d'autres, rares, qui nous élèvent.

Il y a aussi toutes celles que l'on espère, prêtes à bondir de leur cachette avec leur lot de surprises et d'inattendus.

Et puis, il existe l'unique rencontre, celle dont on ne soupçonne pas l'existence. Elle est là, patiente, elle attend tel un guide pour nous conduire vers la lumière. On ne la voit pas, on ne l'entend pas, mais au fond qu'importe !

Elle saura nous faire signe.

*
* *

3 juin 1940

Gabriel,
Je me souviens de ce jour du mois de septembre de l'année dernière où tu es parti précipitamment

pour défendre notre pays là-bas, loin, dans l'est de la France.

Depuis ton départ, j'avais pris l'habitude d'avoir de tes nouvelles régulièrement. Mais cela fait près de deux mois que je ne sais plus où tu es, et je m'inquiète. Ici, les informations que nous avons sont rares et lorsqu'elles arrivent, c'est souvent avec beaucoup de retard.

Tes cartes suffisaient à mon bonheur. Au moins je savais que, malgré l'éloignement et l'ennui, tu ne souffrais pas. Avec tes compagnons venus des quatre coins de France, vous attendiez l'ennemi le long de cette ligne Maginot dont tout le monde parle ici. Es-tu toujours affecté à la surveillance avec tes deux nouveaux amis de Bretagne ?

Tu me racontais que la plupart des colis que je t'envoyais avec quelques produits de la ferme arrivaient sans trop de dommages, certains se sont perdus, mais ce n'est pas grave. Tu me l'écrivais dans chacune de tes lettres : cela te faisait du bien de sentir l'odeur du pays dès que tu ouvrais le carton.

Gabriel, nous avions nos habitudes. Tu me disais tout, moi, pour ne pas que tu te fasses trop de souci je t'ai toujours dit que tout allait bien.

Il y a des sujets sur lesquels je ne t'ai jamais menti. Notre fils Jean grandit, il est en bonne santé et va bientôt fêter ses quatre ans. Neuf mois qu'il n'a pas vu son papa. Il me parle de toi quelquefois, mais ses souvenirs s'estompent alors je m'efforce le soir, quand la fatigue n'est pas trop intense, de lui montrer les quelques photos où tu apparais. Surtout celle de notre mariage, toute la famille y est présente, c'est plus facile.

Combien de temps va durer cette satanée guerre ? Quel âge aura-t-il quand tu reviendras ?

Tes parents vont bien, même si ton père ne peut plus trop travailler ; sa jambe le fait souffrir de plus en plus. Depuis ton départ, nous avons eu le plaisir de les voir à deux reprises. Ils n'ont pas souvent de tes nouvelles alors je leur ai fait lire certaines de tes cartes. J'espère que tu ne m'en voudras pas.

Avec Jean, nous sommes allés leur rendre visite après les labours d'hiver. Mais jusqu'à Cahors le voyage est long alors nous n'y sommes pas encore retournés. Je ne peux pas quitter la ferme bien longtemps, il y a tellement de choses à faire et puis je n'aime pas laisser mes parents et ma grand-mère seuls. Ils m'aident beaucoup, s'occupent de notre fils, du travail des champs, des animaux à nourrir. Nous n'avons pas le choix, la ferme doit continuer à nous faire vivre jusqu'à ton retour. Mon père parle peu, lui qui a passé quatre ans dans les combats de la Première Guerre ne comprend pas que vingt ans plus tard tout ça recommence, alors il préfère ne rien dire, il travaille et il supporte.

Les récoltes promettent d'être suffisantes, les orages de printemps et l'humidité qu'ils ont apportée laissent espérer une belle quantité de blé. Tes cousins de Sarlat sont venus faire leur pain dans le four de la ferme, je leur ai donné quelques sacs de farine de la récolte de l'année passée.

Dans les villes, certaines denrées commencent à manquer.

Les animaux sont vigoureux, je ne te l'ai pas dit, mais j'ai dû me séparer de deux veaux. Même si ici tout le monde se démène, tes bras nous manquent et je me suis résolue à vendre ces veaux pour faire rentrer un peu d'argent et ainsi pouvoir acheter les produits dont nous avons besoin, surtout pour que Jean ne manque de rien.

Moi, je vais bien, enfin c'est ce que je t'écris dans chacune de mes lettres. De toute façon, je n'ai pas le choix, je dois m'occuper de notre fils et de ma famille et m'assurer que nous avons assez pour vivre.

Je te raconterai plus tard que tout n'est pas si facile. J'aurais tellement besoin de toi.

Lorsque tu reviendras, je te ferai peut-être lire ce carnet que j'ai décidé de tenir. Ça me fait du bien d'y poser toute la vérité, ce que je t'écris, bien sûr, et tout le reste que je ne peux t'avouer, car ton existence est déjà si compliquée, je ne veux pas que tu t'inquiètes pour nous.

J'ai choisi un carnet bleu, ta couleur préférée, celle qui illumine tes yeux. L'épicier de Véminan a mis plus d'un mois à le recevoir de Sarlat, je n'y croyais plus. Les approvisionnements deviennent difficiles. J'ai collé sur la couverture la lettre que tu m'as écrite après ta première visite au mois d'octobre 1933, tu te souviens ? Il y a déjà près de sept ans. Nous avions marché pendant des heures dans les bois. Mon père était furieux, je n'avais rien fait de la journée. C'était la pleine saison des châtaignes et mes sacs étaient restés vides. Je souris et je pleure en même temps en repensant à tout ça. C'était le début de notre bonheur.

Je te laisse, mon homme, il est tard, la bougie ne va pas tarder à s'éteindre.

Demain, je descendrai une fois de plus au village, peut-être qu'une de tes cartes sera arrivée. Et quelqu'un aura sans doute des nouvelles du front.

L'autre jour, le vieil André a fait peur à tout le monde : il reste toute la journée l'oreille collée à sa radio, et il disait que les Allemands étaient passés à travers la forêt des Ardennes pour envahir notre pays.

Je n'y crois pas, et puis il ne dit que des bêtises ce vieux fou, tu le connais ! Moi, je suis confiante ; notre gouvernement a tout prévu.

J'espère que tu es toujours dans ton fort de notre infranchissable ligne Maginot.

Ton Alice qui s'inquiète et qui t'aime.

Où es-tu, Gabriel ?

8

Le silence de ta présence

Perdue au milieu de la nuit, j'erre sans défense
Blottie au fond de ma solitude, j'attends ma sentence
J'accepte ma culpabilité et la force de mes errances
Je sens ma fin approcher, comme une évidence
Je ferme les yeux, j'implore une dernière chance
Viens me chercher, j'écoute le silence
Le silence de ta présence

La Part des Anges, juillet 2017

Après avoir lu les premières pages, Lisa se saisit du carnet, se leva de sa chaise et s'installa sur le canapé. Elle s'imprégna à nouveau de ces mots si forts et si doux à la fois. Elle fit un calcul rapide. Le récit qu'elle venait de découvrir, bouleversant d'intensité, d'abnégation, de tendresse et d'amour avait soixante-dix-sept ans !

Lisa s'interrogea. Alice et Gabriel avaient-ils vécu à *La Part des Anges* ? Même si tout semblait indiquer que oui, elle se disait que ces documents avaient pu se retrouver par hasard dans le grenier. Soixante-dix-sept ans, c'est long, des tas de personnes avaient pu y déposer cette boîte.

Elle ne pouvait détacher ses yeux du carnet. En même temps, elle s'interdisait de continuer à feuilleter le document. Cette histoire ne lui appartenait pas, elle aurait eu l'impression de voler une partie de la vie d'Alice et de Gabriel. Elle ne se sentait pas le droit de poursuivre sa lecture. Mais la curiosité fut plus forte que la pudeur, elle se dirigea vers la table où, quelques minutes auparavant, elle avait étalé une à une les pièces retrouvées dans la boîte.

Les lettres étaient signées d'Alice et les cartes de Gabriel. Ses yeux passaient de l'une à l'autre sans logique particulière. Des dates défilaient sous ses yeux : 10 décembre 1939, 15 février 1940, 18 mars 1941, 25 mai 1942, 12 avril 1943... Lisa s'attarda sur les écrits d'Alice et les dernières phrases qui y étaient inscrites : « *Tout va bien, ne t'inquiète pas* », « *Ici, tout se passe pour le mieux* », « *Gabriel, j'espère que tu te portes aussi bien que moi* », « *Le travail n'est pas trop difficile* », « *Jean et moi sommes en pleine forme.* »

Comme elle l'avait écrit dans son carnet, Alice semblait ne pas vouloir inquiéter Gabriel. Il était quelque part au fin fond de cette satanée guerre et elle ne pensait qu'à une chose : le rassurer, quitte à oublier sa propre souffrance.

Tout à coup, Lisa sentit un frisson lui parcourir l'échine. Elle eut l'impression que quelqu'un était dans la pièce derrière elle. Elle pensa qu'Émilie avait fait un mauvais rêve et s'était levée pour la rejoindre. Il n'y avait personne, mais elle préféra aller vérifier dans la chambre de sa fille. Émilie dormait à poings fermés.

Lisa redescendit dans le salon. De nouveau, elle eut la sensation d'une étrange présence. Seule, au milieu de la nuit, elle aurait dû s'inquiéter et se dire qu'après des mois de tensions psychologiques, son esprit commençait à lui jouer des tours, mais il n'en était rien, elle était confiante.

À cet instant, elle ne pensait pas à son fils. Quelque chose de différent focalisait son attention. Son regard scrutant le moindre recoin de la pièce, elle fit lentement le tour du salon puis se dirigea vers la cuisine, toujours cette même impression, mais personne n'était là, aucune présence physique. Elle sentit un air frais lui caresser le visage, elle se retourna et constata que la porte-fenêtre de la cuisine était ouverte et laissait pénétrer la fraîcheur de la nuit. Habituellement, c'était Hugo qui fermait les volets. Sans doute, dans son énervement, n'y avait-il pas pensé. Lisa s'avança sur la terrasse et, comme elle venait de le faire à l'intérieur, vérifia consciencieusement que tout était à sa place. Elle en profita pour rentrer les coussins restés sur les transats ; des orages étaient prévus pour la deuxième partie de la nuit. Sans savoir pourquoi, elle ne put se retenir et se retourna à nouveau. Elle savait bien qu'elle était seule, mais c'était plus fort qu'elle. Enfin, elle ferma les volets puis la porte-fenêtre de la cuisine avant de retourner dans le salon.

Elle s'assit et commença à ranger l'ensemble des lettres et des cartes dans leur boîte. C'est alors qu'une douce chaleur l'enveloppa, une chaleur rassurante. Lisa revit sa mère lorsque, enfant, elle faisait des cauchemars et qu'elle venait la prendre dans ses bras. Elle fut surprise de repenser à ces moments qu'elle avait oubliés et qui, à cet instant, lui revenaient à l'esprit.

Elle prit son temps et, avec précaution, déposa le carnet d'Alice au-dessus des lettres puis referma la boîte métallique. Instantanément, la douce chaleur s'estompa pour disparaître. Elle se sentit mal à l'aise, comme si ses habituels démons revenaient à la charge. Théo... Il lui manquait tellement ! Une boule de stress commença à lui nouer le plexus. Elle ne s'attarda pas plus longtemps et se dirigea rapidement vers la chambre, se déshabilla et se glissa sous les draps, en se blottissant dans la chaleur du corps d'Hugo. Elle se serra contre lui, c'était suffisamment rare pour qu'il se réveille et lui demande dans un demi-sommeil :

— Tout va bien ?

Lisa chuchota :

— Oui, rendors-toi.

— Très bien, fit-il avant de lui saisir la main et de replonger dans les bras de Morphée.

Ce soir-là, Lisa avait oublié de prendre le somnifère prescrit par son médecin. Malgré cela, le flot de ses pensées s'apaisa rapidement et elle s'endormit. Son sommeil fut plus calme qu'à l'accoutumée et son réveil nettement moins matinal. Lorsqu'elle ouvrit les yeux, 7 heures sonnaient au clocher de Saint-Boliès.

Elle se redressa brusquement et s'assit dans le lit, Hugo n'était plus à ses côtés ; il devait être à son cabinet une demi-heure plus tard. Elle l'entendit préparer le petit-déjeuner. Elle enfila à la hâte ses vêtements de la veille et, affolée, rejoignit son mari.

— Désolée, désolée ! répéta-t-elle.

Hugo paraissait encore contrarié de leur conversation de la veille.

— De quoi es-tu désolée ? demanda-t-il en haussant les épaules.

Elle hésita et se mit à bafouiller.

— Eh bien, d'abord pour hier soir... Je ne voulais pas. Enfin, je suis allée trop loin.

Hugo, tout en se servant une nouvelle tasse de café, fit mine d'avoir déjà oublié cet incident.

— Ne t'inquiète pas, dit-il, l'air presque détaché.

Elle connaissait les moindres réactions de son mari et elle savait que sa réponse avait pour seul but de ne pas réamorcer une conversation qui, immanquablement, conduirait aux mêmes crispations.

Hugo était troublé par Sarah. Depuis cette soirée de la veille passée chez la charmante Irlandaise, il ne pouvait s'empêcher de penser à elle. Lorsqu'il se coucha, ce ne furent pas l'image de son fils, d'Émilie ou de Lisa, ni le souvenir des bons moments qu'ils avaient pu vivre tous les trois qui l'apaisèrent, cette fois. Ses dernières pensées furent pour Sarah, l'éclat de ses yeux, sa démarche et les courbes de son corps. Il se sentait honteux.

Ce qui le tourmentait le plus, ce n'était pas la réaction, bien légitime, de sa femme, il lui avait déjà pardonné ses cris de la veille. Non, l'attirance qu'il éprouvait pour cette Irlandaise, son esprit la refusait. Il n'avait pas le droit d'être tenté par une autre femme que Lisa, la mère de ses enfants. Même si leurs relations intimes étaient devenues quasi inexistantes, il ne s'autorisait pas à vivre une aventure.

Mais Hugo était un homme, simplement un homme, avec des désirs et des besoins. Si, sur le plan professionnel, il avait déjà franchi le pas et choisi l'avenir pour tenter de fuir cette ancienne vie, sur le plan personnel, il n'avait rien imaginé, rien prévu. Mais une charmante Irlandaise était passée par là et avait éveillé en lui cette envie de renouveau, cette soif de revivre pleinement. Ce matin-là, en partant pour son cabinet, Hugo pensa au moment où Sarah pousserait la porte de son bureau pour, comme elle le lui avait proposé la veille, discuter des vertus des plantes médicinales...

La phytothérapie n'était qu'un prétexte, il le savait, mais il attendait avec impatience ce moment où il aurait l'occasion de redécouvrir la beauté et l'impertinence de Sarah. Hugo n'avait aucune idée des intentions exactes de la jeune femme, il ne savait pas non plus comment il allait réagir, mais il ne pouvait s'en empêcher, c'était plus fort que lui, Sarah emplissait ses pensées.

*
* *

Lisa reprit la conversation.

— Et puis, excuse-moi pour ce matin, le café n'était...

— Stop ! Je ne t'ai jamais demandé de me préparer mon petit-déjeuner comme tu le fais chaque jour, répondit-il abruptement.

Lisa accusa le coup et s'assit, la tête entre les mains et les coudes sur la table. Hugo se rendit compte qu'il était allé trop loin et s'excusa maladroitement.

— Je me suis mal exprimé, je voulais dire que ça m'a fait plaisir que, pour une fois, tu aies pu te reposer.

Elle prit sur elle.

— Pour une fois... Bien sûr !

Le couple était au bord de la rupture, les non-dits et les incompréhensions se multipliaient. Hugo préféra calmer le jeu avant de partir pour une longue journée de travail. Il s'approcha de Lisa, posa une main sur sa joue.

— Je voulais simplement dire que je suis heureux que tu aies dormi plus tard que d'habitude.

Lisa ne bougeait pas.

— Merci.

— Que vas-tu faire, aujourd'hui ? Tu dois voir Sophie non ?

— Oui, cet après-midi, je dispense un de mes cours d'anglais.

Hugo tentait de rattraper sa maladresse.

— Tu peux passer me voir si tu veux, avant ou après ton atelier.

Lisa s'étonna, c'était la première fois qu'Hugo lui proposait de lui rendre visite au cabinet pendant ses heures de consultation. Elle déclina sa proposition.

— Tu as tellement de rendez-vous, je ne veux pas te déranger et te faire prendre du retard.

Il tenta de la rassurer.

— Tu ne m'as jamais fait perdre mon temps.

— Écoute, je préfère te laisser tranquille, une autre fois peut-être. Je ne bouleverserai pas tes horaires, tu rentreras un peu plus tôt... peut-être.

— Tu as raison, fit Hugo tout en sachant qu'il ne serait à son domicile qu'à la nuit tombée, comme d'habitude.

Lisa n'était pas dupe, elle écarta son visage de la main de son mari et changea totalement de sujet. Sa voix devint plus claire et posée.

— J'ai besoin des coordonnées des frères Palain. Je ne sais plus où je les ai notées.

Hugo fronça les sourcils.

— Oui, bien sûr. Il y a un problème ? Le notaire t'a appelée ? Des papiers complémentaires à signer peut-être ?

— Non, j'ai découvert, enfin avec Cléa nous avons découvert au grenier une boîte contenant de très anciens courriers entre deux personnes qui semblent avoir vécu ici.

— Ah ? s'étonna Hugo, et pourquoi veux-tu appeler les anciens propriétaires ?

— J'ai lu une ou deux de ces lettres, je ne me sens pas le droit de continuer.

Hugo paraissait dubitatif.

— Pas le droit, mais pourquoi ?

— Je ne sais pas, c'est très intime.

— Et de quand datent ces échanges ? poursuivit Hugo.

— De la dernière guerre !

— Ah oui, quand même. Sans doute les ont-ils oubliés.

— J'aimerais savoir s'ils souhaitent récupérer ces lettres. Ce sont peut-être des souvenirs de famille.

Hugo éclata de rire.

— Des souvenirs de famille peut-être, des vieilleries sans aucun doute !

Lisa contint son agacement et réitéra sa demande.

— Tu as leurs numéros de téléphone ?

— Oui, tu les trouveras dans l'acte d'achat. Je ne l'ai pas encore archivé, il est posé sur mon bureau.

— Très bien, merci.

— Je dois y aller, je vais être en retard. Bonne journée, fit Hugo avant d'embrasser sa femme.

— Toi aussi, répondit-elle automatiquement.

Hugo attrapa sa sacoche. La porte d'entrée claqua.

À cet instant, Lisa n'avait qu'une idée en tête : contacter le plus rapidement possible un des frères Palain. Elle s'assit devant le bureau et feuilleta l'acte de vente. Seules les adresses de Marcel et Albert Palain y figuraient, pas leurs coordonnées téléphoniques. Lisa fit de rapides recherches sur son Smartphone et nota sur un Post-it les deux numéros. Elle hésita un instant, mais se remémora que le jour de la signature, Marcel avait pu à peine s'exprimer tellement il paraissait affecté par la vente de *La Part des Anges*. Elle préféra composer le numéro d'Albert. Une voix féminine lui répondit d'un ton ferme :

— Allô !

Lisa parut troublée comme si, tout à coup, elle se rendait compte de l'incongruité de son appel.

— Bonjour... Excusez-moi de vous déranger... Je suis Lisa Guadet, pourrais-je parler à M. Albert Palain ?

Toujours sur le même ton, son interlocutrice poursuivit :

— À quel propos, madame ?

Lisa se racla la gorge afin de regrouper quelques forces pour poursuivre.

— Eh bien, je suis la nouvelle propriétaire de *La Part des Anges* et… je souhaiterais lui poser une question.

Un bref silence puis une réponse qui soulagea Lisa.

— Bien sûr, je vous l'appelle. Au revoir, madame.

Lisa n'eut pas le temps de saluer sa correspondante. Elle entendit, au loin, son nom et un « Ah bon, passe-la-moi » puis reconnut la voix d'Albert.

— Madame Guadet, bonjour. Comment allez-vous ?

— Très bien, monsieur Palain. J'espère que je ne vous dérange pas ?

— Pas du tout, précisa-t-il. Un problème à *La Part des Anges* ?

Le ton calme et posé d'Albert l'incita à résumer de façon précise l'objet de son appel.

— Aucun souci, au contraire. En fait, je me suis permis de vous contacter car j'ai découvert dans une des armoires du grenier une boîte qui contenait…

Albert l'interrompit et expliqua d'une voix chevrotante :

— C'est moi qui ai regroupé tous ces documents et, comme je ne savais pas où les mettre, j'ai pensé que dans leurs armoires c'était le mieux.

Lisa resta dubitative devant la réponse d'Albert. Elle sentit l'émotion monter, sa gorge se serra.

— « Leurs armoires » ? Que voulez-vous dire ?

Albert eut du mal à répondre et avala sa salive à deux reprises avant de poursuivre.

— Vous avez ouvert la boîte, je suppose ?

— Euh... oui.

Il était ému, le ton de sa voix le trahissait.

— Vous avez lu les courriers ?

— En fait... c'est pour cela que j'ai souhaité vous parler.

Il insista.

— Les échanges et le carnet, vous en avez pris connaissance ?

Lisa ne s'autorisa pas à mentir, quitte à décevoir son correspondant.

— J'ai lu le début du carnet et parcouru quelques lettres.

À travers le combiné, Lisa n'entendait que la respiration saccadée d'Albert qui, après quelques secondes, reprit :

— Très bien. Et vous vouliez savoir quoi ?

— Je crois que j'ai déjà la réponse à mes deux premières interrogations, vous connaissiez l'existence de cette boîte et vous ne l'avez pas oubliée dans le déménagement de la maison ?

Albert eut un rire nerveux.

— Non, je ne l'ai pas oubliée. Vous savez, je connais leur histoire par cœur.

— Alice et Gabriel ?

Albert paraissait de plus en plus nostalgique.

— Oui, mes grands-parents...

Lisa ne put retenir la question qui lui brûlait les lèvres depuis qu'elle savait que la correspondance avait été laissée là intentionnellement, quitte à paraître indiscrète.

— Et vous n'avez pas souhaité conserver leurs échanges, ni vous ni votre frère ?

— Oh, Marcel, vous savez, la vente de cette maison l'a tellement meurtri qu'il ne veut plus entendre parler de rien. Pour les lettres, il m'avait laissé décider. J'ai conservé quelques-unes de leurs photos. À l'époque, les clichés étaient rares et chacune représente un peu une époque.

Lisa ne savait plus trop quoi dire.

— Je comprends.

Albert poursuivit.

— J'ai décidé que leur correspondance et le carnet intime de ma grand-mère devaient rester à *La Part des Anges*. Leur histoire est indissociable de cette maison.

— Vous m'autorisez donc à prendre connaissance des courriers ainsi que du contenu du carnet ?

— Je vous y invite, vous découvrirez leur histoire et je crois que vous aurez quelquefois du mal à admettre ce qui s'est passé, et pourtant c'est la réalité.

— La carte apposée sur la couverture est magnifique et les premières pages du carnet, c'est…

— Vous verrez la suite, ce n'est peut-être pas ce que vous espériez.

Lisa répondit, déterminée :

— J'ai envie de me plonger dans leur vie !

Étonnamment, Albert parut soulagé.

— Alors vous partez pour un voyage qui va vous emmener aux limites de la vie et de ce que des êtres humains peuvent supporter. Mais au fond, au plus profond de l'amour et du courage.

Les mots d'Albert résonnèrent dans l'esprit de Lisa qui pensa à Théo. Sous l'emprise de l'émotion, elle ne put que balbutier quelques mots de remerciement.

— Je vous suis reconnaissante de votre confiance.

— De rien. Je dois vous laisser et... à très bientôt.

— Oui, à bientôt.

— Merci, fit Albert avant de raccrocher.

Lisa posa le combiné et s'effondra en larmes, la tête au creux de ses mains. Cette conversation l'avait immanquablement ramenée à ses angoisses de mère, à la perte de Théo, à sa souffrance.

Que voulait dire Albert par : « Aux limites de la vie et de ce que des êtres humains peuvent supporter. Mais au fond, au plus profond de l'amour et du courage » ?

9

Le temps d'un cerisier en fleur

Comme un cerisier en fleur, le bonheur passe par mille couleurs.

Les bourgeons teintés d'ocre et de brun succèdent aux gris des branches d'hiver. Puis arrive le début du printemps avec son doux et éclatant manteau de fleurs immaculées.

Enfin vient le mois de mai, le temps des grappes de fruits rouges gorgés de sucre et de soleil bien à l'abri sous le vert du dense feuillage.

Le temps du bonheur, le temps d'un cerisier en fleur !

*
* *

La Part des Anges, samedi 23 juin 1934

Le visage d'Alice respirait le bonheur. Dans quelques heures, elle allait se marier avec Gabriel, le jeune homme qu'elle avait connu à l'automne 1933 sur le marché de Sarlat.

Avant leur union, tout n'avait pas toujours été facile pour les amoureux, qui se voyaient peu. Gabriel habitait dans la banlieue de Cahors, à soixante-dix kilomètres de Véminan, et les occasions de passer du temps ensemble étaient rares. Quatre heures de train lui étaient nécessaires pour se rendre à Sarlat, puis une bonne heure de plus pour arriver jusqu'à Véminan. À cette époque, sur les routes les charrettes, menées par un ou deux chevaux, étaient plus nombreuses que les automobiles et c'était un peu une loterie lorsque Gabriel sortait de la gare avec son sac sur le dos. Il devait se mettre à la recherche d'une bonne âme qui accepterait de le conduire jusqu'à Saint-Boliès ou Véminan.

À de rares occasions, il eut la chance de faire le trajet dans une automobile. Mais la plupart du temps, il se contentait d'une place à côté d'un agriculteur qui menait son attelage au pas ou à un léger trot lorsque le revêtement de la route le permettait. Une fois arrivé à destination, Gabriel effectuait les derniers kilomètres à pied jusqu'à *La Part des Anges* où l'attendait une Alice impatiente de le retrouver.

Habituellement, Gabriel arrivait le samedi en fin de matinée pour repartir vers 17 heures afin de ne pas rater le dernier train qui partait à 18 h 30 en direction de Cahors.

Gabriel ne pouvait se libérer qu'un ou deux samedis par mois, les lettres remplaçaient alors le plaisir de passer quelques heures ensemble. C'était ainsi, Alice et Gabriel acceptaient le fait de ne pas se découvrir autant qu'ils l'auraient espéré, seul comptait l'espoir de leur prochaine rencontre.

Lorsque Éloïse et Léon apprirent que leur fille était amoureuse et qu'un garçon prénommé Gabriel lui faisait tourner la tête, ils ne virent pas d'un bon œil cette relation naissante. Jeanne, sa grand-mère paternelle, avait bien tenté de défendre la cause de sa petite-fille auprès de son fils, mais sans succès. Depuis que Lucien, son mari, était décédé brutalement quelques mois avant la rencontre des futurs mariés, la voix de Jeanne comptait peu dans les décisions familiales.

Bien évidemment, ils souhaitaient le bonheur de leur fille, mais ce garçon, cet « étranger », comme l'appelait quelquefois son futur beau-père, n'était pas un paysan originaire du canton de Véminan. Aujourd'hui, cela peut prêter à sourire, mais à l'époque on se mariait le plus souvent avec un voisin ou une personne d'un village alentour. D'abord parce que les occasions de faire des rencontres se cantonnaient à un périmètre géographique limité et aussi parce que, dans les campagnes, les paysans privilégiaient les unions qui permettaient d'agrandir la propriété ou d'apporter des moyens supplémentaires au développement du potentiel de la ferme.

Gabriel, lui, n'avait rien à proposer, ni terres ni matériel. Ses bras et sa bonne volonté étaient sa seule richesse. Il était depuis peu diplômé de l'école de gendarmes à cheval de Cahors. Ses parents possédaient une boutique de légumes où ils vendaient la production de leurs quelques lopins de terre situés en bordure du Lot. Bien maigres avantages pour que le père d'Alice accepte leur union.

Mais à mesure que les mois passaient, Éloïse et Léon ne purent que se rendre à l'évidence : ce garçon à la chevelure blonde et aux yeux d'un bleu limpide transformait leur fille. Lorsqu'il était présent à ses côtés ou lorsqu'elle marchait seule le long du chemin pour relire ses courriers, Alice était radieuse. Dès lors, comment pouvaient-ils s'opposer à leur projet de faire leur vie ensemble ? Bien sûr, Alice dut faire une concession qui, pour son père, était indispensable : elle resterait à la ferme et continuerait à perpétuer la tradition. Alice était travailleuse et surtout maligne. Elle fit croire à ses parents qu'elle avait pensé partir vivre avec Gabriel qui venait d'obtenir un poste à la gendarmerie principale de Cahors, mais il n'en était rien. Comment aurait-elle pu quitter cette terre, cette maison qui l'avait vue naître ainsi que tous ses ancêtres ? Mais face à ce prétendu sacrifice consenti, ses parents acceptèrent son mariage avec le jeune Gabriel, qui devint un paysan prêt à se dépenser sans compter sur les terres de *La Part des Anges.*

*
* *

La cérémonie civile eut lieu à la mairie de Véminan puis Alice et Gabriel échangèrent leurs consentements dans l'église de Saint-Boliès, où Alice avait été baptisée vingt et un ans auparavant.

Le temps était radieux, un franc et chaud soleil rayonnait intensément en cette matinée de début d'été. À la fin de la messe, Éloïse fut contrariée par la chaleur déjà bien présente qui augurait d'un après-midi caniculaire. Elle avait prévu que le repas de fête aurait lieu dans la cour de la ferme. La veille au soir, une fois le travail aux champs terminé, Léon, avec l'aide de ses cousins arrivés la veille de Monpazier, Sarlat et Bergerac, avait installé les chaises, les tréteaux et les panneaux de bois.

Cette journée, Éloïse la voulait parfaite, et ce contretemps la rendait irritable. Léon fit signe à sa femme de ne pas s'inquiéter. Il avait pris la décision de remonter à la ferme avant que le cortège se mette en route. Avec quelques voisins, ils empruntèrent d'un bon pas le chemin des Gariottes pour déboucher dix minutes plus tard à une centaine de mètres de l'entrée de la cour. Le trajet par ce sentier qui serpentait à travers bois était bien plus rapide que par la route qui longeait la vallée. Les quatre hommes eurent largement le temps de mettre l'ensemble des tables et des chaises à l'abri du soleil dans le hangar avant que les femmes qui étaient restées pour préparer le repas de noces disposent les nappes brodées aux initiales d'Alice.

Les jeunes mariés faisaient le trajet sur une calèche tirée par un cheval de labour qui avançait au pas. Le cortège était encore au bas du chemin lorsque les derniers couverts en argent furent déposés sur l'épais tissu de coton blanc.

Quand Alice et Gabriel pénétrèrent dans la cour de la ferme, Léon attendait sa fille à l'ombre de l'imposant marronnier. Il n'avait pas eu le temps de l'embrasser à la sortie de l'église. Il l'aida à descendre et la serra dans ses bras pour la féliciter. Léon n'était pas homme à montrer ses sentiments, Alice fut surprise et heureuse à la fois. Mais à cet instant, elle se sentit surtout rassurée. Ses parents avaient donné leur accord pour cette union, mais le doute persistait dans son esprit. Elle pensait qu'au fond ils auraient préféré quelqu'un d'autre pour leur fille, un paysan originaire de Véminan. Alors cette franche accolade que son père venait de lui offrir, elle la prenait comme une acceptation définitive et sincère de l'homme qu'elle avait choisi.

*
* *

À cette époque, dans les campagnes périgourdines, le travail à la ferme demandait de la force, du courage et de la résistance. Chaque famille espérait l'arrivée d'un fils pour cela, bien sûr, mais aussi pour la pérennité du nom. La nature n'avait pas permis à Éloïse et Léon d'agrandir leur famille, Alice fut leur seul enfant.

Dès l'adolescence, elle commença à se sentir coupable même si, bien évidemment, elle ne pouvait rien à cet état de fait. Alors elle compensait autant qu'elle le pouvait. Travailler la terre et s'occuper des bêtes était rude. La mécanisation n'en était qu'à ses balbutiements. Alice ne se plaignait jamais. Elle avait compris qu'être fille unique était une place peu enviable, car elle se devait d'aider son père aux champs et sa mère pour les tâches ménagères.

Jusqu'à ses dix ans, Alice avait été scolarisée à Saint-Boliès, lorsque le hameau possédait son école et ne dépendait pas encore de Véminan. Puis elle avait intégré le pensionnat du collège de Sarlat et obtenu d'excellents résultats. Elle aurait aimé continuer à étudier pour se consacrer à l'enseignement. Être professeur avait toujours été son rêve, la transmission du savoir était pour elle le plus beau des métiers. Mais elle abandonna rapidement cet espoir : le travail l'attendait à *La Part des Anges*, et il ne manquait pas.

*
* *

La fête fut une magnifique réussite, Alice était radieuse. Gabriel la regardait évoluer dans son monde, sa maison, au milieu de sa famille, de ses voisins et amis. Il la trouvait belle dans sa longue robe de satin blanc. Après la cérémonie, elle s'était empressée d'ôter la coiffe de tulle que sa grand-mère lui avait confectionnée en prétextant la chaleur étouffante, mais elle avait surtout envie de libérer sa longue chevelure brune qui ondulait à chacun de ses mouvements.

Gabriel arrivait dans cette famille où il allait devoir tout apprendre, une nouvelle vie se dessinait. Dès le lendemain, ses parents, ses sœurs, son frère et les quelques amis qui avaient fait le déplacement depuis Cahors rentreraient chez eux. Il allait se retrouver seul. Seul avec les habitudes de la famille d'Alice, seul dans cette campagne encore inconnue, seul face à cette quantité de travail dont il ne savait pas s'il pourrait en venir à bout, et seul avec cette femme qu'il aimait, mais dont il ne connaissait encore que bien peu de chose.

Alice et Gabriel s'étaient seulement « fréquentés ». Ils avaient bien volé quelques baisers au regard de Léon lorsqu'ils pouvaient s'isoler quelques instants, mais c'était tout. Ils avaient peur, tous deux allaient devoir se découvrir dans l'intimité d'un couple qui, désormais, avait son destin entre ses mains.

La chambre d'Alice avait été agrandie pour offrir à leurs moments d'intimité un espace plus confortable. Par contre, il n'était pas question qu'ils prennent leurs repas en tête à tête. Gabriel allait devoir prendre place à côté de sa femme à la table de la salle à manger en compagnie de ses beaux-parents et de la grand-mère d'Alice.

C'est ainsi qu'en cette fin du mois de juin 1934, une nouvelle vie débuta pour les jeunes mariés, celle de tous les possibles et de toutes les interrogations.

Les premières semaines furent hésitantes autant dans l'intimité du couple que dans l'organisation des tâches. Gabriel ne savait pas toujours ce qu'il devait faire pour que le travail soit effectué selon les souhaits de son beau-père. Il se tournait alors vers Alice, qui le rassurait : elle connaissait son père et elle savait que s'il ne disait rien, c'était que l'implication de son gendre lui convenait. Peu à peu, Gabriel prit confiance, se dépensant sans compter pour satisfaire la famille d'Alice, mais surtout sa femme. Il voulait qu'elle soit fière de lui. Alice avait un fort caractère, elle ne rechignait devant aucun effort physique, même si quelquefois elle devait abdiquer et accepter l'aide de bras plus puissants.

Les mois passèrent, l'hiver arriva. Gabriel eut la joie de recevoir sa famille entre Noël et le premier de l'an. En cette période de l'année, les terres étaient au repos. Les bêtes, cantonnées à l'étable, nécessitaient des soins bien moindres qu'à la belle saison. Gabriel put donc passer du temps avec ses proches, qu'il n'avait pas revus depuis le jour du mariage. Sa famille lui manquait, mais cette nouvelle vie qu'il construisait peu à peu avec sa femme le comblait de bonheur.

Gabriel prit rapidement les habitudes d'un vrai paysan. Il s'était fait adopter par les voisins et les amis de sa belle-famille. Alice lui fit découvrir les endroits où les jeunes de Véminan aimaient se réunir lorsque le travail à la ferme leur laissait quelques soirées de répit. Les jeunes couples appréciaient de se retrouver pour faire la fête, parler de leurs soucis, de leurs joies et des premières naissances. L'avenir ne pouvait être que radieux, même si les plus angoissés – ou les plus sages, l'avenir déciderait – s'inquiétaient déjà de nouvelles troublantes venues d'Allemagne. Un certain Adolf Hitler était devenu chancelier depuis deux ans et une dictature militaire semblait s'installer à coups de décisions plus violentes les unes que les autres. Mais la plupart des jeunes de Véminan n'imaginaient pas que cette agitation naissante puisse bouleverser leur vie.

Lors d'un repas familial, Alice avait émis des doutes à ce sujet. Léon avait alors fusillé sa fille du regard en lui lançant :

— Non ma fille, ne ris pas ! Il y a près de vingt ans, j'ai connu la folie des hommes, je sais que tout est possible.

Avec un brin d'insouciance et d'impertinence, elle insista :

— Mais enfin, certains de nos amis racontent que…

Léon frappa la table du poing d'un coup sec et hurla :

— Arrête donc de faire l'idiote, Alice, tout est possible, je te dis !

Le silence s'imposa, seul le tintement des couverts se fit entendre. À *La Part des Anges*, plus personne n'osa évoquer ce sujet jusqu'à ce que, malheureusement, les bruits venus d'Allemagne s'intensifient.

*
* *

Les saisons défilaient, tout se passait pour le mieux. Rien ne semblait pouvoir déranger l'harmonie du couple, d'autant qu'en cette fin d'année 1935, un magnifique événement se produisit enfin.

Alice était enceinte. Une grossesse qui était attendue avec impatience et dont l'absence commençait à inquiéter sa mère. Sa famille tenta alors de la soulager pour les travaux les plus pénibles mais, malgré l'insistance de Gabriel, Alice continua à travailler comme elle l'avait toujours fait. Les fortes chaleurs du début du mois de juillet eurent cependant raison de son courage et elle fut prise de malaises. Le médecin du village diagnostiqua un début d'épuisement et lui ordonna de garder le lit jusqu'à l'accouchement. Alice obtempéra... trois jours puis, contre l'avis de tous, elle reprit ses activités. Jusqu'au 13 juillet, elle travailla sous un soleil de plomb. Le 15 au matin, elle donna la vie à un garçon qu'ils prénommèrent Jean.

Alice et Gabriel étaient comblés. Léon eut du mal à retenir son émotion, il n'avait pas eu de fils, mais sa fille, qui avait toujours tout fait pour ne pas le décevoir, venait de lui offrir un petit-fils. L'avenir ne pouvait être que radieux, l'activité de la ferme était florissante, les anciens vieillissaient dans la quiétude et Alice et Gabriel, désormais jeunes parents, avaient pris la responsabilité de conduire les intérêts de *La Part des Anges*. Rien ne pouvait assombrir leur bonheur malgré l'appel sous les drapeaux reçu par Gabriel, qui dut quitter sa famille trois semaines après la naissance de son fils et rejoindre le 10e régiment de dragons de Montauban pour y effectuer une période d'exercice de vingt et un jours. Chaque homme de sa classe d'âge était concerné. Dès la fin du mois d'août 1936, Gabriel était de retour parmi les siens.

À la fin des grosses chaleurs de l'été, Jeanne fut victime d'un accident vasculaire cérébral qui entraîna des problèmes d'élocution et la cloua dans un fauteuil, dont elle ne sortait que pour aller s'asseoir à la table familiale et faire quelques pas hésitants. Alice fut particulièrement peinée de voir sa grand-mère dans cet état. Elles avaient toujours été proches, la communication était devenue difficile mais Alice, dès qu'elle le pouvait, s'installait toujours avec son fils à côté de sa grand-mère. La plupart du temps, les deux femmes restaient silencieuses, mais elles étaient ensemble et cela suffisait à leur bonheur.

Peu à peu, le jeune couple prit ses marques. S'il leur fut difficile, les premiers mois, d'assumer leur nouveau rôle de parents et d'assurer les travaux de la ferme avec l'absence temporaire de Gabriel, l'hiver leur permit de se reposer. Léon avait embauché un ouvrier agricole pour la récolte des châtaignes. Alice et Gabriel purent ainsi profiter de leur fils avant de reprendre leur activité aux champs dès les premiers jours du printemps.

Les excellentes récoltes des deux années qui suivirent permirent d'agrandir la propriété. Ils purent ainsi acheter une très belle châtaigneraie plantée de jeunes arbres promettant une belle quantité de fruits, ainsi qu'une parcelle de un hectare de terre calcaire prête à accueillir leurs premières céréales.

Jean grandissait, c'était un petit garçon qui respirait la joie de vivre. Il venait de fêter ses trois ans, on était au mois de juillet 1939 et, malgré des nouvelles de plus en plus alarmantes d'Allemagne, personne ne pouvait imaginer ce qui allait se produire quelques semaines plus tard…

10

Notre vie est une comédie

L'être humain trace son chemin plein d'espérance, persuadé de sa force et de sa sagesse, alors que l'existence n'est que faiblesse, folie et désespoir.

Enfermés dans le carcan de nos certitudes, nous ne sommes que des imposteurs, nous réjouissant de la trahison que nous nous infligeons et infligeons aux autres avec une déconcertante facilité.

Notre vie est une comédie, souvent mal interprétée. Le pire, c'est que nous en sommes les premiers spectateurs, bien calés dans un moelleux fauteuil, les yeux rivés sur l'écran où se déroule une histoire que l'on croit ne pas être la nôtre...

*
* *

La Part des Anges, août 2017

Hugo regarda sa montre, la matinée défilait bien trop rapidement à son goût. Il était 11 h 10 et il venait de terminer sa quinzième consultation de la matinée. Il raccompagna sa patiente et se dirigea vers le bureau de sa secrétaire.

— J'aimerais m'absenter pour la pause déjeuner. Y a-t-il des rendez-vous de prévus à partir de midi ?

Katia lui fit remarquer qu'une dizaine de personnes attendaient leur tour dans la salle d'attente et qu'elle venait d'accepter trois urgences relatives pour des enfants qui présentaient des vomissements après avoir consommé le même repas la veille au soir au centre de vacances.

Hugo grimaça, il paraissait agacé. Katia tenta de se justifier.

— J'ai pensé que ce n'était pas la peine de les diriger vers les urgences de Sarlat. Je peux les rappeler pour leur signifier que vous ne pouvez pas les recevoir.

Malgré l'épuisement qui se dessinait sur son visage, Hugo la rassura.

— Vous avez bien fait, mais j'aurais… Enfin, peu importe.

Katia sentit un profond désarroi dans les paroles d'Hugo.

— Je peux faire quelque chose pour vous aider ?

— Non Katia, vous êtes gentille. J'aurais souhaité rentrer à *La Part des Anges*. Cela fait si longtemps qu'en semaine je n'ai pas déjeuné avec ma femme et ma fille. Lisa et Émilie me voient si peu. Ça nous aurait fait du bien de passer un peu de temps ensemble.

— Je vous aurais bien remplacé, mais je ne suis pas médecin, répondit-elle sur le ton de la plaisanterie.

— C'est vrai ce n'est pas possible, admit-il, fataliste. Par contre vous allez fermer le cabinet. La salle d'attente est bondée, plus personne ne rentre jusqu'à cet après-midi à part les trois enfants du centre.

Katia ne put cacher son étonnement.

— Fermer le cabinet ?

— Oui.

— Mais...

— Je sais, c'est la première fois, mais j'en ai ras le bol. J'espère pouvoir, au moins, aller prendre le dessert et le café chez moi.

— Vous êtes sûr ? Fermer le cabinet ?

— Oui Katia, vous n'êtes pas médecin, c'est vrai, mais les patients et leurs demandes à n'en plus finir, vous savez les gérer bien mieux que moi, alors on ferme !

Tout en se levant pour tourner le verrou de la porte, Katia s'adressa à Hugo sous forme de boutade.

— Bon, ben, je vais tenter de retenir la meute.

Hugo sourit enfin.

— Vous allez très bien y parvenir, assura-t-il.

Et, regagnant son bureau, il lança un énième « Personne suivante, s'il vous plaît ! »

Hugo regroupait les différentes pièces du dossier du patient précédent encore étalées sur son bureau. Il n'avait pas remarqué la présence de Sarah qui, assise devant lui, espérait patiemment qu'il daigne enfin lever les yeux. Elle l'observait. Il déposait maintenant le dossier dans l'armoire derrière son fauteuil.

— Désolé, je suis à vous dans un instant, dit-il, toujours le dos tourné.

— Fais attention à ce que tu dis !

Instantanément, Hugo se raidit. Il venait de reconnaître la voix suave et douce de Sarah. Maladroitement, il tenta de se donner un peu de temps en triturant sans but précis les dossiers de ses patients dans l'armoire.

Sarah insista et réitéra sa remarque tendancieuse.

— Je pourrais mal l'interpréter, ou bien...

Hugo se retourna enfin et découvrit la séduisante Irlandaise, le visage éclairé par un éclatant sourire. Ses jambes étaient croisées et ses mains posées sur un de ses genoux. Elle portait un jean clair et un débardeur écru en coton légèrement transparent qui laissait deviner un soutien-gorge de dentelle blanche. Elle fixa Hugo de son regard vert intense.

— Tu... vas bien ? balbutia Hugo en se rasseyant.

Il n'osait pas regarder son interlocutrice.

Sarah ne bougeait pas, elle était parfaitement détendue, sûre d'elle.

— Ça va. Et toi ?

— Bien, bien, beaucoup de boulot, mais...

— Tu ne devrais pas, affirma-t-elle.

— Quoi donc ? répondit Hugo, qui enfin avait relevé la tête.

— Travailler autant. Tu vas t'épuiser. Tu devrais t'autoriser des moments de pause, de détente… du « bon temps », comme vous dites dans la région.

Si Hugo avait eu quelques doutes quant aux intentions de cette femme, aujourd'hui, la situation était pour lui très claire. Il n'avait qu'un geste à faire, qu'un mot à dire et Sarah était à lui. Mais tout son être refusait cette tentation. Il ne devait pas, sa morale lui interdisait de céder à cette attirance. Une nouvelle fois, il aiguilla la conversation sur un sujet qui lui laissa quelques instants de répit.

— Tu as un problème de santé ?

Sarah éclata de rire. Elle ôta ses mains de ses genoux et se cala au fond de la chaise. Hugo, sans s'en rendre compte, la détailla. Son visage, ces petites rides naissantes au coin des yeux qui lui donnaient une forme de sérénité que les années lui avaient offerte. Sa poitrine qui se tendait à chacune de ses inspirations. Hugo sentait qu'il était en train de perdre le contrôle. Il ne pensait qu'à une chose : il fallait que Sarah s'arrête de rire, qu'elle cesse de se mouvoir avec cette sensualité dont elle jouait avec tant d'élégance et de naturel.

Enfin, la jeune Irlandaise se tut. Elle plongea son regard dans le sien, comme pour le défier. Elle le désirait, il en était conscient.

— Je n'ai aucun problème de santé et tu le sais !

Hugo était perdu. Que faire pour résister ? Il allait céder à cette femme, c'était inéluctable.

Sarah savait qu'il avait envie d'elle et qu'il utilisait tous les subterfuges pour retarder le moment où il s'abandonnerait dans ses bras. Elle l'avait pris dans ses filets. Il aurait suffi qu'elle se lève, s'approche de lui, il aurait sombré. Curieusement, elle ne le fit pas. Peut-être voulait-elle encore plus l'affaiblir pour le posséder totalement ? Peut-être voulait-elle s'assurer qu'il avait mûrement pensé aux conséquences de ses actes ?

Sarah ne connaissait pas le détail de la situation d'Hugo et de Lisa, mais leur présence ici, à Véminan, aiguisait assez sa curiosité pour qu'elle se laisse un peu plus de temps. Hugo résistait bien plus que la normale et cela l'intriguait. Il aimait profondément Lisa, Sarah en était certaine, alors pourquoi ne lui avait-il pas fait comprendre clairement que ses tentatives de séduction seraient vaines ? En plus, il n'avait rien d'un homme qui collectionnait les conquêtes, alors pourquoi s'était-il laissé entraîner dans ce jeu dangereux ? Sarah voulait en savoir plus. Elle préféra apaiser la situation et revenir à une conversation moins ambiguë.

— Je t'avais dit que je viendrais te voir pour que nous discutions de phytothérapie. Tu te souviens ?

Hugo ne put retenir un profond soupir de soulagement.

— Bien sûr, bien sûr, répéta-t-il.

— Je ne savais pas que tu avais autant de patients à ton cabinet. Il n'y a rien d'urgent, je ne voudrais pas trop te retarder, nous en discuterons à une autre occasion.

Hugo acquiesça d'un signe de tête.

— Effectivement, je suis débordé avec tous ces vacanciers. Nous pourrons en parler une autre fois, ce sera plus facile pour moi.

Hugo la raccompagna à la porte. Il avait la main sur la poignée quand elle ajouta :

— Écoute, je te propose de passer à la maison lorsque tu auras un peu de temps. Je te montrerai mon jardin de plantes aromatiques. Tu es d'accord ?

Il ne répondit pas. Elle insista.

— Alors, ça te convient ?

Hugo hésitait.

— Oui... bien sûr, je passerai... un jour... Je viendrai récupérer Émilie.

Sarah sourit et lui prit le bras. Il sentit un frisson le parcourir, son cœur s'accéléra. Il tenta de dissimuler son trouble en inspirant profondément. Les effluves du parfum de Sarah lui parvenaient. Il eut l'impression de revenir à leur première rencontre, lorsque la belle Irlandaise leur avait fait visiter son atelier où régnait cette même odeur. Ses narines s'emplirent d'un mélange indéfinissable de musc et de fleurs, de force, d'intensité et de mystère.

— Oui, quand tu veux, mais avec tes horaires je ne suis pas sûre que tu puisses venir facilement.

Hugo haussa les épaules.

— Je m'arrangerai, lâcha-t-il.

— Ne te sens surtout pas coupable. Depuis que je garde ta fille avec son amie Elvira, elle paraît parfaitement épanouie ! Lisa t'en a parlé ?

Surpris, Hugo eut un mouvement de recul. Sarah lâcha son bras.

— De quoi ?

— Eh bien, Lisa a dû te dire que tout s'était bien passé. D'ailleurs, lorsqu'elle vient récupérer Émilie, elle a même du mal à la convaincre de rentrer avec elle. L'atelier, le travail de l'argile la passionnent, tu sais ! Avant-hier, nous avons longuement pris le thé. Émilie et Elvira ont eu ainsi plus de temps pour terminer les pièces en cours de fabrication.

— Prendre le thé ?

— Oui, avec ta femme et Sophie. Tu n'étais pas au courant ?

— Si, bien sûr, Lisa m'en a parlé... rapidement.

Hugo était contrarié, Sarah le remarqua. Malgré l'attirance qu'il ressentait pour cette femme, elle s'intéressait beaucoup trop à lui et à sa famille. Il préféra couper court à la conversation. Ses patients l'attendaient et il n'avait plus le temps de discuter.

— Très bien Sarah, je ne voudrais pas te mettre dehors, mais j'ai du boulot !

— On s'embrasse ?

Hugo n'eut pas le temps de répondre, elle avait déjà posé sa joue sur la sienne. Il ressentit le même frisson que lorsqu'elle avait saisi son bras.

Il lui ouvrit la porte.

— Au revoir.

— À bientôt Hugo...

Il la regarda traverser le hall. Il ne put s'empêcher, une nouvelle fois, de détailler sa silhouette. Sous les yeux de Katia.

La jeune Irlandaise se retourna et lança un dernier sourire à Hugo.

Katia secoua la tête, réprobatrice. Hugo le vit et s'approcha de sa secrétaire.

— Ça va, pas trop de patients à refouler ?

— Je me débrouille. Et vous, personne à refouler ?

— Pardon ? s'étonna Hugo.

— Ça ne me regarde pas, mais elle ne me plaît pas, celle-là !

— Et pourquoi donc ? questionna Hugo.

Katia se lança alors dans une explication qui respirait la franchise.

— L'an dernier, sur les conseils d'une voisine, elle a tenté de soigner mon grand-père qui souffrait de douleurs intestinales récurrentes. Le médecin de Sarlat n'arrivait pas à le soulager. Elle a failli le tuer !

Hugo ironisa.

— Failli, juste ! Je l'ai eu en consultation la semaine dernière, je vous assure, il est bien vivant.

— Mouaiiiis... En plus elle a rendu mon frère fou. Bon, assez parlé d'elle. Vous avez du travail !

Hugo fixa sa secrétaire d'un air ahuri. Katia, d'habitude si posée, semblait hors d'elle. Elle contenait sa haine, c'était évident.

— Votre frère, fou, avec des plantes ?

— Non, il a eu une histoire avec elle. Cette… a dû lui faire croire je ne sais pas trop quoi. Il était raide amoureux, mais pour elle c'était de l'amusement… Et s'il n'y avait eu que lui ! Bon, j'ai vraiment plus envie d'en parler. Vos patients sont là, ils s'impatientent !

Hugo semblait amusé par l'avis tranché de sa secrétaire.

— Vous me faites rire, ça me fait du bien.

— Faites attention quand même, affirma-t-elle.

— Merci du conseil, répondit-il d'un air dubitatif.

— De rien, fit Katia, toujours contrariée, avant de se replonger dans le classement du courrier.

— Au fait, je souhaiterais terminer plus tôt mes consultations mardi ou jeudi prochain, c'est possible ?

— Je ne crois pas, assura Katia. Regardez votre planning de rendez-vous ! Je ne sais plus où noter les noms des patients, il y en a partout, même dans la marge.

Hugo jeta un coup d'œil rapide à l'agenda. Il réitéra et imposa sa demande.

— Je vous fais confiance ! Mardi ou jeudi prochain, je m'absenterai à partir de 11 h 30, je reviendrai pour les consultations en début d'après-midi.

Katia ne pouvait que répondre au souhait de son patron.

— Bon, je vais essayer de décaler vos rendez-vous.

— N'hésitez pas à ajouter des patients en fin de journée. Tenez-moi au courant, merci Katia.

— Très bien, je fais le maximum.

— Je sais.

Hugo se dirigea vers son bureau.

— Personne suivante, s'il vous plaît !

*
* *

Depuis que Lisa accompagnait Sophie au marché de Sarlat, elle redécouvrait le brouhaha de la foule. Une foule bien différente de celle des boulevards et du métro parisiens. Les touristes prenaient leur temps, ils flânaient tranquillement dans les allées à la découverte des produits locaux. Les sourires étaient au rendez-vous et cela faisait du bien à Lisa. Sophie la regardait évoluer dans ce nouvel environnement. Elle paraissait à l'aise, même si elle avait toujours cette forme de retenue, comme si elle s'interdisait d'être totalement elle-même.

Il ne se passait pas un jour sans que Lisa parle à son amie de la découverte des lettres et du carnet. Sophie était heureuse de voir Lisa s'approprier un sujet qui semblait la passionner et surtout qui lui permettait d'oublier, l'espace de quelques heures, cette peine qu'elle traînait comme un éternel fardeau. Mais elle ne pouvait s'empêcher de s'interroger : pourquoi Lisa s'intéressait-elle autant à la vie d'Alice et de Gabriel ?

Parfois, Sophie se disait que c'était sans doute là une lubie passagère et qu'elle allait abandonner bien vite ce soudain intérêt pour un couple avec lequel elle n'avait aucun lien. Il ne s'agissait que des grands-parents des anciens propriétaires dont Lisa avait découvert l'existence par hasard, après tout. Mais pourquoi tenait-elle tant à tout connaître de cette famille qui avait vécu à *La Part des Anges* il y a près d'un siècle ? Sophie posa quelques questions, mais sans jamais obtenir de réponses précises. Elle ne s'en inquiéta pas, le plus important était de voir Lisa sortir de sa tristesse.

Un jour, Lisa demanda à son amie si elle pouvait lui confier la mission de tenter de retrouver quelqu'un qui aurait côtoyé Alice ou Gabriel et qui pourrait lui parler d'eux. Sophie, bien évidemment, lui répondit par l'affirmative, non sans la mettre quand même en garde : elle connaissait la grande majorité des anciens du village, et la population de Véminan ne comptait aucun centenaire. Mais elle avait promis, elle allait donc faire le nécessaire pour tenter de glaner, çà et là, quelques informations sur ce couple qui intriguait tant Lisa.

Lors de leur dernier entretien téléphonique, Lisa avait mis au courant le docteur Mader de l'intérêt qu'elle portait à l'histoire d'Alice et de Gabriel. Il s'était d'abord félicité que sa patiente fasse preuve de curiosité, mais un sujet en particulier l'inquiétait : la Seconde

Guerre mondiale avait provoqué des drames dans beaucoup de familles et il craignait que Lisa découvre une histoire plus triste que la sienne. Il redoutait qu'elle en soit affectée et que cela impacte encore un peu plus son état émotionnel.

Le psychiatre avait le sentiment que sa patiente s'était imposé la mission de découvrir une forme de secret. Fouiller le passé, c'est bien, mais pas au détriment de l'avenir. Ce qui lui importait, c'était que Lisa se tourne vers le futur et non pas vers le passé, que ce soit le sien ou celui d'une autre famille. Il surveillait avec attention l'évolution de ses recherches.

À la fin de leur entretien, il proposa que, lors de leurs prochains rendez-vous, ils consacrent une dizaine de minutes à faire le point sur ce sujet précis et lui fit part de sa réserve.

Lisa accepta sans comprendre les réticences du psychiatre.

*
* *

Hugo n'était pas rentré à *La Part des Anges* pour déjeuner avec Lisa et Émilie comme il l'avait souhaité. Il n'avait pas pu non plus se libérer pour aller prendre le café avec sa femme. Il avait déjeuné seul à son bureau, avalant un sandwich et une canette de Coca entre deux patients, et avait profité de cette courte pause pour téléphoner à Lisa.

En fin de matinée, il lui avait déjà envoyé trois SMS, juste pour savoir si tout allait bien. Ce n'était pas son habitude, il utilisait rarement ce moyen de communication. Il réservait les messages écrits aux questions pratiques et aux urgences. Lisa en fut surprise et ne tarda pas à questionner son mari à ce sujet lorsque celui-ci l'appela avant ses rendez-vous de l'après-midi.

— Tu as déjeuné à ton cabinet ?

— Oui. Vivement la fin des vacances, j'aimerais être plus souvent avec toi et Émilie.

— Tes SMS m'ont fait… plaisir.

Hugo remarqua qu'elle avait hésité.

— Tu n'étais pas contente de les recevoir ?

— Bien sûr que si, mais ce n'est pas ton habitude.

Hugo était ému, il prit quelques secondes avant de répondre. Effectivement ce n'était pas son habitude. La visite de Sarah l'avait confronté à nouveau à ses démons. Hugo luttait, et Lisa savait que cette femme n'était pas insensible au charme de son mari.

En fait, pour Hugo, ces messages envoyés à Lisa étaient une forme d'appel à l'aide. Il cherchait des preuves que tout était encore possible. Du moins, il tentait de s'en persuader.

— Tu ne m'as pas répondu, fit-il.

Lisa, gênée, tenta de se justifier.

— J'étais avec mes parents au téléphone. Je viens à peine de raccrocher.

Instantanément Hugo fut ramené aux tourments de son couple. Si Lisa avait appelé ses parents, c'était, bien sûr, pour prendre de leurs nouvelles, mais surtout pour parler de Théo, de l'entretien du caveau, de sa prochaine visite à Paris... De tous ces sujets qu'il avait de plus en plus de mal à assumer.

Il n'avait jamais osé s'en ouvrir à Lisa de peur d'ajouter une tension supplémentaire à une situation déjà bien compliquée, mais toutes ces discussions autour de la mort de son fils, il ne les supportait plus. Bien sûr, il n'oubliait pas Théo, comment aurait-il pu ! Il pensait très souvent à lui, il gardait le souvenir d'un enfant plein de vie, d'un amour qu'il éprouverait jusqu'à son dernier souffle. Parfois, il pensait à tout ce qu'il aurait pu faire avec son fils, mais à quoi bon s'enfermer dans cette nostalgie qui n'avait aucun sens à part se faire du mal ? Hugo souhaitait avancer, accompagné du souvenir de son fils, mais il voulait aller de l'avant.

— Comment vont-ils ? demanda-t-il.

Lisa lui fit une réponse d'une affligeante banalité pour masquer tout ce qu'elle aurait eu envie de dire. Mais elle connaissait le sentiment d'Hugo à ce sujet et elle ne souhaitait pas que la conversation, une nouvelle fois, s'envenime.

— Bien. Mon père a dû faire des examens chez le cardiologue. C'était juste de la fatigue, ils sont rassurés.

— Parfait. Et autrement... tout va bien... à Paris ?

Lisa répondit d'un laconique :

— Oui, tout va bien.

Ils restèrent silencieux quelques instants, le combiné collé à l'oreille. Chacun dans l'attente de la parole de l'autre. Hugo rompit cette angoissante attente.

— Tu as prévu quelque chose avec Sophie cet après-midi ?

— Elle vient récupérer Émilie, elle va passer l'après-midi avec Elvira.

— Ah ? Je ne savais pas. Et toi, tu n'y vas pas ? Que vas-tu faire ? répondit Hugo, surpris.

— J'ai besoin d'être seule, je continue à décortiquer toutes ces lettres, c'est... (Elle chercha ses mots.)

— Oui ?

— C'est étonnant la vie à cette époque. Ça me paraît si proche parfois...

— Ne t'enferme pas trop dans toutes ces histoires d'un autre temps. Tu devrais sortir, t'aérer, il fait beau.

— Demain je repars au marché de Sarlat avec Sophie et à 17 heures j'ai mon atelier d'anglais avec les commerçants.

— Parfait, je dois te laisser, les rendez-vous reprennent. Je t'embrasse.

— À ce soir, Hugo.

Lisa raccrocha et se dirigea vers le bureau où toute la correspondance et le carnet étaient étalés. Avant de replonger dans l'histoire d'Alice et de Gabriel, elle eut envie d'envoyer un SMS à Hugo. Elle tapa simplement « *Je t'aime* ».

Hugo venait de faire entrer son premier patient quand son portable vibra sur son bureau. Il regarda rapidement l'écran. Il sourit.

Depuis combien de temps Lisa n'avait-elle pas écrit ou prononcé ces quelques mots ?

Hugo apprécia l'instant.

11

Né en 17 à Leidenstadt

Et si j'étais né en 17 à Leidenstadt
Sur les ruines d'un champ de bataille
Aurais-je été meilleur ou pire que ces gens
Si j'avais été allemand ? [...]
Et qu'on nous épargne à toi et moi si possible
très longtemps
D'avoir à choisir un camp[1].

*
* *

Véminan, vendredi 1er septembre 1939

Il était à peine 10 heures du matin lorsque
la mauvaise nouvelle se répandit comme une
traînée de poudre dans toute la commune. Les
villageois qui possédaient un poste de radio

[1]. *Né en 17 à Leidenstadt* est une chanson écrite par
Jean-Jacques Goldman, interprétée par Jean-Jacques
Goldman, Michael Jones et Carole Fredericks, ©Jrg
Musicales.

restaient l'oreille collée à leurs appareils à l'affût de la moindre information.

C'était désormais officiel : à l'aube, les troupes allemandes avaient envahi la Pologne. Quelques jours auparavant et dans le plus grand secret, Hitler avait signé un pacte de non-agression avec les Soviétiques. Le dictateur était désormais tranquille sur le front de l'Est, l'ouest de l'Europe devait se préparer à la guerre. À Véminan et dans tout le pays, plus personne n'espérait une autre issue, même ceux qui, quelques semaines plus tôt, voulaient encore croire que l'Histoire ne se répéterait pas et que la sagesse prendrait le pas sur la folie des hommes.

À *La Part des Anges*, tout le monde était déjà au courant. Lucien, le voisin, avait fait le tour des fermes des environs à l'heure du petit-déjeuner. Gabriel et Léon étaient partis travailler aux champs sans dire un mot tandis qu'Alice s'affairait à préparer le chai qui devait recevoir la vendange avant la fin du mois.

Gabriel s'abrutissait dans le travail, il savait que dans quelques jours il devrait serrer dans ses bras sa femme et son fils pour leur dire qu'il les aimait avant de partir défendre leur liberté.

Dès le lendemain, les événements s'accélérèrent. Le 2 septembre au matin, le gouvernement français ordonna la mobilisation générale. Partout dans le pays furent placardées les consignes que chaque homme mobilisable devait respecter. Gabriel avait ordre de rejoindre dans les plus brefs délais son centre de référence à Montauban.

L'ultimatum de la dernière chance exigeant que l'Allemagne retire ses troupes de Pologne ne reçut aucune réponse.

Le 3 septembre à 17 heures, la France déclara la guerre à l'Allemagne.

*
* *

Les moissons étaient en cours. Gabriel et les autres jeunes hommes de Véminan ne les termineraient pas, les femmes et les anciens devraient s'en occuper seuls. La vie, tout à coup, allait devenir plus rude.

Chaque soldat disposait de peu de temps pour préparer son baluchon et dire au revoir à ses proches. Ces hommes partaient vers l'inconnu, celui de l'horreur de la guerre. Pour combien de temps ? Personne ne le savait.

Il était l'heure, Gabriel s'approcha d'abord de la grand-mère d'Alice. Son handicap empirait, mais elle trouva la force de se lever pour l'embrasser. Sa mémoire lui faisait défaut, mais à cet instant, elle ne put s'empêcher de verser une larme. Sans doute se souvenait-elle du départ de Lucien, son mari, pour le conflit de 1870.

Puis Gabriel s'approcha de ses beaux-parents. Léon, d'habitude si pudique, serra très fort son gendre contre lui. Pour avoir connu les combats de la Première Guerre, il savait, plus que tout autre, vers quel enfer Gabriel se dirigeait.

Jean était encore trop jeune pour comprendre toute cette agitation. Il ne reverrait pas son papa avant longtemps. Gabriel retint son émotion qui ne demandait qu'à couler à flots. Il s'accroupit pour être à la hauteur de son fils et posa sa main sur sa tête. Calmement, il s'adressa à lui.

— Papa doit s'en aller pour quelque temps. Je compte sur toi. À partir d'aujourd'hui, tu es l'homme de la maison. Fais attention à ta maman.

— Mais papi Léon est là et puis tu reviens bientôt, répondit Jean avec toute l'innocence de ses trois ans.

Gabriel ne dit rien, il ne pouvait pas. Il embrassa une nouvelle fois son fils et se retourna, submergé par l'émotion.

Éloïse prit la main de son petit-fils et fit signe à sa fille qu'il était temps de partir.

Le couple commença à descendre le chemin de la ferme. Avant de pénétrer dans les sous-bois, Gabriel s'arrêta et jeta un dernier regard vers la maison. Dans le champ qui longeait le chemin, la lieuse était là, inerte, les chevaux avaient été dételés, il restait encore près d'un demi-hectare de blé à couper et à fagoter. Gabriel regarda Alice comme pour s'excuser.

À cet instant, dans la détresse du départ, Alice ne savait plus quoi penser, le travail à accomplir était colossal. Tout au long du trajet jusqu'au village, les jeunes époux échangèrent peu. Gabriel, dans sa tête, était déjà parti, une façon de se persuader qu'il rentrerait plus vite. Pour ne pas trop penser au départ de son homme, Alice se concentrait sur l'organisation du travail qu'elle allait devoir assumer. Les moissons allaient prendre du retard et se termineraient au mieux dans une dizaine de jours. Alice savait qu'Hector, qui passait de ferme en ferme avec sa batteuse, avait le même âge que Gabriel, et que lui aussi partait pour le front. Cette année les matinées de septembre ne seraient plus rythmées par le bruit assourdissant des poulies de l'imposante machine, mais par le travail harassant du battage manuel.

En arrivant au village, Alice et Gabriel se dirigèrent vers la place du marché. Malgré la foule, il régnait un silence angoissant. Chacun chuchotait, les embrassades et les accolades étaient nombreuses. C'était bientôt l'heure du départ. Un camion à plateau attendait les hommes de Véminan pour les emmener à Sarlat, où le train les conduirait jusqu'à leur centre de mobilisation.

Alice, qui jusqu'à présent avait pu contenir ses larmes, s'écroula dans les bras de Gabriel. Elle sanglotait.

— Ne t'inquiète pas, fit-il, le front sur la tête de sa femme.

— J'ai peur, chuchota-t-elle.

Gabriel posa les mains sur les joues humides d'Alice.

— N'oublie jamais que tu es forte. Et puis Jean et tes parents ont besoin de toi. Tu diriges la ferme désormais.

— Je n'y arriverai pas sans toi.

Il la fixa de son regard bleu intense.

— Si, tu n'as pas le choix.

— Combien de temps seras-tu...

Gabriel mit son index sur les lèvres de sa femme.

— Personne ne le sait, mais je te le jure, je reviendrai. Écris-moi souvent et envoie-moi quelques colis. Je te donnerai mes coordonnées dès que je connaîtrai mon affectation.

— Bien sûr. Gabriel, tu sais, je voulais te dire...

— Oui ?

Alice tergiversa.

— Rien. Je t'aime, reviens vite.

Le chauffeur signifia qu'il était l'heure de partir. Une dernière étreinte, un dernier baiser.

— Je t'aime aussi. À... bientôt.

Gabriel se dirigea vers le camion. Alice fit deux pas vers lui, elle aurait voulu lui dire. Mais elle se retint. Plus tard, par écrit. Pas aujourd'hui.

Gabriel monta avec ses camarades sur le plateau du camion, un dernier signe vers celle qu'il ne reverrait peut-être jamais. Le véhicule disparut à l'angle de la place.

Alice posa sa main sur son ventre, elle était enceinte et avait prévu de l'annoncer à Gabriel lors de la fête de la fin des moissons. Les événements qui s'étaient bousculés l'avaient convaincue qu'il était préférable de ne rien lui dire avant son départ.

Le camion n'était pas encore sorti du village qu'Alice regrettait déjà sa décision.

Deux semaines s'étaient écoulées depuis le départ de Gabriel. *La Part des Anges* paraissait sans vie. Le magnifique sourire d'Alice avait disparu. Léon était devenu presque muet. Il réservait ses rares paroles pour les jours où il obtenait quelques nouvelles du front. Seuls les rires du petit Jean résonnaient encore à travers les murs de la bâtisse.

Les agriculteurs restés dans les fermes s'étaient organisés dans l'urgence pour terminer les moissons, rentrer le grain au sec et conduire les vendanges avant que le raisin ne soit trop mûr et pourrisse sur place. L'entraide entre voisins était exemplaire.

Huit fermes se voyaient amputées de bras vigoureux, aucune exploitation ne devait être laissée sans assistance. Les hommes jeunes n'étaient plus là, mais les anciens redoublaient de vaillance et partageaient leur expérience. Les femmes avaient pris le relais dans la campagne de Véminan. Leurs maris étaient devenus des soldats, elles se devaient de diriger les exploitations, Alice ne dérogeait pas à la règle. Toute cette peine qu'elle portait en elle, elle l'avait transformée en rage de réussir à remplacer Gabriel jusqu'à son retour. Elle s'interdisait de penser qu'elle devrait, peut-être, éternellement jouer ce rôle. Un jour tout redeviendrait comme avant, elle en était persuadée.

Depuis le départ de Gabriel, Alice n'avait toujours reçu aucune nouvelle, elle ignorait où il avait été affecté. Les femmes dont les époux avaient été mobilisés s'échangeaient les maigres informations dont elles disposaient. Un mois après le départ de leurs hommes, seule Jeanne avait reçu une carte de Michel, son mari. Il disait se trouver dans l'est de la France, en retrait de la ligne Maginot, affecté, avec deux de ses camarades de Véminan, à l'intendance et à l'approvisionnement en munitions des soldats sur le front. Michel écrivait qu'il s'ennuyait, car sur le front il ne se passait rien. Les deux belligérants se faisaient face sans rien faire. Les troupes françaises attendaient, confiantes, l'offensive allemande, certaines de l'inviolabilité de leur système de défense.

Malgré le travail colossal que chacun fournissait, les vendanges n'avaient pas pu se terminer avant les premiers jours du mois d'octobre. La priorité avait été de finir de battre le blé moissonné et de transporter la récolte chez le meunier au plus vite afin de mettre les sacs de farine à l'abri de la fraîcheur et de l'humidité de l'automne qui arrivait à grands pas.

À *La Part des Anges* le raisin avait été récolté, foulé et mis en cuve en à peine trois jours. Il ne restait plus qu'à espérer que le début de la fermentation ne soit pas perturbé par des températures matinales trop fraîches.

Le dernier soir des vendanges, alors que les voisins venus aider étaient déjà rentrés chez eux pour nourrir le bétail, Alice fermait la porte du chai lorsqu'elle entendit une voix féminine crier. Elle se dirigea vers l'entrée de la cour et vit apparaître Noémie, une voisine dont le mari était également mobilisé. Elle était tellement essoufflée d'avoir monté le chemin en courant qu'elle n'arrivait pas à aligner plus de trois mots compréhensibles.

— Gabriel, Gabriel...

Alice fut prise de panique, elle envisagea le pire.

— Quoi, Gabriel ! Qu'y a-t-il ? Que lui est-il arrivé ?

Noémie avait du mal à retrouver sa respiration. Elle sortit une carte de sa poche et la tendit à Alice en ânonnant quelques mots.

— Gabriel, lettre arrivée, à midi.

Alice se saisit du courrier et reconnut l'écriture de son homme. C'était comme si une décharge électrique lui parcourait le corps. Des frissons de bonheur après un mois sans aucune nouvelle. Alice lut rapidement la carte et tomba dans les bras de Noémie. Elle ne pouvait s'arrêter de sangloter et ne faisait que répéter :

— Il est vivant, il est vivant !

— Qu'est-ce qu'il te dit ? s'enquit Noémie.

Alice se reprit et lut plus calmement le premier courrier de Gabriel.

— Il va bien. C'est le principal. Il me dit qu'il est en bonne santé.

— Et où est-il ? André, lui, est cantonné près de Sedan.

Alice n'avait toujours pas levé les yeux et lisait à nouveau la carte de son homme.

— Dans un petit fort, ils sont trois à s'occuper d'une batterie d'artillerie au nord de la ligne Maginot. De là où il est, il peut voir la forêt des Ardennes. Il m'écrit que ça lui rappelle un peu ici, même si les forêts sont plus épaisses.

— Très bien. Je dois rentrer maintenant, on m'attend. J'étais au village aujourd'hui. Dès que j'ai su que des courriers étaient arrivés, je suis allée voir à la mairie et j'ai reconnu l'écriture de Gabriel. J'ai fait aussi vite que j'ai pu. Tu es une des dernières à avoir eu des nouvelles, enfin !

— Merci d'avoir fait si vite.

— De rien, c'est normal, assura la jeune voisine.

Alice embrassa Noémie, qui reprit la direction du village, et partit en courant annoncer la bonne nouvelle à ses parents.

Éloïse eut les yeux embués lorsqu'elle apprit que son gendre était en bonne santé. Léon était heureux de voir sa fille sourire, même s'il savait que cette situation ne pouvait pas durer et que l'apparente tranquillité qui régnait sur le front pouvait disparaître à tout moment. Il ne dit rien de tout cela à Alice ; il ne voulait pas gâcher cet instant.

Ce soir-là, Jean s'endormit dans les bras de sa mère, qui lui lut à plusieurs reprises les mots de son papa. Il ne comprenait pas pourquoi son père habitait dans un fort alors qu'il avait déjà une maison. Cette question eut le mérite de faire rire Alice aux éclats pour la première fois depuis un mois.

— Dans combien de temps il revient, maman ? demanda à nouveau Jean.

— Je ne sais pas. En tout cas, demain, je lui écrirai et lui enverrai un colis avec ses conserves préférées.

Jean s'était endormi. Cette nuit-là, Alice eut du mal à trouver le sommeil bien qu'elle fût épuisée par le travail. Elle posa sa main sur son ventre qui, depuis quelques jours, la faisait souffrir en soirée lorsque l'effort physique de la journée avait été intense. Elle se rassura en se disant que les moissons et les vendanges étaient terminées. Elle allait enfin avoir moins à faire et pouvoir se reposer un peu.

Alice n'avait encore rien dit de sa grossesse à ses parents. Comment allaient-ils réagir ? Gabriel était à la guerre, ses bras n'étaient plus là pour effectuer leur part de travail. Un enfant c'est du bonheur, mais c'est aussi beaucoup d'occupation et une bouche supplémentaire à nourrir. Qui allait faire le travail d'Alice si la fin de sa grossesse se passait mal ? Et après la naissance ? Un bébé, cela demande beaucoup de soins… Alice le savait, ce n'était pas vraiment le bon moment pour porter un enfant. Alors elle hésitait à annoncer la « bonne nouvelle », craignant la réaction de ses parents.

Un soir, au cours du repas, elle remarqua que sa grand-mère la dévisageait. Ce n'était pas son habitude et ça la mit mal à l'aise. Depuis son accident vasculaire cérébral, Jeanne ne pouvait plus s'exprimer clairement, mais Alice était certaine que sa grand-mère avait découvert qu'elle était enceinte. Les personnes âgées ont l'œil pour ce genre de choses. Si la parole lui manquait, Jeanne pouvait encore écrire quelques mots et révéler le secret de sa petite-fille. Alice décida alors de demander à sa grand-mère de ne rien dire jusqu'à ce qu'elle l'annonce à ses parents. Toutes deux avaient toujours été très proches et Alice savait qu'elle ne la trahirait pas.

Jean dormait profondément, et sa mère était allongée à côté de lui, les mains sur la carte de Gabriel posée sur sa poitrine. Elle ignorait combien de temps il allait rester là-bas, à l'autre bout du pays, à surveiller... une forêt.

Alice savait que Gabriel ne pouvait pas être en contact direct avec l'envahisseur potentiel, car il y avait peu de chances qu'une attaque ait lieu dans une forêt réputée infranchissable. En même temps, son homme pouvait être affecté à tout moment à un autre endroit où l'on aurait besoin de lui.

Même si elle refoulait cette pensée, elle avait conscience que tout cela ne présageait rien de bon : le calme avant la tempête !

*
* *

Tout le pays ignorait que la « drôle de guerre » venait de débuter. Elle dura huit mois, jusqu'au

10 mai 1940, où les troupes allemandes prirent à revers le système de défense des Alliés en attaquant massivement par la Belgique, les Pays-Bas et la forêt des Ardennes. En quelques jours l'armée allemande franchit la Meuse, occupa Sedan et Abbeville. Forçant les troupes françaises à se replier dans l'affolement. La débâcle avait commencé.

Gabriel et ses camarades ne savaient pas s'ils devaient se diriger vers le sud ou monter vers le nord. Ils errèrent, ne sachant que faire, les ordres n'arrivaient plus, ils étaient livrés à eux-mêmes. Ils choisirent de se diriger vers la Belgique, mais le roi Léopold III capitula quelques jours après leur arrivée dans ce pays, ce qui les obligea à reprendre la route.

Ils reçurent enfin un ordre précis, celui de rejoindre Dunkerque afin de protéger l'évacuation de l'armée britannique. La bataille fut particulièrement meurtrière : dix-huit mille morts en neuf jours de combat. Le « Verdun » oublié de la Seconde Guerre mondiale prit fin le 4 juin 1940 au matin. Gabriel et trente mille de ses camarades, acculés sur les plages et à la merci des divisions de panzers encerclant Dunkerque, déposèrent les armes et furent faits prisonniers.

L'Allemagne se servit de cette main-d'œuvre pour remplacer les hommes partis au combat. Les dizaines de milliers de soldats français furent répartis dans des camps de travail sur le territoire allemand.

Après un interminable voyage en train, en camion et parfois à pied, Gabriel intégra, sous le matricule 1768, le Stalag VI-G, proche de Cologne, où il allait travailler dans des fermes agricoles jusqu'à la fin du conflit.

Il ne rentrerait chez lui, à *La Part des Anges*, qu'en juin 1945.

12

Le miroir de l'existence

Il est rare qu'on ose se regarder dans le miroir de l'existence. Par peur d'affronter ses contradictions et ses lâchetés, on se ment à soi-même.

Alors on accepte la facilité, répétant inlassablement des mots auxquels on ne croit plus. Mais on vit quand même calé dans des certitudes qui n'ont plus de sens, sinon celui de l'habitude.

Jusqu'à ce que le miroir se décale, que le voile déposé dessus tombe, et là... face à soi, il devient impossible de tricher.

*
* *

La Part des Anges, août 2017

Lisa était déjà debout alors que le soleil n'avait pas encore offert ses premiers rayons. Elle ouvrit les volets de la cuisine et sentit l'odeur caractéristique des chaudes nuits d'été, un mélange d'herbe séchée et de résine de pin que n'arrivait pas à estomper l'humidité déposée par le peu de rosée matinale. À peine une heure plus tard, les teintes orangées du soleil levant perceraient le dense feuillage des forêts alentour. Avant d'aller préparer le petit-déjeuner d'Émilie, Lisa jeta un coup d'œil au thermomètre extérieur, qui indiquait déjà 24 °C. Promesse, comme les trois jours précédents, d'une température caniculaire.

C'était jour de marché à Sarlat. Sophie lui avait donné rendez-vous à 6 h 15 à son domicile. Lisa avait pris goût à ces matinées, certes fatigantes, mais qui lui faisaient le plus grand bien. Elle rencontrait du monde, beaucoup de monde, et ne s'en plaignait pas. Elle appréciait ce fourmillement incessant où, l'espace de quelques heures, son esprit était accaparé uniquement par les nombreux clients à renseigner, servir et encaisser.

Cela faisait quatre semaines qu'elle accompagnait son amie. Si, au début, elle avait fait preuve d'une forme de retenue, désormais, elle se sentait parfaitement à l'aise. Sophie lui avait confié la gestion de tous les clients d'origine britannique, et ils étaient nombreux. Chacune y trouvait son compte, cela simplifiait les choses pour Sophie qui, malgré les cours d'anglais, ne parvenait toujours pas à faire disparaître ce fichu accent du Sud-Ouest qui rendait impossible toute tentative de conversation. Lorsque Lisa était présente, ce n'était plus un problème ; celle-ci assumait avec aisance l'ensemble des demandes, même les plus délicates. Les caractéristiques des différents types de miel, les détails sur la fabrication des produits dérivés, en particulier le pain d'épice dont raffolent les Britanniques, n'avaient plus de secrets pour elle.

Émilie, encore dans les brumes d'un lever trop matinal, avala son bol de céréales sans dire un mot. Elle savait qu'elle allait retrouver, chez Sarah, son amie Elvira et plonger ses mains dans l'argile pâteuse. C'était à chaque fois un enchantement pour la petite fille qui, selon son inspiration, découvrait le plaisir de créer et de décorer de ses propres mains. Sarah était une excellente pédagogue, les deux fillettes appréciaient sa compagnie. Dans l'atelier, elles donnaient libre cours à leurs envies, et à l'âge de huit ans cela n'a pas de prix. Sarah leur faisait confiance, tout en veillant à ce que les deux jeunes amies ne profitent pas trop de cette liberté. Vers 10 h 30, une collation pantagruélique les attendait dans le salon, puis elles repartaient à leur création ou alors le sommeil les rattrapait jusqu'à l'arrivée de leurs mères, en tout début d'après-midi.

La pendule indiquait 5 h 40. Départ dans vingt minutes ! Hugo venait de se lever. Ce matin-là, une fois n'est pas coutume, aucune urgence n'était pourtant enregistrée sur son portable. Lisa fut surprise de le voir descendre l'escalier menant à la cuisine. Il avait tout simplement envie d'embrasser sa femme et sa fille avant leur départ.

— Ça va ? Des urgences ? lui demanda-t-elle alors qu'il s'approchait à pas lents.

Hugo déposa un baiser sur les lèvres de sa femme.

— Non, pas ce matin. J'avais envie de passer un peu de temps avec vous.

Lisa parut surprise et se sentit presque gênée de lui annoncer qu'elle n'avait que vingt minutes à lui consacrer : elle ne souhaitait pas mettre en retard Sophie dans son emploi du temps millimétré.

— C'est gentil, mais nous devons partir à 6 heures. Je dois déposer Émilie chez Sarah avant de rejoindre Sophie. Désolée...

— Je sais, ne t'inquiète pas. Juste un café tous les deux ?

Émilie venait de monter se débarbouiller.

— Oui, bien sûr, je vais le préparer, fit Lisa en introduisant une capsule dans la machine à expresso.

Debout dans la cuisine, Hugo l'observait. Elle portait un short en jean, des baskets blanches et un tee-shirt rouge. Ses cheveux étaient tirés en arrière et attachés en queue-de-cheval.

— Merci, répondit-il sans la quitter du regard.

Lisa sentait les yeux de son mari posés sur elle.

— Pour moi ce sera un déca, dit-elle. J'ai déjà bu deux tasses de café, car la matinée va être longue. Si j'en bois une autre, mes mains vont commencer à trembler.

Ils allèrent s'installer sur la terrasse. Un léger souffle d'air accompagnait les premières lueurs du jour. Hugo ne disait rien, il fixait toujours sa femme. Son regard était doux, ne trahissant aucun reproche, aucune critique. Lisa s'autorisa à l'interroger.

— Pourquoi me regardes-tu comme ça ? Je... Enfin, quelque chose ne va pas ?

— Non, au contraire, tout va bien.

Elle lui sourit. Se souvenant du temps où Lisa s'habillait de teintes chaudes et vives, il lâcha :

— Cette couleur te va si bien !

— Merci, mais ce n'est qu'un vieux tee-shirt que je mets pour le marché. Avant midi, il sera couvert de taches !

— Peut-être, mais j'aime bien, répéta-t-il.

Lisa but en silence la dernière gorgée de son café. Son regard se porta au loin, sur le coteau d'en face. La maison de Sophie et Cédric était déjà tout illuminée.

Hugo la regardait toujours. Elle avait le dos et un pied appuyés contre le mur. Ses jambes étaient fines, presque maigres. Elle avait repris un peu de poids depuis leur arrivée à Véminan, mais trop peu pour compenser les longs mois où elle ne s'était nourrie que de grignotages lorsque ses angoisses lui laissaient un peu de répit. Hugo ne pouvait pas voir ses yeux, la pénombre était encore trop présente, mais il eut l'impression que son visage était plus apaisé.

— Ça te fait du bien, ces journées avec Sophie. La semaine dernière, une de mes patientes m'a parlé de toi. Elle t'a vue au marché.

— Ah bon ? Et que t'a-t-elle dit ?

Hugo n'eut pas le temps de répondre. Émilie venait de lui sauter dans les bras pour l'embrasser.

— Passe une bonne journée ma fille, et rapporte-moi une de tes œuvres.

Émile poussa un grand soupir, feignant l'exaspération.

— Enfin, papa, je t'ai déjà dit que Sarah devait faire cuire nos créations. Elle n'a pas encore eu le temps. Sans doute cette semaine. Il me tarde !

Hugo se mit à rire.

— Alors, j'attendrai encore un peu pour découvrir une de tes « créations », comme tu dis !

Lisa regarda sa montre, déjà quelques minutes de retard. Elle embrassa son mari et lui souhaita une bonne journée avant de s'engouffrer dans la maison pour récupérer son sac, les clefs de sa voiture et son portable. Et deux minutes plus tard, la mère et la fille dévalaient le chemin à toute allure.

Hugo, au contraire, prit son temps, toujours aucune urgence de prévue. Il savoura un copieux petit-déjeuner et alla courir trente minutes à travers bois avant de se préparer pour une très longue journée. Une semaine encore et ce serait le premier grand départ, les vacanciers seraient moins nombreux et cette idée le ravissait. Enfin, il pourrait souffler un peu et prendre du repos.

Lisa déposa Émilie chez Sarah, qui se tenait sur le pas de sa porte. Elvira était arrivée depuis quelques minutes. Sachant pertinemment que Lisa n'avait pas le temps, Sarah proposa néanmoins :

— Une tasse de thé, peut-être, avant cette rude journée ?

Le ton, vaguement ironique, eut le don d'énerver Lisa, qui ne savait toujours pas quoi penser de cette femme. Était-ce une croqueuse d'hommes à l'affût de la moindre proie ? Avait-elle décidé de prendre Hugo dans ses filets ? Ou bien était-ce simplement une riche héritière un peu originale qui vivait comme elle l'entendait, en tuant le temps avec ses multiples centres d'intérêt ? Lisa était dans un flou total. Depuis qu'elle avait eu cette violente altercation avec Hugo, il n'en avait jamais plus été question, chacun craignant que la situation ne s'envenime à nouveau. Ce qu'ignorait Hugo, c'est que sa femme était au courant de la visite de la belle Irlandaise au cabinet médical... Katia, bien évidemment, n'avait pas pu s'empêcher d'en parler à Lisa lorsqu'elle était passée déposer des papiers chez son patron. Elle n'avait rien fait pour rassurer Lisa, car elle détestait Sarah et ses « mimiques de bourge qui tord un peu trop des fesses », selon son expression.

Lisa se retint pour ne pas être trop désagréable.

— Non, merci, je suis déjà en retard. Sophie va râler. Et, merci pour Émilie.

— Mais de rien. À ton retour alors ?

— Quoi donc ? s'étonna-t-elle.

— Le thé ! Nous le boirons à votre retour avec Sophie.

— Bien sûr, avec plaisir.

Lisa remonta dans sa voiture en hochant la tête, agacée. Elle avait l'impression de participer à un concours d'hypocrisie. Sophie, à qui elle se confiait volontiers, avait beau la rassurer, elle n'arrivait pas à gommer ses craintes. Cette femme s'intéressait un peu trop à Hugo, mais ce n'était pas tout : Lisa ne supportait plus ses multiples questions concernant la raison de leur venue à Véminan et l'achat de *La Part des Anges*.

Dans un nuage de poussière, Lisa s'arrêta devant chez Sophie, qui chargeait dans sa fourgonnette les derniers cartons de pots de miel.

— Eh ben, aussi bien qu'un pilote de formule 1 ! s'amusa son amie.

— Je craignais d'être en retard, j'ai fait au plus vite, répondit Lisa.

— Je finissais, tu vois. Tu arrives juste à l'heure. C'est parfait, nous pourrons nous garer au plus près du stand sans trop de difficultés. Les exposants ne seront pas encore tous là. Allez, en voiture !

Lisa grimpa sur le siège passager et après quelques kilomètres, elle se détendit enfin. Trente minutes plus tard, elles étaient au marché. Les deux amies installèrent tréteaux, tables et parasols et déballèrent les produits.

Le stand était prêt bien avant l'ouverture du marché, Sophie et Lisa décidèrent de s'octroyer une pause à la terrasse d'un café situé dans une des rues pavées du centre-ville.

— Quand tu es là, c'est super ! L'installation est plus rapide, les clients ne me sautent pas dessus à peine le dernier pot de miel déposé sur l'étal ! affirma Sophie, un large sourire aux lèvres.

— Normal, deux bras costauds pour t'aider, badina Lisa en buvant à petites gorgées sa troisième dose de caféine de la matinée.

— Ah, au fait, tu t'intéresses toujours à... Désolée, je ne me souviens encore plus de leurs prénoms ! demanda Sophie.

— Alice et Gabriel ? Bien sûr ! Je découvre peu à peu leur histoire.

— Tu te rappelles que tu m'as confié la mission de tenter de dénicher quelqu'un qui aurait connu Alice ?

Instantanément, Lisa se redressa, impatiente de savoir ce que son amie avait à lui annoncer. Sophie poursuivit tout en farfouillant dans sa poche.

— Eh bien, je crois que je peux t'aider. Enfin plus exactement Hector, un des anciens du village, m'a donné les coordonnées d'une personne qui aurait connu la grand-mère des frères Palain. Elle habite Bellac, un village sur la route de Belvès. Tiens !

Sophie tendit à son amie un papier où étaient griffonnés un prénom, un nom et un numéro de téléphone.

— Super ! se réjouit Lisa. Je peux la contacter de ta part ?

— Non, je ne la connais pas personnellement. Dis-lui simplement que c'est Hector, de Véminan, qui t'a transmis ses coordonnées.

Lisa tritura le papier, le lut à plusieurs reprises, puis lança à Sophie :

— Mais quel âge a cette... Marie Séraudie ? Aujourd'hui, Alice aurait cent quatre ans ! s'exclama-t-elle avant de glisser le papier dans la poche arrière de son short.

Le marché était sur le point d'ouvrir, et les premiers clients commençaient à envahir les étroites allées. Sophie mit fin aux réflexions de son amie : l'urgence était de se rendre au plus vite sur le stand.

— Écoute, pour les âges, tu verras plus tard avec cette Marie. Pour l'instant au boulot, les Anglais t'attendent ! lança-t-elle à Lisa d'un ton amusé mais ferme.

Lisa était à peine installée derrière le stand que son portable vibrait dans sa poche. Tout en renseignant un des premiers clients, elle découvrit un message d'Hugo.

« J'ai pu me libérer pour le déjeuner. Je récupère Émilie, je préparerai le repas. Passe une bonne matinée, je t'embrasse. »

Instantanément, Lisa se raidit, son regard ne pouvait se détacher de ces trois mots : « Je récupère Émilie. » Cela voulait dire que son mari se rendrait chez Sarah ! Lisa n'entendait plus les clients qui s'agglutinaient, elle restait figée, les yeux rivés sur son portable. Une immense colère montait en elle. Sophie, remarquant le comportement étrange de son amie, s'inquiéta :

— Lisa, ça va ?

Les yeux exorbités, celle-ci répondit :

— Je viens de recevoir un message d'Hugo !

— Oui, et alors ?

— Il va récupérer Émilie chez Sarah !

— Arrête un peu avec ça maintenant, s'agaça Sophie. On a du boulot. Regarde la file devant toi.

— Laisse-moi deux minutes, j'appelle Hugo.

— OK, mais dépêche-toi. Je ne vais pas pouvoir gérer tout ce monde.

Lisa s'isola derrière la camionnette, où le tumulte du marché était moins présent. Deux sonneries suffirent, Hugo décrocha. Hors d'elle, elle ne lui laissa pas le temps de s'exprimer.

— C'est quoi ce message ? Qu'est-ce que tu vas faire chez Sarah ?

Hugo chuchota sa réponse.

— Je suis avec un patient, je ne peux pas trop te parler.

Focalisée sur son idée, elle ne l'entendait pas.

— C'est moi qui récupère Émilie en rentrant du marché !

Il resta ferme.

— Katia a pu me libérer un créneau et je compte bien en profiter pour aller chercher ma fille et ensuite déjeuner tous ensemble. Tu m'as trop souvent reproché de ne pas être assez présent, alors calme-toi et apprécie.

La colère de Lisa s'intensifia.

— « Apprécie » ? Mais tu te moques de moi !

Contrairement à sa femme, Hugo conservait son calme. Il mit fin à la conversation en rédigeant l'ordonnance de sa patiente.

— Je vais chercher Émilie, cela lui fera plaisir. Elle m'en parle si souvent. Nous t'attendons à la maison pour le déjeuner. Je ne repartirai pour les consultations de l'après-midi qu'à 14 h 30. Je dois te laisser. Je t'embrasse.

Il raccrocha.

Lisa demeura hébétée un instant, ne sachant que faire. Puis sa colère s'estompa pour laisser place à une certaine résignation. Que pouvait-elle faire face à l'intransigeance d'Hugo ? Elle se dirigea vers le stand, où une foule de clients s'impatientait.

— Alors ? fit son amie.

— Ben, il va récupérer Émilie et il rentre à la maison.

Sophie lui fit un clin d'œil amical pour lui signifier que tout se passerait bien et qu'il était temps qu'elle reprenne son travail. Tout au long de la matinée, les clients se pressèrent, cela permit à Lisa de penser à autre chose qu'à cette Irlandaise qui voulait, elle en était sûre, lui voler son mari.

Ce qu'ignorait Lisa, c'était qu'Hugo avait pris une décision. La visite de Sarah à son cabinet l'avait fait réfléchir. Bien sûr cette femme l'attirait, bien sûr les relations intimes avec Lisa étaient devenues quasi inexistantes, bien sûr il n'avait qu'un mot à dire et Sarah tomberait avec plaisir dans ses bras. Bien sûr... Et que se passerait-il une fois assouvi ce plaisir purement charnel ? Hugo le savait : rien d'autre que l'envie de succomber à nouveau, par facilité, mais il n'imaginait aucun avenir avec Sarah. Une culpabilité commençait à naître dans son esprit. S'il existait encore un infime espoir de sauver ou de réinventer l'amour qu'il éprouvait pour Lisa, il se devait d'être clair avec la séduisante Irlandaise.

C'est ce qu'il allait faire en allant récupérer sa fille.

Émilie ne put cacher sa joie lorsqu'elle entendit la voix de son père dans l'atelier, où Elvira et elle malaxaient une motte d'argile afin de l'assouplir pour la travailler plus aisément.

Elle lui sauta dans les bras.

— Papa ! Trop contente ! Mais pourquoi t'es là ?

— Eh bien, tu vois, aujourd'hui c'est moi qui viens te chercher.

Elle le serra aussi fort qu'elle put. La veste d'Hugo était souillée de morceaux d'argile qu'Émilie, sans s'en rendre compte, venait d'étaler sur le tissu de lin.

Sarah s'approcha.

— Regarde un peu ce que tu as fait !

Émilie se sentit fautive lorsqu'elle découvrit le dos de son père.

— Désolée papa, je ne voulais pas...

Il l'embrassa et, d'un large sourire, lui fit comprendre que ce n'était pas grave.

À nouveau, Sarah intervint.

— Va donc te laver les mains ! Hugo, enlève ta veste, l'argile n'est pas encore sèche, je vais m'en occuper.

Émilie tenta de desserrer son étreinte, mais son père la retint.

— Ce n'est pas grave, ce n'est qu'une veste, maman saura ce qu'il faut faire. Va donc récupérer tes affaires, nous devons préparer le repas.

Il posa sa fille à terre.

— Mais laisse-moi nettoyer tout ça ! insista Sarah en attrapant le col de la veste qu'elle commença à faire glisser.

Hugo l'arrêta d'un geste ferme.

— Merci, mais Lisa s'en occupera très bien ! lui lança-t-il en la regardant droit dans les yeux.

Tandis qu'Émilie regroupait ses affaires, le silence s'imposa dans l'atelier. Sarah avait compris, les doutes qu'elle avait eus dans le cabinet se confirmaient. Hugo avait envie d'elle, elle le sentait, mais l'amour qu'il éprouvait pour sa femme l'empêchait de succomber. Elle n'insista pas dans sa démarche de séduction. À cet instant, un voile de tristesse embruma son visage. Non qu'elle ne supportât pas de ne pas pouvoir séduire Hugo, elle savait que d'autres proies se présenteraient, mais elle était touchée par l'intensité des sentiments qui unissait ce couple, un amour rare qu'elle ne connaîtrait sans doute jamais et ça la désolait.

Malgré le malheur qui avait frappé Lisa et Hugo, Sarah était jalouse du lien qui les unissait et dont ils n'avaient plus conscience, perdus dans leurs errements et leurs doutes.

Elle se dégagea, fit quelques pas en arrière et répondit :

— Tu as raison, c'est à Lisa de s'en occuper.

Ce n'est qu'à partir de midi et demi que les allées du marché commencèrent à se vider. Au cours de la matinée, les deux amies n'avaient pu échanger que quelques mots, les visiteurs leur laissaient peu de répit.

Tandis que Lisa servait les derniers clients, Sophie arborait un sourire radieux. La recette avait été excellente, son meilleur chiffre d'affaires depuis le début de la saison. Elles débarrassèrent le stand avec facilité : il n'y restait que deux cartons de miel de fleurs de châtaignier alors qu'elles avaient apporté plus de trois cents kilos de produits. Elles prirent la route de Véminan. Épuisée, Lisa s'endormit dès la sortie de la ville.

Trente minutes plus tard, le camion s'immobilisait devant chez Sarah. Lisa se réveilla, consciente de ne pas avoir été de bonne compagnie durant le trajet.

— Désolée, je me suis endormie sans m'en rendre compte. J'étais crevée.

— T'inquiète, le silence après le brouhaha et les cris, ça fait du bien ! Et puis, tu as pu te reposer, c'est parfait !

Lisa tourna son regard vers la maison de l'Irlandaise.

— Bon, ben faut y aller, déclara-t-elle d'un ton résigné.

Sophie récupéra deux pots de miel et, avant de descendre du véhicule, ne put s'empêcher de faire une remarque.

— Arrête un peu avec Sarah. Elle a la gentillesse de garder nos filles. C'est vrai, elle est un peu originale, mais... c'est tout !

— « C'est tout » ? J'aimerais le croire ! Bon allez, ne traînons pas, j'en peux plus de cette chaleur, et puis Émilie et Hugo m'attendent à la maison, je viens de recevoir un message.

— Entrez, venez au frais, cette chaleur est insupportable ! leur proposa Sarah.

— Eh bien, tu n'avais qu'à rester en Irlande, tu aurais eu moins chaud, chuchota Lisa.

Sophie fronça les sourcils, lui signifiant que ce n'était peut-être pas la peine d'être agressive.

À l'intérieur, la température était agréable. Les volets croisés ne laissaient pénétrer que quelques filets de lumière imposant une légère pénombre.

— Ça s'est bien passé avec les filles ? interrogea Sophie en offrant à Sarah les deux pots de miel.

— Oh, merci ! Oui, très bien, comme d'habitude. Regardez, fit-elle en pointant le canapé situé de l'autre côté de la pièce.

Elvira était allongée sur les coussins et dormait profondément.

— Tu sais, elle est adorable... Vraiment adorable, déclara Sarah d'un ton hésitant, presque gêné.

C'était assez surprenant de sa part pour que, malgré leur état de fatigue, Sophie et Lisa remarquent cette inhabituelle retenue.

— Et... avec Émilie... ? interrogea Lisa.

— Très bien ! Hugo est venu la chercher, répondit Sarah d'un ton ferme qui n'incita pas Lisa à poursuivre.

La conversation s'orienta alors sur des sujets généraux : les ventes de la matinée, les travaux d'Elvira et d'Émilie, la température qui n'en finissait pas de griller les cultures et d'épuiser les organismes...

Elvira se réveilla et se servit un grand verre de jus d'orange avant d'embrasser sa mère.

— Alors, tu as bien travaillé ?

— J'ai fini mes dessous de verre, dit-elle fièrement.

Lisa s'adressa à Sarah.

— Émilie a récupéré les siens ?

— Non, elle a pris... un peu de retard.

— Ah bon, pourquoi ? s'enquit Lisa.

Sarah paraissait embarrassée, elle bafouilla :

— Elle... va moins vite qu'Elvira.

Lisa ne put cacher son trouble.

— Et pour quelle raison ?

— Elle avait envie de discuter, elle rattrapera tout ça la semaine prochaine.

L'inquiétude de Lisa s'intensifia. Elle demanda d'un ton aussi calme que possible :

— Elle n'est pas bavarde habituellement, et même parfois trop réservée. De quoi avez-vous parlé ?

Sarah ne répondit pas tout de suite, elle prit son verre et but plusieurs gorgées. Comme si elle souhaitait se donner le temps de la réflexion.

— Eh bien... de son changement d'école. D'après ce qu'elle m'a dit, tout à l'air de bien se passer.

— Oui, effectivement, répondit laconiquement Lisa.

Sarah se tourna vers Sophie.

— Elle a eu de la chance de tomber sur une amie comme Elvira, elles s'entendent vraiment bien toutes les deux.

Lisa insista :

— Et que t'a-t-elle dit d'autre ?

Là aussi, l'Irlandaise prit son temps.

— Tu vas rire ! fit-elle.

— Je ne crois pas, affirma Lisa d'une voix teintée d'inquiétude.

— Elle m'a demandé si j'étais prête à t'aider pour les cours d'anglais. Car les villageois sont « tous nuls », m'a-t-elle affirmé.

Sophie sembla trouver cette remarque bizarre. Lisa reprit :

— Elle t'a dit ça ?

— Oui, mais je pense que tu te débrouilles très bien toute seule.

— Effectivement, je n'ai pas besoin d'aide !

Lisa ne savait plus quoi penser. Une fois de plus elle n'arrivait pas à cerner cette femme. Disait-elle la vérité ? Émilie s'était-elle confiée uniquement sur son intégration dans sa nouvelle école ? Lisa ne pouvait s'empêcher d'imaginer que Sarah avait tenté de connaître la raison de leur venue à Véminan en questionnant les deux fillettes, et en particulier Émilie.

Sophie, remarquant que l'énervement de Lisa s'intensifiait et ne souhaitant pas que la conversation dérape, se leva et proposa de prendre congé. Elle savait que Lisa était pressée de retrouver sa fille et d'obtenir quelques explications de la part d'Hugo.

*
* *

Lorsque Lisa arriva à *La Part des Anges*, il était près de 14 heures. Hugo et Émilie étaient déjà passés à table, car le cabinet médical rouvrait à 14 h 30.

— Tu as vu, maman, papa a tout préparé, c'était trop bon !

Elle embrassa sa fille et, fusillant son mari du regard, demanda :

— La matinée a été bonne ?

Hugo, désireux d'apaiser sa femme, lui répondit d'un ton posé :

— C'est la première fois que j'ai pu me libérer si longtemps depuis le début des vacances. J'ai pu passer un peu de temps avec notre fille et préparer le repas. Alors oui, la matinée a été bonne !

— J'en suis sûre ! Aller chez Sarah a dû te ravir, rétorqua-t-elle ironiquement.

Elle balança son sac sur un fauteuil et vint s'asseoir face à son mari.

Hugo poursuivit, toujours aussi calme :

— Lisa, s'il te plaît ! Profite de ce moment que nous passons ensemble. Tu n'as aucune raison de t'inquiéter, je t'assure. Nous sommes tous les trois, et c'est le principal.

— Pourquoi tu m'avertis comme ça, par SMS ?

— Parce que Katia n'a pu me confirmer qu'en début de matinée qu'elle avait enfin pu me libérer quelques heures !

— Bien sûr, et pourquoi…

— Arrête ! l'interrompit-il fermement. Émilie n'a pas à assister à tout ça !

Lisa fit l'effort de se taire, et la fin du repas se déroula dans un silence pesant. Hugo eut à peine le temps de prendre un café ; il devait déjà repartir. Il se leva, embrassa sa fille et déposa un baiser sur le front de sa femme, qui ne bougea pas.

Le soir, il rentra encore plus tard que d'habitude, il avait dû récupérer ses rendez-vous de la fin de matinée. Lorsqu'il immobilisa son véhicule sous le hangar, la pendule du salon venait de sonner 21 h 30. Émilie avait dîné et était déjà couchée.

À peine avait-il posé sa sacoche sur son bureau que Lisa le réinterrogeait sur Sarah.

— Sarah m'a dit qu'Émilie lui avait parlé !

Il s'assit et se servit un verre de vin.

— Tu as dîné ? demanda-t-il.

— Tu as entendu ce que je t'ai dit ?

Hugo vida son verre et se resservit.

— Oui, elle lui a parlé, c'est normal. Elles passent des heures ensemble.

— Hugo, enfin, peut-être que…

— Peut-être que quoi ? Peut-être qu'elle lui a parlé de son frère ? Peut-être qu'elle s'est confiée sur sa nouvelle vie ? Peut-être que… des tas de choses.

— Et ça ne t'inquiète pas ?

— Non, affirma-t-il.

Lisa baissa la tête. Une nouvelle fois, l'abattement l'envahit.

— Bon, très bien. Pour répondre à ta question, non, je n'ai pas dîné, je t'attendais.

Elle se leva pour se rendre sur la terrasse, mais Hugo la retint par le bras.

— Regarde-moi, imposa-t-il.

Elle se tourna. Il prit sa femme par la taille et la colla contre lui. Leurs regards se firent face. Les yeux de Lisa étaient humides, brillants et pleins de tristesse. Hugo lui caressa le visage, ses paupières se fermèrent un instant.

— Tu sais, il n'y aurait rien d'anormal à ce que Sarah connaisse la vérité. Nous aurions d'ailleurs déjà dû lui en parler. Elle a la gentillesse de garder Émilie, elle devrait savoir pour Théo et pourquoi nous sommes ici. Je pense d'ailleurs qu'elle le sait.

Lisa se raidit.

— Mais bien sûr, elle doit tout savoir !

Hugo préféra ne pas réagir à la remarque de sa femme. D'ailleurs, qu'aurait-il dit ? Il avait déjà rassuré Lisa à ce sujet et ne tenait pas à rentrer dans une énième explication.

— C'est un petit village, les gens parlent et se posent des questions sur notre venue ici, les ragots de toutes sortes circulent. J'ai souvent des remarques de la part de patients, à chaque fois j'évoque des raisons de qualité de vie. Même si je lis dans les regards du scepticisme, mon explication a, au moins, le mérite de couper court à la conversation, mais j'ai jugé qu'il était préférable que certaines personnes connaissent la vérité.

— Tu l'as dit à tout le monde ? soupira-t-elle, les yeux écarquillés d'inquiétude.

Hugo hocha la tête en souriant.

— Enfin, bien sûr que non ! Comment peux-tu croire cela ?

Elle insista.

— Mais qui est au courant ?

Il hésita avant de poursuivre, craignant une nouvelle fois la réaction de Lisa.

— Écoute, j'ai simplement informé M. Balin et Mme Duluc, la maîtresse d'Émilie. Mais le maire savait déjà. Il avait compris à la lecture de mon dossier pour le cabinet médical. J'avais noté « deux enfants » avec les prénoms et les dates de naissance. Il a eu la décence de ne jamais rien dire jusqu'à ce que j'évoque le sujet.

Lisa écoutait son mari avec attention.

— Et la maîtresse d'Émilie, pourquoi ?

Hugo eut un rictus embarrassé.

— Eh bien, c'est elle qui m'a demandé de venir la voir.

— Ah bon ? Et quand ?

— À la fête de l'école, en fin d'année scolaire.

Lisa paraissait contrariée. Elle se dirigea vers la terrasse et fit quelques pas.

— Pourquoi toi ? C'est moi qui, la plupart du temps, emmène et récupère Émilie.

— Elle n'a pas osé !

— Et pourquoi donc ?

— Émilie s'est confiée à elle comme à Elvira. Tu sais, on ne peut pas l'empêcher de parler. Et puis c'est mieux ainsi, elle exprime son chagrin, elle en a besoin. Et...

— Et quoi ?

Hugo remarqua que, contrairement à ses craintes, sa femme ne s'enfermait pas dans son chagrin, mais plutôt dans une forme d'agacement de ne pas avoir été mise au courant. Il en profita pour ajouter :

— En fait, Émilie lui a dit qu'il ne fallait rien te dire, car tu étais trop triste, que même à la maison personne ne devait en parler.

Lisa accusa le coup. Une fois de plus, elle prenait conscience de la détresse dans laquelle se trouvait sa fille. Elle s'assit, son regard se posa sur les lumières des quelques maisons encore habitées du hameau de Saint-Boliès au fond de la vallée.

— C'est sans doute mieux ainsi, déclara-t-elle. Émilie a le droit de... passer à autre chose. Elle se sent bien ici.

Hugo prit la main de sa femme.

— Non, personne ne va « passer à autre chose », ni Émilie, ni toi, ni moi. « Continuer à avancer ensemble » serait plus approprié.

— Notre fille assume son chagrin, c'est bien. Lors de nos entretiens, c'est exactement ce que me conseille le docteur Mader. Facile à dire, mais à faire ?

— Aussi ! affirma Hugo.

Lisa ne désirait pas voir cette conversation s'éterniser, elle conclut :

— Nous verrons ! Allez, tu dois avoir faim après cette longue journée.

La température était enfin plus supportable, ils s'installèrent sur la table de la terrasse pour dîner. Tout au long du repas, Lisa ne s'arrêta pas de parler. Elle évoqua le marché de la matinée, la multitude de clients, l'organisation qu'elles avaient mise en place avec Sophie pour être le plus efficace possible. Hugo l'écoutait, elle semblait avoir oublié Sarah.

Il remarqua que sa femme avait retrouvé un peu d'appétit mais ne dit rien. Toujours la crainte de la bloquer ; il préféra ne pas s'étendre sur ce regain d'énergie dont elle semblait faire preuve depuis quelque temps.

Ce n'est que lorsque Lisa évoqua ses recherches sur Alice et Gabriel qu'Hugo ne put se retenir de réagir, ce retour dans le passé ne lui plaisait pas. Pour lui, cela n'avait pas de sens. Le seul intérêt qu'il y trouvait était que sa femme s'occupait l'esprit. Il ne manqua pas de le lui signifier.

— C'est bien que tu t'intéresses à tout ça, mais tu ne devrais pas y accorder tant d'importance.

— Et pourquoi donc ?

— Le passé, Lisa, ce n'est pas bon.

— Ce n'est pas le mien ! répondit-elle sèchement.

— Peu importe, c'est le passé !

C'en était fini de l'ambiance apaisée qui régnait depuis le début du repas.

— Tu as la même réaction que le psychiatre. D'ailleurs je ne sais pas si je vais poursuivre les séances.

— Ne fais pas cette erreur, s'il te plaît !

— Tu sais que Sophie a retrouvé une personne qui a connu Alice ?

— Lisa, tu m'entends ? Continue tes séances.

— Je vais prendre contact avec elle. J'ai envie de savoir.

— De savoir quoi ? s'écria Hugo, exaspéré.

— J'ai l'impression que j'ai quelque chose à découvrir.

Hugo répliqua vertement :

— Ne dis pas n'importe quoi ! Ça ne veut rien dire.

Devant l'incompréhension de son mari, Lisa préféra se taire et commença à desservir la table. Hugo en profita pour lui annoncer ce qu'il pensait être une bonne nouvelle.

— Tu sais que j'ai enfin trouvé un remplaçant pour les vacances d'octobre ?

— Très bien, marmonna-t-elle.

Il poursuivit.

— Et ce n'est pas tout, c'est un jeune médecin qui souhaite s'installer à la campagne. Je lui ai proposé une association. S'il accepte, tu te rends compte, fini les journées interminables ! Qu'en penses-tu ?

— Oui, c'est bien, répondit-elle laconiquement.

— Nous pourrions saisir l'occasion pour partir quelques jours en octobre ? Sophie pourrait peut-être garder Émilie. Ou bien tu préfères tes parents à Paris ?

— Oui, pourquoi pas.

Devant le manque d'entrain de sa femme, Hugo ne put s'empêcher d'exprimer sa déception.

— C'est tout ce que tu trouves à dire ?

— Je suis sensible à tous les efforts que tu déploies pour que nous retrouvions notre équilibre, Hugo. Mais... j'aimerais que tu accordes plus d'intérêt à un sujet qui me tient à cœur en ce moment. C'est important pour moi, tu sais !

— S'il te plaît, ne recommence pas !

Lisa fixa son mari. Deux options se présentaient : laisser exploser sa colère devant l'incompréhension d'Hugo, ou se taire et replonger dans un abîme de tristesse. C'est alors qu'une troisième voie lui vint à l'esprit. En une fraction de seconde, elle venait de décider qu'elle poursuivrait seule et contre tous la découverte de l'histoire d'Alice et de Gabriel. Comme une forme de quête personnelle. Personne ne semblait la prendre au sérieux, même son amie Sophie cachait maladroitement son scepticisme.

— Désolée Hugo, tu as raison.

— Une fois de plus, ne te replonge pas dans le passé, quel qu'il soit.

Pour la première fois depuis la disparition de Théo, Lisa venait de prendre une décision seule. Le sujet pouvait paraître dérisoire, mais pas pour elle. Il y avait quelque chose de bien plus fort qu'une simple histoire de famille à découvrir et elle comptait bien s'y atteler. Elle ignorait totalement où cela la conduirait, mais elle continuerait sa quête, elle avait confiance.

La confiance en soi... un sentiment qu'elle avait oublié depuis longtemps.

13

A-t-on déjà vu une femme...

Notre société veut nous faire croire que la femme est l'égale de l'homme : constat discutable !

Depuis des décennies, les femmes se battent pour obtenir leur liberté et continuent de le faire pour les générations à venir. La preuve d'une volonté sans faille.

La femme ne sera jamais l'égale de l'homme, elle lui est, en bien des points, supérieure.

A-t-on déjà vu une femme déclarer une guerre ?

A-t-on déjà vu une femme provoquer un génocide ?

Qui a le pouvoir de donner la vie, si ce n'est la femme ?

Certains esprits chagrins diront qu'il existe des exceptions. Bien sûr, des exceptions qui confirment la règle !

*
* *

— Bonjour, pourrais-je parler à Marie Séraudie, je vous prie ?

— Bien sûr, madame. De la part de qui ?

Lisa respecta les consignes que lui avait données Sophie la veille sur le marché.

— Je suis madame Guadet, je l'appelle de la part d'Hector, de Véminan.

— Un instant. Ne quittez pas, je vous la passe.

— Bonjour, vous souhaitez me parler ?

Lisa fut surprise d'entendre une voix ferme et assurée qui contrastait avec l'idée qu'elle s'était faite : Marie était d'un âge avancé, elle s'attendait à ce qu'elle s'exprime avec difficulté.

— Oui, désolée de vous déranger, je m'appelle Lisa Guadet. J'habite à Véminan. Je suis à la recherche d'une personne ayant connu Alice Palain.

Marie paraissait méfiante.

— Et c'est ce vieil Hector qui vous a donné mes coordonnées ?

— Pas à moi directement, à une amie.

— Ah, et pourquoi vous intéressez-vous à Alice ?

— Je suis installée depuis quelques mois à *La Part des Anges*. En fait, j'ai découvert des courriers qu'ont échangés Alice et son mari Gabriel pendant la dernière guerre et j'aurais souhaité en savoir plus sur leur histoire.

— Que voulez-vous dire par « en savoir plus » ?

— Eh bien, le carnet intime d'Alice s'arrête en mai 1944, je n'ai pas encore eu le temps de lire l'ensemble des documents, mais j'aimerais savoir ce qui s'est passé après cette date, quelle a été sa vie...

— Vous auriez pu interroger les frères Palain, Marcel et Albert, ce sont les petits-fils d'Alice.

— Vous avez raison, mais la vente de la maison les a suffisamment troublés. Et puis, ce qui m'intéresse c'est une personne qui l'aurait côtoyée pendant la guerre.

Un long silence s'ensuivit. Lisa craignait d'essuyer un refus.

— Un carnet intime, dites-vous ?

Lisa décida de ne rien cacher à Marie qui aurait aussitôt deviné le moindre mensonge.

— Oui, un carnet où Alice a consigné ce qu'elle a vécu pendant cette période, ce qu'elle n'a pas osé avouer et écrire à Gabriel.

— Vous connaissez le village de Bellac ?

— Sur la route de Belvès, c'est ça ?

— Quand pouvez-vous venir ? Demain matin en début de matinée, cela vous convient ?

Lisa l'assura de sa présence.

— Très bien, demain vers 9 heures, je serai là !

— Je vous attendrai. Arrêtez-vous à l'épicerie et demandez votre route, Carmen vous indiquera le chemin.

— Merci ! À demain madame Séraudie.

— À demain Lisa. Et n'oubliez pas le carnet d'Alice, j'aimerais le consulter.

— Bien sûr, j'apporterai tous les documents.

— Non, ne vous encombrez pas, juste le carnet, précisa Marie.

Lisa raccrocha, satisfaite de pouvoir rencontrer cette femme qui allait, sans aucun doute, pouvoir lui transmettre une multitude de renseignements. Tout à coup, elle eut une hésitation. Marie ne lui avait à aucun moment confirmé qu'elle avait connu Alice. Et pourquoi voulait-elle consulter le carnet ?

Cette question lui trotta dans la tête toute la soirée. Elle aurait souhaité poursuivre la lecture de la correspondance, mais elle avait invité Sophie et sa famille pour le dîner, elle n'avait donc pas le temps de s'avancer dans la découverte des écrits d'Alice.

Le lendemain, Hugo était à son cabinet toute la matinée et une partie de l'après-midi pour assurer ses consultations. Lisa demanda à Sophie si elle pouvait s'occuper d'Émilie pendant son absence, son amie accepta.

Lisa déposa sa fille chez Sophie bien avant l'heure prévue et prit la route de Bellac. Elle n'eut aucun mal à trouver son chemin grâce aux explications détaillées de la gérante de l'épicerie. Elle gara sa voiture le long du trottoir qui longeait les dernières maisons avant la sortie du village en direction de Belvès. Celle de Marie Séraudie était une petite habitation cossue aux volets bleu lavande et aux murs de pierre calcaire. Elle toqua à la porte, un homme d'un certain âge au dos voûté l'accueillit. Lisa pensa qu'il s'agissait du conjoint de Marie.

— Bonjour, vous devez être Lisa Guadet ?

— Oui, bonjour, je ne vous dérange pas ? Je suis un peu en avance.

— Entrez, je vous en prie, venez au frais, il est encore tôt mais à l'extérieur il fait déjà si chaud... Asseyez-vous, je vais prévenir ma mère de votre arrivée.

Sa mère ! s'étonna Lisa en regardant cet homme qui marchait à petits pas hésitants vers l'arrière de la maison. « Mais quel âge peut bien avoir Marie ? » se demanda-t-elle, inquiète d'avoir affaire à une vieille dame à l'esprit défaillant et aux souvenirs approximatifs.

Son inquiétude fut de courte durée : elle vit apparaître une femme à la démarche assurée et à la voix claire et posée. Avant de saluer Lisa, elle demanda à son fils de leur apporter un peu de café.

— Bonjour, c'est donc vous qui avez réussi à convaincre les Palain de vendre !

Lisa, intimidée, balbutia sa réponse.

— Euh... convaincre, je ne sais pas... La maison nous intéressait, la transaction s'est faite.

— Très bien, de toute façon, ça ne me regarde pas.

Lorsque son fils déposa le plateau sur la table du salon, Marie remarqua le regard interrogatif de Lisa. Elle attendit qu'il soit retourné à ses occupations et dit à la jeune femme :

— J'imagine la question qui vous brûle les lèvres...

Lisa tenta de se justifier.

— Je ne pense rien de particulier. Je suis venue vous voir comme vous me l'avez proposé, voilà tout.

Marie hocha la tête et eut un sourire de circonstance.

— Mon fils a eu un grave accident lorsqu'il avait à peine trente ans. Il était bûcheron, lors de travaux de débardage, un câble a lâché et un billot de chêne lui a écrasé le dos. Depuis, il ne travaille plus et les anti-inflammatoires à fortes doses l'ont fait vieillir prématurément. Il n'a que soixante-six ans. Lorsque j'aurai disparu, je ne sais pas ce qu'il va devenir. Enfin, vous n'êtes pas là pour ça. Vous êtes venue pour Alice !

En écoutant Marie, Lisa s'était quelque peu détendue.

— Oui, comme je vous l'ai dit hier au téléphone, je suis à la recherche de personnes qui pourraient me fournir quelques renseignements.

— Et ce carnet dont vous m'avez parlé, vous l'avez ?

— Bien sûr !

Lisa prit le carnet qu'elle avait glissé dans son sac et le tendit à Marie, qui détailla la couverture avant de le feuilleter.

— Vous ne l'avez pas encore lu, c'est bien cela ?

— J'ai juste découvert les premières pages, pour l'instant je préfère me concentrer sur leur correspondance. Cela me paraît plus logique ; d'après ce qu'Alice a écrit au tout début du carnet, elle y a consigné la vérité sur sa vie et tout ce qu'elle n'a pas osé dire à Gabriel.

— La vérité ! Vous croyez que tout ce qui s'est passé à cette époque pouvait être dit ?

— « Dit », je ne sais pas, mais « écrit », pourquoi pas ? suggéra Lisa, pleine d'espoir.

Marie continua de feuilleter le carnet, sans un mot, revenant en arrière plusieurs fois. Lisa avait l'impression qu'elle cherchait quelque chose. Après plusieurs minutes, Marie s'arrêta sur une page qu'elle lut avec attention à deux reprises avant de refermer délicatement le carnet. Elle caressa la couverture bleue délavée par le temps. Les yeux de la vieille dame étaient humides lorsqu'elle lui rendit le carnet.

— Que cette époque était difficile, soupira-t-elle.

— Sans aucun doute, fit Lisa ne sachant trop quoi répondre.

Marie se resservit une tasse de café et fixa Lisa de son regard brillant des larmes qu'elle tentait de contenir.

Pourquoi la vieille femme était-elle si émue à la lecture de ces quelques pages ? Lisa n'espérait qu'une chose : savoir enfin si elle avait réellement connu Alice et si elle accepterait de partager ses souvenirs.

Marie se cala au fond de son fauteuil, elle semblait réfléchir. Après quelques instants, elle se lança.

— J'avais à peine une dizaine d'années lorsque j'ai connu Alice. La première fois que je l'ai vue, j'accompagnais ma mère à *La Part des Anges*. Elle avait été appelée en urgence par Éloïse, la petite n'allait pas bien.

— Votre mère était médecin ? interrogea Lisa.

— Oh non, elle n'avait aucune formation médicale. Pourtant c'est elle qu'on appelait quand le médecin ne pouvait pas arriver rapidement ou... quand ce n'était pas possible de l'appeler.

— J'avoue que je ne comprends pas.

— Maintenant, je peux le dire, cela fait si longtemps. À l'époque tout le monde savait, mais personne ne disait rien, c'était bien trop dangereux. Certaines ont été exécutées pour ce qu'elles ont fait. Pour avoir rendu service, vous vous rendez compte ! Le falourd de Pétain avait même constitué des tribunaux d'exception. Il fallait repeupler le pays, assurait-il... Tout un programme.

Marie hocha la tête, réprobatrice.

— Je suis vraiment désolée, madame Séraudie, mais que voulez-vous dire ?

La vieille femme eut un sourire crispé.

— Oubliez les « madame », Lisa, et appelez-moi Marie. Vous êtes jeune, vous n'avez pas connu tout ça. Aujourd'hui, ça se passe sur rendez-vous, c'est mieux sans doute. Ma mère était ce qu'on appelait à l'époque une « faiseuse d'anges ». Mais on lui demandait aussi de se déplacer quand les grossesses se passaient mal, ce qui était le cas pour Alice. Je vais vous raconter avant que vous lisiez le carnet. Effectivement Alice y a consigné la vérité.

Lisa ne dit plus rien et écouta avec la plus grande attention Marie, qui parla longuement, ne s'arrêtant qu'à quelques reprises lorsque sa voix tremblotait trop, étranglée par l'émotion. Elle savait que Marie ne se répéterait pas, cela paraissait si difficile de remuer le passé.

*
* *

C'était la fin mois d'octobre 1939, depuis plus d'une semaine la pluie tombait sans discontinuer. L'activité dans les fermes était réduite à l'entretien du bétail qui ne pouvait pas quitter l'étable. Les terres gorgées d'eau contraignaient les paysans à patienter avant de commencer les premiers labours d'automne.

Éloïse était inquiète. Elle n'avait rien dit, mais elle avait compris que sa fille était enceinte et que le début de sa grossesse se passait mal. Elle en avait parlé à Léon qui n'avait eu pour seule réaction qu'une grimace de contrariété. L'arrivée d'un enfant ne pouvait être, vu les circonstances, qu'une source de problèmes.

Alice n'avait pas quitté son lit depuis deux jours, une forte fièvre l'empêchait de se lever. Ce n'était pas l'habitude de la jeune mère de vingt-sept ans qui savait qu'elle devait s'occuper de Jean et travailler plus que de raison pour pallier l'absence de Gabriel. Elle avait bien tenté d'aller à la grange nettoyer les crèches, mais elle avait été prise d'un malaise et n'avait pas eu d'autre solution que de rester allongée.

Jeanne avait surpris sa petite-fille qui tentait de dissimuler des linges gorgés de sang sous son lit. Alice n'avait pas écouté son corps et n'avait pas, non plus, tenu compte de ce mal au ventre qui la tiraillait tous les soirs depuis trois semaines. Elle se devait de travailler sans se plaindre, c'est ce qu'elle avait fait le plus longtemps possible. Alice pensait qu'une fois les moissons et les vendanges terminées, le travail serait moins pénible et que ses douleurs s'estomperaient. Mais on ne peut lutter contre la nature, qui a toujours le dernier mot. Elle avait dépassé les limites pour une jeune femme enceinte de trois mois. Elle s'était épuisée et était en train de perdre son bébé.

Jean ne supportait plus de voir sa mère dans cet état et pleurait à chaque fois qu'il croisait son regard. Éloïse confia à Jeanne, malgré son handicap, le soin de garder le petit garçon et de l'éloigner le plus possible de la chambre.

Le troisième jour, Éloïse se décida à faire venir le médecin ; l'état d'Alice empirait. Léon eut beau pester, prétextant qu'il suffisait d'un peu de repos, Éloïse ne changea pas d'avis et fit avertir le docteur Lerac de Sarlat. Si le temps le permettait, il serait là le lendemain, en milieu de journée.

En fin d'après-midi, Éloïse constata que la fièvre d'Alice continuait de grimper. Et elle s'affola lorsqu'elle vit sa fille délirer et ne plus être capable d'avoir une conversation sensée. Les saignements d'Alice ne s'arrêtaient pas, Éloïse savait que le bébé de sa fille était perdu, mais l'urgence était ailleurs. Désormais, ce qu'elle redoutait c'était de voir Alice emportée par une infection.

C'est alors qu'elle demanda à son mari de se rendre au village à la recherche d'Éléonore, la mère de Marie, afin qu'elle vienne à *La Part des Anges* au plus vite en attendant qu'Alice puisse voir le docteur Lerac.

Éléonore était connue dans la région pour aider les femmes à « faire passer les enfants ». Les moyens de contraception n'existaient pas et une naissance, c'était d'abord des frais supplémentaires, ce que ne permettaient pas toujours les maigres revenus des fermiers. Alors, bien souvent, contraintes et résignées, les femmes faisaient appel aux services d'Éléonore. Les hommes ne s'embarrassaient pas de ce genre de problèmes. Parfois, ils n'étaient même pas au courant, et s'ils l'étaient, ils ne voulaient pas en entendre parler et attendaient que « ça se termine », dans la clandestinité et le danger de conditions d'hygiène réduites à leur strict minimum.

Léon refusa de descendre à Véminan, prétextant que le médecin serait là le lendemain et que cela suffisait. Ce n'était pas un mauvais père, il savait que sa fille allait mal. Mais à cette époque, les hommes s'occupaient principalement des champs et des animaux, et les femmes de tout le reste.

Pauvre Léon, il cachait sa lâcheté masculine derrière un optimisme auquel lui-même ne croyait pas. Sa façon de penser était simple : Alice allait perdre l'enfant qu'elle portait, mais Gabriel était absent pour longtemps alors c'était mieux ainsi. Cet enfant n'aurait pas eu de père pour subvenir à ses besoins et les bras d'Alice n'auraient pas été assez disponibles pour les travaux de la ferme avec deux enfants, dont un nourrisson. Réflexions glaciales d'une époque où la survie des êtres dépendait parfois de leur aptitude à faire abstraction de leurs sentiments.

Éloïse ne prit même pas la peine d'insister, à quoi bon perdre du temps ? L'urgence était vitale, c'est donc elle qui descendit en courant au village. Le long du chemin qui conduisait à l'entrée de Véminan, Éléonore récoltait les premières châtaignes tombées depuis les dernières pluies.

Éloïse se jeta dans ses bras, la suppliant de venir au plus vite au chevet d'Alice. Marie étant avec elle, Éléonore hésita, car, dans ce genre de situation, jamais la petite ne l'avait accompagnée. Que pouvait-elle faire ? La nuit allait d'une minute à l'autre engloutir la faible lueur de cette fin de journée d'automne, et elle ne pouvait pas laisser sa fille rentrer seule au village. Mais pas question de la raccompagner non plus : l'état d'Alice était trop préoccupant. Elle décida donc de se rendre en compagnie de Marie à *La Part des Anges*.

Tout en montant le chemin, Éléonore se rassura en se disant que sa fille n'assisterait pas à ses activités clandestines. Alice avait besoin d'elle, mais d'après Éloïse, pas d'une « faiseuse d'anges », le mal était déjà fait. Cette fois-ci la nature n'avait eu besoin de personne pour côtoyer le diable !

Lorsque Éléonore pénétra dans la chambre, elle ne se rendit pas compte que Marie était juste derrière elle. La petite avait à peine dix ans et la vision du visage d'Alice se tordant de douleur l'obligea à tourner le regard vers le rebord de la fenêtre, où des linges maculés de sang s'entassaient dans une bassine de cuivre.

Éléonore réagit le plus rapidement possible et posa sa main sur les yeux de sa fille puis l'entraîna à l'extérieur de la pièce. Mais pour la petite Marie, c'était déjà trop tard, ce qu'elle venait de voir resterait à jamais gravé dans son esprit. Ce n'est que dix ans plus tard que sa mère lui expliqua ce qui s'était passé ce jour-là dans une chambre sombre où n'existaient plus que la souffrance et la peur terrible de la mort. Elle lui parla aussi des avortements clandestins qu'elle avait pratiqués pendant quinze ans. Marie ne lui adressa plus la parole durant près d'une année. Le dégoût l'avait emporté sur la pitié.

Puis le temps fit son œuvre. Marie comprit que, même si les activités de sa mère étaient condamnables, elle ne s'y était jamais livrée contre rémunération. Son seul but était d'aider des femmes en détresse qui, même quand elles étaient mariées, étaient seules pour régler leurs problèmes.

Éléonore déploya toute son énergie pour apaiser les souffrances d'Alice. Éloïse et elle décidèrent de la veiller toute la nuit jusqu'à l'arrivée du médecin. Mais Éléonore savait que si elle n'intervenait pas avant, Alice avait peu de chances de survivre. Sa fièvre était élevée, son bébé avait cessé de vivre et empoisonnait son corps. L'urgence était qu'elle expulse le fœtus afin que ses saignements s'arrêtent. Éléonore n'avait pas le choix : il fallait agir vite. Ses manipulations furent précises, mais la poche était encore bien accrochée, les hurlements d'Alice déchirèrent le silence pesant qui régnait à *La Part des Anges*. Jean se mit à pleurer, Léon ne supportait pas d'entendre sa fille souffrir de la sorte. Il prit son petit-fils par la main et ils partirent se réfugier dans la grange, où les cris des animaux couvraient les hurlements d'Alice. Jeanne se tenait au côté de la petite Marie, qui se bouchait les oreilles tellement ces gémissements de douleur la terrorisaient. Après un quart d'heure, Alice fut enfin délivrée de cet être qui était mort en elle. Au milieu de la nuit, passée à tamponner ses pertes de sang, à force de rafraîchir son corps avec des linges humides, on put faire légèrement tomber la fièvre et ses râles s'atténuèrent.

Éloïse n'était pas rassurée pour autant, sa fille était très faible et, même si elle ne délirait plus, sa voix était presque inaudible. Lorsque le jour se leva, la douleur s'étant quelque peu apaisée, Alice s'assoupit.

Quand le docteur Lerac arriva enfin, il ne put cacher son inquiétude. Si Éléonore ne l'avait pas délivrée la veille, Alice n'aurait pas pu tenir jusqu'au matin. Mais la partie n'était pas gagnée pour autant. Alice avait perdu beaucoup de sang, son état de faiblesse était avancé et l'infection pouvait à tout moment l'emporter en quelques heures si son organisme n'avait plus les capacités de lutter.

Les traitements par antibiotiques n'en étaient qu'à leurs balbutiements. Le docteur Lerac dut déployer tout l'arsenal thérapeutique dont il disposait pour garder un espoir de sauver la jeune femme. Lorsque, enfin, il eut terminé de dispenser ses soins, il informa Éloïse et Léon que l'état de santé de leur fille était stable, mais préoccupant. Il promit de passer tous les deux jours afin d'évaluer son évolution. Mais ce dont, malheureusement, il était déjà sûr, c'était que, même si Alice survivait, plus jamais elle ne pourrait donner la vie ; son corps avait trop souffert. Éloïse fondit en larmes, le petit Jean s'approcha de sa grand-mère et tenta de la consoler ; il ne comprenait pas la raison de ses pleurs. Pour lui, seule comptait la présence du médecin, s'il était là, plus rien de fâcheux ne pouvait arriver à sa maman. Marie venait de se réveiller, elle s'était endormie au milieu de la nuit, allongée sur deux chaises que Jeanne avait rapprochées.

Léon raccompagna le docteur jusqu'à sa voiture. La pluie continuait de tomber. Les chemins et les champs étaient gorgés d'eau, les fossés débordaient de partout, rendant la circulation des quelques véhicules à moteur hasardeuse. Le docteur Lerac s'inquiétait pour son retour à Sarlat, le voyage aller avait été suffisamment compliqué, et il allait devoir rentrer à très faible allure, car si une de ses roues glissait dans un des bas-côtés détrempés, son véhicule s'immobiliserait instantanément dans une épaisse couche de boue. Il n'aurait alors plus qu'à demander à un paysan de l'aider, avec son attelage de bœufs, à se sortir de ce mauvais pas. Dans ce cas, il ne serait pas rentré à son cabinet avant la nuit tombée, ce qui l'inquiétait, car de nombreux patients avaient besoin de le consulter.

Léon remercia chaleureusement le docteur, qui lui donna rendez-vous deux jours plus tard, en espérant que ce mauvais temps cesse pour que les prochaines visites ne soient pas soumises aux aléas de la météo ; la santé d'Alice en dépendait.

Il fut exaucé et la pluie s'arrêta enfin, laissant place à un épais brouillard puis, dans la soirée, à un ciel alternant entre un bleu limpide et des cumulus d'altitude annonciateurs de plusieurs jours de beau temps. Dans les fermes, les agriculteurs reprenaient espoir : on ne serait pas en retard pour la préparation des labours. Dans un premier temps, l'urgence était de ramasser le maximum de châtaignes tombées au sol et qui commençaient à pourrir sur place. Dans les châtaigneraies, chacun s'affairait et les sacs étaient rapidement remontés dans les fermes, où les fruits étaient étalés sur le sol des granges pour laisser s'évaporer l'humidité.

Marie et sa mère regagnèrent leur domicile dans la soirée. Éléonore avait fait promettre à Éloïse de la faire appeler au moindre doute, même si les soins que le médecin avait prodigués à Alice étaient bien plus efficaces que tout ce qu'elle pouvait faire désormais. Jean eut l'autorisation de rester auprès de sa mère, mais Jeanne veillait à ce qu'il ne la fatigue pas trop.

Léon, tout comme ses voisins, était déjà dans les bois, où il déployait une énergie folle à remplir au plus vite les sacs de toile qu'il déposait avec hargne sur la charrette. Éloïse le rejoignit le lendemain, elle aurait souhaité demeurer au chevet de sa fille plus longtemps, mais la survie d'une partie du bétail durant les mois d'hiver se jouait là : ils avaient besoin de récupérer ces châtaignes pour le nourrir. Les bras de Gabriel et d'Alice n'étaient pas disponibles alors elle n'avait pas le choix.

Quarante-huit heures plus tard, le docteur Lerac constata que la fièvre d'Alice avait baissé, et même si elle était encore faible, il eut un discours plus optimiste que lors de sa première visite. Après lui avoir prodigué les soins nécessaires, il conseilla avec insistance à Alice de se forcer à manger un peu et à s'hydrater, même si cela la dégoûtait. Elle devait absolument reprendre au plus vite quelques forces, car elle avait perdu beaucoup de sang.

Deux semaines passèrent. Alice était sauvée. L'infection n'avait pas eu le dernier mot. Malgré cette bonne nouvelle, le docteur lui intima l'ordre de garder le lit encore une dizaine de jours puis de se reposer au minimum un mois avant de reprendre une activité limitée et progressive... Autant dire une éternité, ce qui fit froncer les sourcils de Léon, qui laissa parler le médecin mais n'en pensait pas moins.

La première chose qu'Alice fit lorsqu'elle eut repris quelques forces, ce fut de relire les deux cartes de Gabriel. En effet, un autre courrier lui était parvenu alors qu'elle était entre la vie et la mort. Gabriel ne disait rien de plus que dans sa première carte, à part qu'il s'ennuyait et qu'Alice et le petit Jean lui manquaient. Gabriel et ses camarades étaient toujours positionnés face à la forêt des Ardennes, attendant un ennemi qui allait mettre près de huit mois à arriver.

Alice répondit à son homme. Elle écrivit lentement afin que les tremblements qui auraient pu trahir son état de faiblesse ne se remarquent pas. Elle lui parla de la vie à la ferme, de la belle récolte de blé, de la fermentation de la vendange qui se terminait, de Jean qui grandissait... Et elle lui assura que leur fils allait bien et qu'il l'attendait.

Jamais, au cours de leur correspondance, elle n'évoqua le traumatisme qu'elle venait d'endurer. Gabriel était à la guerre et ce n'était vraiment pas le moment de lui avouer ce qu'elle venait de vivre... et ce que tous les deux venaient de perdre.

*
* *

Marie était émue quand elle eut terminé son récit. Son visage trahissait de la fatigue et, en même temps, une forme de libération. C'était la première fois qu'elle racontait avec tant de détails ce jour d'octobre 1939.

— Voilà, c'est ainsi que j'ai connu Alice. Par la suite, nous nous sommes revues à de multiples reprises ; ma mère était devenue une amie de la famille. Ce que j'ai vu, ce jour-là, à *La Part des Anges* m'a toujours hantée. Toutes ces images s'imposent encore trop souvent dans mes pensées.

La vieille dame ne connaissait pas Lisa, alors pourquoi lui avait-elle fait ces confidences ? La lecture des pages du carnet intime où Alice racontait la perte de son enfant avait certainement été le déclic. Et puis à quoi bon garder des secrets dont les protagonistes ne sont plus là pour témoigner ?

Lisa était aussi émue que Marie.

— Je ne m'attendais pas à... tout ça ! bafouilla-t-elle.

Marie posa sa main sur le genou de la jeune femme.

— Pour tout vous avouer, moi non plus ! Je ne pensais pas, un jour, raconter cela.

— Pourquoi à moi ?

— Le carnet intime sans aucun doute ! Y retrouver le prénom de ma mère et le mien, je ne sais pas, ça m'a remuée. Et puis vous êtes la première personne à vous intéresser à l'histoire d'Alice.

Lisa, avec le revers de sa manche, essuyait ses dernières larmes. Marie lui tendit un mouchoir en papier.

— Merci, mais je ne comprends pas : vous n'avez jamais parlé de cette histoire ?

Marie reprit rapidement le dessus sur ses émotions, l'habitude de ceux qui ont connu la guerre. Se contenir à tout prix, ne rien exprimer, ne rien montrer, se méfier de tous et de tout. C'était la règle, la condition de la survie.

— Non jamais, à part avec ma mère lorsqu'elle m'a expliqué, bien plus tard, ce qui s'était réellement passé et qu'une petite fille de dix ans ne pouvait pas comprendre sur l'instant.

Lisa insista.

— Avec des amies peut-être ? Ou bien d'autres personnes qui ont connu cette terrible période ?

Marie hocha la tête.

— Vous savez, ceux qui ont vécu cette époque n'en parlent pas. La peur de l'ennemi s'est enfuie, bien sûr, mais la pudeur et la honte sont toujours bien présentes. La pudeur concernant toute cette souffrance qu'ils ont endurée et que même à travers de simples paroles ils ne veulent pas revivre. Et la honte chez certains qui, pour sauver leur peau, ont parfois trahi leurs voisins. À la fin de la guerre, les règlements de comptes ont été nombreux, alors... le silence, surtout ne pas en parler !

— C'est effrayant ! s'exclama Lisa, encore sous le choc du récit de la vieille femme.

— Mais vous avez toujours envie de découvrir l'histoire d'Alice et de Gabriel ? demanda Marie d'un ton légèrement provocateur.

Lisa n'eut aucune hésitation.

— Oui !

— Vous me surprenez.

— Pourquoi ?

Marie réfléchit un instant avant de répondre :

— J'ai l'impression que vous vous intéressez d'abord au personnage d'Alice. La guerre, l'époque ne paraissent être qu'un support.

Lisa, plongée dans une profonde réflexion, dirigea son regard sur le carnet posé sur la table basse.

— C'est comme si elle m'accompagnait. C'est une inexplicable sensation.

Marie fronça les sourcils. Elle ne s'appesantit pas sur la surprenante remarque de Lisa.

— Très bien, fit-elle simplement.

Son visage fatigué montrait de plus en plus de signes de lassitude.

— Je ne voudrais pas abuser, osa encore Lisa, mais qui a dit à Alice qu'elle ne pourrait plus avoir d'enfants ?

— Sa mère le lui a annoncé dès qu'elle a recouvré la santé. Alice n'a d'abord pas voulu y croire. Mais elle a rapidement dû se rendre à l'évidence.

— Et elle n'en a jamais parlé à Gabriel ?

— Dans leurs échanges, jusqu'à ce qu'il revienne de captivité, jamais ! Après, je ne sais pas. C'était leur vie, leur intimité.

— Mais, Alice, jusqu'au retour de Gabriel, comment a-t-elle pu...

Marie était de plus en plus lasse.

— Pu quoi ?

— Eh bien vivre, supporter, ne pas savoir si Gabriel était vivant, s'il allait revenir et quand et...

Marie la coupa.

— Elle n'a rien fait d'exceptionnel, vous savez. Toutes les femmes de soldat ou de prisonnier étaient dans le même cas. Elle a fait ce qu'il fallait, voilà tout !

Lisa paraissait déboussolée.

— Cela semble tellement inhumain.

— Et pourtant, c'est arrivé ! affirma Marie, qui se leva.

Lisa fit de même, mais avant de prendre congé, elle avait une dernière question.

— Et Jean ?

Le visage de Marie s'éclaira tout à coup.

— Ah ! Jean, je l'adorais ce petit. À chacune de nos visites avec ma mère, je passais mon temps avec lui. Il était doux et toujours souriant. Nous sommes restés en contact jusqu'à ce qu'il quitte la ferme après le décès de son épouse, il y a une dizaine d'années.

— Qu'est-il devenu ?

— Aux dernières nouvelles, il vivait dans une maison de retraite non loin de Toulouse et de ses fils. J'ai tenté de le contacter à plusieurs reprises. Il n'a jamais répondu à mes appels. Il ne voulait plus parler à personne. Est-il encore vivant ? Je l'ignore.

— C'est triste.

— C'est la vie, voilà tout !

Marie raccompagna Lisa jusqu'à sa voiture. Elle tenait le carnet entre ses mains.

— Puisque vous souhaitez continuer à découvrir l'histoire d'Alice, lisez d'abord ceci.

Marie lui indiqua les pages où Alice décrivait ce jour d'octobre 1939.

Sur le chemin du retour, Lisa se remémorera chaque parole de Marie, chaque expression de son visage. Ce récit l'avait bouleversée. Cette souffrance physique et morale qu'avait endurée Alice lui paraissait irréelle.

Lisa savait qu'elle basculait désormais au plus profond de l'intimité de cette femme. Elle était consciente du danger contre lequel Hugo et son psychiatre l'avaient mise en garde. Mais une sensation indéfinissable germait en elle. Comme si Alice s'était postée sur son chemin pour l'aider, la protéger.

Lisa arrivait en vue de la maison de Sophie. Dans quelques instants elle allait embrasser sa fille.

Elle pensait à l'enfant qu'Alice avait perdu, elle pensait très fort à Théo.

14

Chercheurs d'or

Nous sommes tous des chercheurs d'or. On creuse, trie, filtre sans qu'aucune pépite apparaisse. On change donc de rivière, puis une autre et encore une autre sans le moindre résultat. Un jour, désespéré, on s'effondre.

C'est alors qu'au plus profond du désespoir, nous remarquons une faible lueur qui nous maintient en vie.

À force d'entretenir cette petite flamme, l'espoir revient peu à peu pour se transformer en une immense étoile qui scintille à jamais : le plus beau des trésors !

La Part des Anges, août 2017

Lisa était en train de préparer le déjeuner et de mettre le couvert sur la table de la terrasse lorsqu'elle reçut un SMS d'Hugo. Son mari lui annonçait qu'il avait pu se libérer pour le repas et qu'il serait là dans une vingtaine de minutes. Lisa sourit et répondit : « *Nous t'attendons.* » Elle avait terriblement envie de lui parler de sa rencontre avec Marie. Mais comment allait-il réagir ? Les discussions qu'ils avaient eues jusqu'à présent ne l'incitaient guère à lui faire part de ce flot d'émotions qui l'avaient submergée au cours de la matinée.

Lisa savait que son mari avait raison quand il refusait qu'elle s'enferme dans le passé, mais ce qu'Hugo n'avait pas compris, c'était que ce bond de près de quatre-vingts ans en arrière était pour elle une chance de se reconstruire. Pourquoi ? Elle ne pouvait pas se l'expliquer, c'était plus qu'une intuition : une certitude ancrée au plus profond de son être. Elle prit alors la décision de ne rien dire.

Le déjeuner se déroula dans le calme. Émilie était heureuse de pouvoir profiter de ses parents après cette matinée passée avec son amie Elvira. Les échanges furent insignifiants, mais sereins, sans aucun accrochage. Un vrai moment de partage familial. Lisa s'efforça de ne pas évoquer son entrevue avec Marie, même si cela lui brûlait les lèvres. Hugo n'était pourtant pas dupe : il ne connaissait pas les détails mais savait que sa femme avait rendu visite à une vieille dame de Bellac.

Quelques jours auparavant, le mari de Sophie, Cédric, lui avait en effet parlé des recherches que celle-ci avait initiées à la demande de Lisa. Hugo avait compris que sa femme avait besoin de se fixer un but. Il restait en retrait, atten-tif. Pour l'instant, il avait décidé de ne pas lui conseiller de renoncer à ses investigations. Le pari était risqué, il le savait, mais il espérait que l'avenir lui donnerait raison.

Jusqu'à la fin du mois d'août, le samedi, le cabinet était ouvert jusqu'à 16 heures. Hugo devait donc repartir pour ses consultations de l'après-midi. Il prépara des cafés. Émilie venait de se lever de table. C'est alors qu'Hugo évoqua un sujet qui surprit sa femme. Il cherchait ses mots.

— Je voulais te dire... Ce dont je t'ai parlé l'autre jour concernant le fait que nous devrions informer Sarah de ce qui nous a... conduits ici.

Lisa ne comprenait pas pourquoi Hugo par-lait de Sarah maintenant. L'ambiance était apaisée, l'Irlandaise était un sujet délicat. Où voulait-il en venir ?

— Que veux-tu dire ?

Tout en touillant son café comme pour se donner une contenance, Hugo poursuivit :

— Eh bien, Émilie m'en a parlé hier soir quand je l'ai couchée.

— Ah ? Et que t'a-t-elle dit ?

Il hésita un instant et lâcha :

— Qu'elle avait tout dit à Sarah !

— Comment ça, « tout dit » ?

— Le principal. Tu sais, les enfants ont une vraie aptitude à résumer les sujets sensibles.

— Et que comptes-tu faire ?

— Moi, rien, je pense que c'est à toi de lui en parler !

— À moi ? Mais tu n'y penses pas !

Hugo se leva, il posa ses mains sur les épaules de sa femme.

— Si, je suis persuadé que c'est mieux, affirma-t-il.

Le regard de Lisa se perdit au loin. L'idée que cette femme qui tentait de lui ravir son mari puisse savoir qu'elle avait perdu son fils lui était insupportable. Elle lui fit une réponse banale pour se donner le temps de réfléchir.

— Je ne sais pas trop…

— Penses-y, c'est mieux je t'assure. Désolé, je dois y aller ; je vais être en retard. Katia ne travaille pas le samedi, il faut que j'ouvre le cabinet.

Hugo avait toujours les mains sur les épaules de Lisa. Il embrassa sa chevelure.

D'une voix étouffée, elle répondit :

— À ce soir.

Elle resta un long moment prostrée, encore sous le choc de la remarque de son mari. Elle savait qu'Hugo n'était pas insensible au charme et aux avances de Sarah, et Hugo n'ignorait pas que sa femme était au courant. Alors pourquoi en avait-il parlé ? De la provocation ? Lisa n'y croyait pas, cela ne correspondait pas à la personnalité d'Hugo, et cela n'aurait aucun sens dans leur situation actuelle. De la maladresse ? Elle n'y croyait pas non plus. Alors pourquoi ?

Hugo avait évoqué le sujet avec beaucoup de prudence, comme s'il se sentait obligé d'en parler et, en même temps, comme s'il ne souhaitait pas malmener la fragile amélioration de leur relation.

Lisa était perplexe. Qu'y avait-il derrière cette proposition plutôt surprenante ?

Elle fut interrompue dans sa réflexion par la sonnerie de son portable qu'elle avait laissé à l'intérieur de la maison. Elle alla le chercher et un sourire se dessina sur ses lèvres lorsqu'elle découvrit le prénom sur l'écran.

— Cléa ! Comment vas-tu ?

— Ça va. Et toi, tu n'es pas morte ?

— Pourquoi tu dis ça ?

— Ben, à part tes deux SMS depuis mon dernier appel, aucune nouvelle ! Tu ne penses plus à ta vieille amie, dis-moi !

Cléa avait raison, depuis que Lisa s'était plongée dans la correspondance d'Alice et de Gabriel, elle négligeait les habitudes de communication qu'elle avait instaurées avec ses proches. Notamment les coups de téléphone à ses parents, qui lui en avaient fait la remarque, se plaignant de contacts moins réguliers.

En début de semaine, Lisa avait même oublié son rendez-vous hebdomadaire avec son psychiatre, événement parfaitement improbable quelques semaines plus tôt. Six mois de consultation par téléphone sans aucun retard. Son médecin avait feint la colère et n'avait pas souhaité commencer une séance avec vingt minutes de retard. Il avait rapidement pris date pour la semaine suivante. Le docteur Mader le savait mieux que personne : un patient qui oublie son rendez-vous est habituellement sur le chemin de la guérison. Il attendait donc, impatiemment, leurs futurs échanges.

— Désolée, Cléa, c'est de ma faute, s'excusa Lisa.

Cléa ne se formalisa pas et clama, sur le ton de la plaisanterie :

— Bon allez, ça va pour cette fois, mais que ça ne se reproduise pas, compris ?

— Ça me fait plaisir de t'entendre.

— Dis-moi, et ton trésor, tu l'as trouvé ? C'est ça qui t'occupe autant ? Souviens-toi : on fait cinquante/cinquante !

— Mon trésor... J'aime bien ce mot. Je ne sais pas ce que je vais trouver, mais je découvre peu à peu leur histoire.

— Alors, qui sont cette Alice et ce Gabriel ?

Lisa était ravie, enfin quelqu'un qui ne la croyait pas à moitié folle.

— Ils ont vécu ici, à *La Part des Anges*, ce sont les grands-parents des anciens propriétaires.

Cléa ne put cacher son enthousiasme.

— Waouh, c'est super ! Et tu as appris quelque chose d'intéressant ?

— Oui, ils ont eu une vie incroyable ! La guerre, tout ça... J'ai même rencontré une personne qui a connu Alice.

— Continue tes recherches, tu me raconteras, je compte sur toi !

— Je peux te poser une question ? demanda soudain Lisa. Je voudrais que ta réponse soit sincère.

— Comme d'habitude ! Vas-y.

— Est-ce que tu penses que c'est dangereux dans mon cas ?

— « Dangereux », « dans ton cas » ? Que veux-tu dire ?

— Eh bien, Hugo, le psy, une amie de Véminan, ils sont tous persuadés que ce n'est pas bon que je me plonge à nouveau dans le passé, même s'il s'agit de celui de personnes que je ne connais pas.

Cléa, après un instant de réflexion, s'exprima franchement.

— Je ne vois pas ça comme ça !

— Et comment le vois-tu ?

— D'abord tu as trouvé un centre d'intérêt et c'est très bien, mais aussi… Comment dire…

— Je t'écoute.

— Je pense qu'inconsciemment, à travers l'histoire de cette famille, tu es partie à la recherche de toi-même. Alors l'avis d'Hugo, du psy ou de qui que ce soit, eh bien, tu vois ce que je veux dire ! C'est à toi que tu dois penser d'abord. Si tu as besoin de décoder la vie d'Alice, fonce !

Les yeux embués, Lisa répondit :

— Merci !

— De rien. Mais promets-moi de me tenir au courant.

— Bien sûr, tu auras droit à une partie du trésor.

— Excellent ! Je vois que tu vas mieux, je me trompe ?

— Je ne sais pas si je vais mieux, mais…

Cléa l'interrompit.

— Je crois que si.

— Je me donne toutes les chances, j'en ai envie pour moi, pour Émilie, pour Hugo. Plus j'avance et plus je me rends compte que je n'ai vu que ma souffrance et négligé la leur.

— Je suis fière de toi ! Et au fait, je ne voudrais pas remuer le couteau dans la plaie, mais ton SMS l'autre jour, je n'ai rien compris ! Elle lui tourne toujours autour ou pas, l'Irlandaise ? Tu avais l'air super énervée.

— J'avais besoin de me défouler, je la déteste ! (Lisa se reprit.) Non ce n'est pas le bon terme, car si je la détestais, je ne lui confierais pas ma fille. En fait, je n'arrive pas à cerner son comportement. Elle est imprévisible.

— Si elle ne lui a pas encore sauté dessus, elle ne le fera jamais ! affirma Cléa.

— J'espère que tu dis vrai. Tu sais, Émilie lui a tout dit.

— C'est normal, il fallait s'y attendre.

— Hugo veut que je raconte notre parcours à Sarah. Tu penses que je dois le faire ?

— Si Hugo t'a dit ça, alors sois persuadée qu'il ne se passera rien entre eux. Oui, je pense que ce serait bien. Tu aurais l'occasion de t'expliquer… sans l'étrangler, OK ?

— Merci encore, Cléa.

— De rien, et avec Hugo, enfin... comment ça va ?

— On fait des efforts, c'est un peu désordonné, brouillon, mais j'espère. Il avance plus vite que moi. J'ai du mal à oublier.

Cléa la coupa.

— Tu crois qu'il a oublié, lui ? Bien sûr que non ! Vous n'oublierez jamais. Tu apprendras à vivre avec.

— C'est difficile.

— Je sais... Enfin, je me doute, mais vous parviendrez à surmonter cette épreuve.

— Le temps passe, mais si tu savais comme il me manque !

— Bien sûr ! Allez, je dois te laisser, et pense au trésor !

— Oui, oui ! À bientôt.

Avant de raccrocher, Cléa donna un dernier conseil à son amie.

— Tu me connais, ce n'est pas mon habitude, mais pour une fois je vais faire un brin de philosophie, médite là-dessus : la vraie richesse, ce n'est pas de trouver de l'or, c'est de transformer ce que l'on a en or ! Ton trésor, fabrique-le toi-même.

Depuis la fin de la matinée, Lisa espérait avoir un moment seule pour découvrir les pages que lui avait indiquées Marie, celles où Alice décrivait à sa façon ce jour d'octobre 1939 où elle avait perdu l'enfant qu'elle portait. Elle s'installa confortablement dans le canapé du salon et posa le carnet sur ses genoux. Elle se remémorera les mots de Marie, son cœur se mit à taper plus fort.

Dès qu'elle ouvrit le carnet, Lisa découvrit la date qu'Alice avait notée : 14 septembre 1940 !

Elle pensa d'abord à une erreur et vérifia la chronologie du carnet et la marque qu'avait laissée Marie. Il n'y avait pas de confusion possible.

Lisa plongea avec impatience et appréhension à la découverte des confessions d'Alice.

15

Mon ange, mon enfant

Mon ange, mon enfant, passent les jours, passe le temps
Près de moi ou loin de mes bras, qu'importe, tu es là
Mon ange, mon enfant, je pense à toi bien souvent
J'entends ta voix, j'imagine ton rire, je devine tes pas
Mon ange, mon enfant, je retiendrai tous nos instants
Comme un cadeau, une longue caresse, un printemps...

*
* *

La Part des Anges, 14 septembre 1940

Gabriel,

Je viens de recevoir de tes nouvelles, désormais, je sais que tu es vivant !

Une lettre est arrivée ce matin en provenance de l'Agence centrale des prisonniers de guerre de Genève. Les autorités allemandes ont enfin transmis des renseignements à ton sujet.

Depuis le temps que je remuais ciel et terre pour savoir ce que tu étais devenu après l'offensive allemande du mois de mai dernier ! Je m'étais presque faite à l'idée que je ne te reverrais plus, que personne ne retrouverait ton corps et que ton nom ferait partie de la longue liste des soldats disparus.

Tu as été fait prisonnier et conduit dans le camp nommé Stalag VI-G non loin de la ville de Cologne. Ça me fait bizarre, tu as un numéro de matricule : le 1768. Les consignes sont strictes, si je souhaite que mes courriers ou colis arrivent, il faut impérativement noter ce matricule. Que la guerre est cruelle ! Tu n'es plus qu'un chiffre au milieu de dizaines de milliers d'autres.

Je suis heureuse de savoir que nous allons pouvoir reprendre notre correspondance. J'ai tant de choses à te dire. J'espère que tu n'es pas blessé et que tes premiers courriers depuis ce camp où tu es retenu me parviendront bientôt. De mon côté, dès ce soir, je vais t'écrire une longue lettre et te donner toutes les nouvelles du pays. Il s'est passé tant de choses !

Enfin, toutes sauf une ! Tu sais, il m'aura fallu presque un an avant de poser ces quelques mots sur les pages de ce carnet. Mais j'ai eu tellement peur de te perdre que je me suis enfin décidée, d'une certaine façon, à partager ce fardeau, même si je sais que tu ne liras sans doute jamais ces lignes.

Lorsque tu es parti, j'étais enceinte. J'avais prévu de te le dire le dernier jour des moissons, lorsque, avec les voisins, nous avons l'habitude de fêter la fin de la récolte. Et puis ton ordre d'appel est arrivé, alors je n'ai pas osé, tu avais tellement de choses à penser. Je ne sais pas pourquoi je ne te l'ai jamais écrit non plus, peut-être qu'un mauvais pressentiment m'empêchait de te l'annoncer, j'avais décidé d'attendre la naissance. Le destin m'a donné raison, car j'ai perdu notre enfant. Le docteur m'a dit que c'était dû à la fatigue, moi je crois plutôt que c'est la fatalité, cela devait arriver, c'est ainsi !

Ce n'est pas tout, Gabriel, je tremble en pensant à ce que je vais écrire. J'ai perdu notre enfant et j'ai failli mourir ! Éléonore m'a sauvée en attendant la venue du médecin. Je me souviens de tous ces regards inquiets autour de moi, ma fièvre et ma souffrance étaient si fortes, je les voyais tous dans un brouillard. Ma mère était là, mon père qui faisait ce qu'il pouvait, Jean qui pleurait, ma grand-mère qui tentait de le consoler et la petite Marie qui ne disait rien, terrorisée par tout cet affolement autour d'elle. Oui, Éléonore m'a sauvée, mais je ne pourrai plus enfanter, ma vie était à ce prix : ne plus pouvoir la donner.

J'aurais tant besoin de te serrer contre moi. J'ai souffert le martyre, mais que représente ma souffrance par rapport à ce que tu as enduré, là-bas sur le front qui a volé en éclats en quelques jours ? Au village certains disent que la puissance de l'ennemi était si forte qu'une partie de la forêt des Ardennes a été détruite par le feu, les tirs de mortiers, de chars et les bombes des avions. Tu as dû voir mourir nombre de tes camarades, quelle saleté de guerre. Il paraît que Londres a été bombardé et qu'en représailles les Anglais ont effectué des raids sur Berlin. L'Europe s'embrase. Ici, on commence à se méfier les uns des autres. Pour l'instant aucun bruit de bottes de soldats n'est venu perturber le silence, mais jusqu'à quand ?

J'ai peur, Gabriel ! Ça aussi, je ne te l'écrirai pas dans mon courrier de ce soir, mais je tremble souvent, alors je prie et je continue pour ma famille, pour Jean, pour toi. Et puis, parce que je n'ai pas le choix.

Je ne pourrai plus enfanter, Gabriel. Dis-moi que tu reviendras, dis-moi que nous serons heureux quand même ici, à La Part des Anges avec Jean que nous élèverons ensemble. Gabriel, dis-le-moi !

Tant besoin de toi ! Tant besoin de toi ! J'ai envie de remplir des pages de ces quatre mots.

Il est l'heure de nettoyer les litières et de nourrir les animaux, je viens de voir mon père se diriger vers la grange, je dois poser ma plume. Je pense déjà à tout ce que je vais pouvoir te dire dans ma lettre.

Lorsque Jean sera couché, à la lumière de la bougie, nous serons ensemble, Gabriel.

Je crois que tu serais fier de moi : cette année, malgré les orages du printemps qui ont couché à plusieurs reprises les épis de blé, le grenier est bien garni de sacs de farine. Cela nous assure du pain pour l'année à venir, même si ces satanés maquisards viennent nous en ponctionner régulièrement, la semaine dernière il a fallu que je leur donne une douzaine d'œufs. Ils ne font rien, ils se cachent dans la vieille ruine de Plantard et attendent on ne sait quoi, un ennemi qui ne viendra jamais. J'enrage de les voir là, alors que toi... C'est ainsi, il y aura des jours meilleurs. Des jours, des mois, des années...

Mon carnet commence à être bien rempli, ça me fait du bien d'écrire même si j'espère arrêter au plus vite, cela voudra dire que tu es rentré, peut-être que je te raconterai tout.

À ce soir, Gabriel.

*
* *

Lisa posa le carnet sur ses genoux. Elle enfonça sa tête dans l'épais coussin et ferma les yeux. Elle avait le ventre noué, quelques larmes s'échappèrent de ses yeux. Le récit de Marie et les écrits qu'elle venait de lire se mêlaient dans son esprit comme dans une brume, et elle avait du mal à en discerner les contours. Lisa avait presque l'impression qu'il ne s'agissait pas de la même histoire. Et pourtant, Alice avait bien raconté les épreuves qu'elle avait endurées et les conséquences qu'elle devrait supporter toute sa vie. Les faits étaient là dans toute leur vérité et leur cruauté, mais toujours rapportés avec un souci de retenue et le besoin de passer rapidement à autre chose. Alice avait perdu l'enfant qu'elle portait, l'infection avait failli lui coûter la vie, elle ne pourrait plus enfanter, mais les responsabilités qu'elle se devait d'assumer avaient rapidement repris leurs droits. Les travaux de la ferme redevenaient sa priorité. Elle n'avait pas d'autre choix.

Lisa imaginait ce qu'avait pu être la vie de la jeune femme dans cette maison près de quatre-vingts ans auparavant. Depuis la rénovation effectuée par les anciens propriétaires, l'aménagement intérieur de la demeure n'était plus le même, alors Lisa tentait de deviner où pouvaient se trouver la chambre, le bureau sur lequel Alice avait rédigé ses écrits, dans lequel des trois greniers avaient pu être entreposés les sacs de farine…

Lisa ne pouvait se l'expliquer, mais chaque fois qu'elle tenait le carnet entre ses mains, elle ressentait une impression étrange, comme si elle n'était pas seule.

Quelquefois elle se disait que c'était son imagination qui lui jouait des tours en laissant la porte ouverte à une explication moins rationnelle où elle avait envie de s'engouffrer. Était-ce l'esprit d'Alice qui rôdait ? Était-ce sa force qui irradiait ? Avait-elle besoin de déposer sa souffrance ?

Lisa se leva et fit le tour de la pièce comme si elle cherchait des signes de la présence d'Alice. De la même façon que la première fois où elle avait ouvert le carnet, la porte-fenêtre de la cuisine claqua alors que le soleil tapait fort et qu'il n'y avait pas un souffle de vent. Ce signe fugace ne prouvait rien, mais elle avait envie d'y croire.

Elle en était persuadée : Alice était là pour elle et elle était là pour Alice. Deux destins, deux femmes qui n'avaient rien en commun, qui n'avaient pas vécu à la même époque, mais qui, sans le savoir, s'étaient cherchées et trouvées. Deux solitudes blessées par les épreuves de la vie qui, à travers l'histoire de l'autre, tentaient de trouver la paix.

Lisa avait besoin de la force que dégageait Alice. Cela lui permettait d'imaginer que malgré les tourments et la tristesse qui l'habitaient, une reconstruction était possible. Quant à Alice, Lisa était prête à partager et comprendre sa peine pour qu'enfin elle dépose ce fardeau qu'elle avait consigné dans son carnet et porté si longtemps.

Lisa se demandait ce qu'aurait été sa vie si Théo n'avait pas disparu, si elle ne s'était pas sentie attirée par *La Part des Anges*, si Alice n'avait pas perdu son enfant, si Gabriel n'avait pas été fait prisonnier pendant plus de cinq ans.

« La vie est mal faite », pensa-t-elle. Le malheur doit toujours frapper à notre porte pour que les plus belles rencontres d'une vie puissent avoir lieu. Un peu comme si le bonheur nous anesthésiait, nous rendait imperméables aux besoins de l'autre. C'est humain, comme une forme de protection inconsciente qui nous empêche d'imaginer le pire, qui nous pousse à croire qu'il ne peut rien se produire de négatif.

Jusqu'au jour où un conducteur trop pressé sur un boulevard parisien grille un feu rouge et bouleverse la vie d'une famille.

16

Le bonheur oublié

Les forêts de pins, l'odeur des fougères, les rires des soirées de moissons, les châtaigniers centenaires.

Les cris des enfants, les cheminées qui crépitent, les vieilles pierres, les poutres noircies.

Ça doit ressembler à ça...

Le vent dans les chênes.

Les chemins qui se perdent.

Le silence...

Le soleil qui s'enfuit.

Le bonheur oublié, ça doit ressembler à ça...

*
* *

La Part des Anges, août 2017

La sonnerie du téléphone eut à peine le temps de retentir que Lisa prenait le combiné. Elle ne voulait pas renouveler le retard de leur entretien précédent. Comme à son habitude, le docteur Mader faisait preuve d'une parfaite ponctualité.

— Bonjour docteur, excusez-moi pour notre dernier rendez-vous. Cela ne se reproduira pas.

— Ne vous inquiétez pas. Comme je vous l'ai déjà expliqué, c'est vous qui décidez de poursuivre ou non.

Pour Lisa, il ne s'agissait que d'un rendez-vous qu'elle n'avait pas honoré. Elle n'avait jamais imaginé mettre un terme à son suivi. Elle ne put cacher sa surprise devant cette conclusion qui lui paraissait disproportionnée.

— Mais... je ne souhaite pas arrêter nos entretiens. Vous m'aidez depuis plus d'un an et j'ai besoin de vous.

Le thérapeute avait volontairement provoqué Lisa. Il n'avait aucunement l'intention de mettre un terme au soutien qu'il apportait à sa patiente depuis la disparition de son fils ; elle était encore trop fragile. Pour lui, l'omission de Lisa n'était pas due au hasard ou à un emploi du temps surchargé. Sa longue expérience lui avait démontré que lorsqu'un patient oubliait l'heure d'un rendez-vous, il n'y avait que deux raisons possibles : soit la volonté de refuser les soins, ce qui n'était pas le cas de Lisa, soit le début d'un besoin d'autonomie, ce qu'il avait pensé aussitôt.

Depuis plusieurs séances, le docteur Mader avait remarqué que la voix de Lisa était plus claire, que leurs conversations ne tournaient plus éternellement en boucle. Même si la fragilité était encore bien présente, prête à resurgir, il se réjouissait de cet état qui, enfin, évoluait. Mais l'inquiétude demeurait quant à la raison profonde de ce changement, même s'il savait que la découverte des courriers et surtout la lecture du carnet et des confessions d'Alice y étaient pour beaucoup. À plusieurs reprises, le psychiatre avait fait part à sa patiente des dangers que représentait le fait de se tourner, encore une fois, vers le passé, et surtout vers les drames de la Seconde Guerre. Lisa avait bien tenté de le convaincre que quelque chose la poussait à toujours aller plus loin dans ses recherches et que cela apaisait ses tourments, mais l'avis du docteur n'avait pas changé. Pour lui, seul comptait un projet d'avenir que Lisa ne trouverait en aucun cas dans un tas de papiers jaunis par le temps.

Lisa avait donc pris ses responsabilités et choisi, comme avec son mari, de taire l'intérêt réel qu'elle portait à la vie d'Alice. Elle expliqua au docteur Mader qu'il s'agissait d'un hobby passager qui lui permettait de penser à autre chose avant qu'un véritable projet d'avenir ne se dessine. Le médecin acquiesça, mais il était persuadé que Lisa lui mentait.

— Très bien Lisa, donc nous continuons au même rythme : un entretien par semaine. Alors, dites-moi, vos travaux généalogiques avancent ?

Lisa ne supportait pas cette expression. Il ne s'agissait pas de « travaux généalogiques », mais de la vie d'une femme qui avait vécu à une autre époque. Lors des derniers entretiens, elle avait fait part de son refus d'utiliser cette expression, mais aujourd'hui, elle décida de ne plus rentrer dans le jeu provocateur que lui proposait son thérapeute. Elle ne désirait pas qu'il passe son temps à tenter de la convaincre d'abandonner ses recherches. Sur ce sujet, désormais, un dialogue de dupes s'instaurait.

— C'est intéressant d'imaginer ce qu'était la vie à cette époque dans nos campagnes, surtout quand les hommes étaient à la guerre.

— La guerre ! Je vous l'ai déjà dit, il y a des sujets bien plus gais, vous ne trouvez pas ?

— Bien sûr, mais je découvre aussi autre chose et ça me fait du bien, répliqua Lisa.

Le docteur Mader préféra ne pas poursuivre.

— Très bien, nous en reparlerons plus tard. Dites-moi, avec votre mari, vos relations sont-elles toujours aussi tendues ?

À cet instant, Lisa redevint celle qu'elle était quelques semaines auparavant : fragile, confuse, ligotée dans ses doutes.

— C'est compliqué. Nous… avançons, mais des tas de sujets nous séparent et… j'ai toujours aussi peur de le perdre.

— Pour quelle raison ?

Lisa se remémorera la discussion qu'elle avait eue avec Hugo et son désir qu'elle informe Sarah de la raison de leur présence à Véminan. Elle demanda conseil.

— Vous pensez que les gens d'ici doivent savoir ?

— C'est important de poser des mots justes, pourriez-vous clarifier votre pensée ?

— Eh bien, une personne garde Émilie lorsque je pars sur les marchés aider mon amie Sophie.

— Vous croyez qu'il serait préférable qu'elle connaisse votre histoire ?

— Je ne sais pas. Hugo, lui, le souhaite.

Le médecin l'invita à réagir.

— Allons, pensez à vous ! Ne le faites pas pour satisfaire votre mari. Cela n'aurait aucun sens, si ce n'est de vous torturer et d'aller à l'encontre de vos besoins.

Lisa insista comme pour obtenir une approbation. Le docteur connaissait leurs problèmes de couple, mais il ne savait pas que Sarah tentait de séduire Hugo.

— Mais vous, que feriez-vous ? Comment dois-je réagir au mieux pour… moi ?

— Avez-vous envie de lui en faire part ? Pensez-vous que cela vous sera bénéfique ?

Lisa repensa à sa fille et à ce qu'elle avait pu raconter à Sarah.

— Avec mon mari, nous en sommes persuadés. Émilie a dû lui en parler, elles passent beaucoup de temps ensemble.

Le docteur Mader répondit sans hésitation :

— Je pense que, pour votre fille, ce serait effectivement une bonne chose. Vous savez, les enfants sont des éponges à émotions. La perte de son frère a été un traumatisme. Elle ressent le besoin de se confier et de se sentir soutenue, surtout par ses parents, et en particulier sa mère. Alors, je crois que vous avez la réponse !

— Je crois aussi. Je lui parlerai.

— Cela vous libérera d'un poids.

Lisa se sentit soulagée ; mais elle redoutait de parler à Sarah. Lui révéler ce qu'elle avait vécu, c'était comme se mettre à nu devant cette femme.

— Vous avez raison. Pour Émilie. Oui, pour ma fille !

— Parfait, Lisa. Je vais devoir vous laisser. Nous reparlerons de tout cela plus tard.

— Merci docteur.

— Ah, au fait, ajouta le docteur Mader, j'allais oublier ! Serait-il possible que vous veniez à mon cabinet la prochaine fois que vous séjournerez à Paris ?

Lisa ne put cacher son étonnement et son inquiétude.

— Oui, oui... Bien sûr... Mais que se passe-t-il ?

— Rien de particulier, n'ayez aucune crainte, mais les échanges en tête à tête sont toujours plus fructueux que par téléphone. Je vous assure, ce serait positif. Et puis, j'aurais le plaisir de vous revoir.

— Oui, moi aussi. Mais je ne sais pas encore quand je retournerai chez mes parents et...

Lisa ne put poursuivre. Chaque fois qu'elle pensait à ses visites sur la tombe de son fils, elle était incapable de dissimuler son émotion.

— Rien ne presse, la rassura le psychiatre. Mais quand vous saurez, faites-moi absolument part de vos disponibilités. Nous calerons un rendez-vous.

— Très bien.

— Cette fois-ci, je dois vraiment vous laisser. J'ai pris du retard et, comme vous le savez, j'ai horreur de ça ! Bonne semaine, Lisa.

Après avoir raccroché, Lisa ressentit le besoin de s'aérer.

Émilie passait l'après-midi chez sa copine Elvira. Dans quelques jours ce serait la rentrée scolaire et les deux jeunes amies vérifiaient avec soin la liste des fournitures que leur maîtresse avait distribuée aux parents lors de la réunion de prérentrée. Lisa ne devait donc récupérer sa fille qu'aux alentours de 18 heures, cela lui laissait l'opportunité de faire une longue balade.

Le ciel était d'un bleu limpide et la température parfaite pour une promenade. La canicule qui avait sévi durant près de deux semaines s'était interrompue brutalement le week-end précédent, lorsqu'une vague de violents orages avait fait chuter le thermomètre de plus de dix degrés.

Elle enfila ses baskets, et prit soin de ne pas oublier le panier en osier posé sur le perron et le bâton que sa fille lui avait confectionné avec une vieille branche, qui lui permettrait de farfouiller sous les feuilles et la mousse qui recouvrait le sol autour des plus vieux châtaigniers. Les anciens du village le répétaient depuis le lendemain des fortes pluies orageuses : les premiers champignons n'allaient pas tarder, c'était certain ! Lisa n'y connaissait absolument rien, mais les habitués le rabâchaient assez, que ce soit au cabinet de son mari ou sur le marché de Sarlat, alors… Sophie lui avait pourtant assuré que s'il devait y avoir une poussée de cèpes, il ne fallait pas l'espérer avant une bonne semaine, mais elle voulait y croire, une façon de se changer les idées, de se plier aux us et coutumes de sa région d'adoption.

Lisa progressait à son rythme. Certains jours étaient plus faciles que d'autres, certains matins étaient toujours aussi noirs, angoissants et sans espoir. Mais l'envie parfois refaisait une apparition, elle se disait que c'était cela le plus important. S'accrocher aux petites éclaircies pour qu'un jour le soleil brille à nouveau sans partage.

Lisa descendit les quelques marches du perron et traversa la cour. Son regard s'attarda sur un des bâtiments annexes : la Fournial, l'ancien four à pain de la ferme. Un espace d'environ vingt mètres carrés où seule la toiture avait été restaurée par les frères Palain. Le soleil se reflétait sur les murs de pierre qui s'éclairaient d'une couleur ocre intense. Elle poussa la porte et sursauta lorsque, aveuglées par la lumière extérieure, trois chauves-souris s'envolèrent et vinrent frôler sa chevelure. Lisa aimait se rendre dans cette pièce et y respirer l'odeur apaisante de terre battue qui se dégageait du sol.

Dans ses échanges avec Gabriel, quand Alice évoquait la vie à la ferme, la production de pain était un sujet qui revenait souvent, avec l'élevage des animaux et le volume des récoltes. La Fournial, la grange et les greniers étaient donc devenus des lieux où Lisa aimait passer du temps lorsqu'elle était seule. Elle avait l'impression d'y être protégée.

Elle imaginait Alice qui découpait les tourtes de pain, le petit Jean qui aidait sa mère à remplir les crèches de foin frais pour nourrir les animaux, Léon qui s'échinait à monter les sacs de grains dans les greniers pour les protéger de l'humidité. Désormais, ces espaces, comme la cuve à vin et l'immense séchoir à tabac, n'avaient plus aucune utilité si ce n'est de stocker le reste des matériaux utilisés pour restaurer la ferme, quelques meubles et deux vieux tracteurs qui attendaient que quelqu'un leur redonne vie.

Tout au fond de la Fournial se trouvait l'âtre, qui n'avait pas servi depuis la dernière guerre. Sur les parois, on devinait des coulées de suie ancrées dans la pierre. Le four n'avait jamais été restauré et pourtant il était dans un excellent état. Il semblait espérer sereinement cuire à nouveau ces épaisses et moelleuses miches de pain qui avaient nourri tant de personnes jusqu'à la fin du conflit.

*
* *

À cette époque la présence d'un four dans une ferme était synonyme de vie et d'autonomie. Alice n'avait pas hésité à répondre favorablement aux demandes de ses voisins, des membres de sa famille et de celle de Gabriel lorsque l'approvisionnement en nourriture de base était devenu de plus en plus difficile, notamment dans les villes, où les boulangeries étaient rapidement dévalisées lorsqu'elles avaient la possibilité de produire quelques pains.

Dans les fermes, les sacs de grains étaient à l'abri dans les greniers, et à *La Part des Anges* la matière première ne manquait pas. Alice ne maîtrisait pas l'utilisation du four, c'était à chaque fois Léon qui se chargeait de cette tâche. La montée en température des briques réfractaires ne devait pas se faire trop rapidement si l'on voulait éviter que le foyer se fissure. L'alimentation en petites bûches de chêne devait être régulière, mais légère. Léon connaissait son four par cœur et n'autorisait personne à le seconder pour la délicate régulation de la cuisson.

Depuis le début du conflit, les fêtes de village avaient quasiment disparu, aussi appréciait-on de se retrouver autour du four pour discuter des futures récoltes, des derniers vêlages, de la santé des anciens et surtout des hommes prisonniers dans les camps en Allemagne, pour ceux qui avaient eu « le plus de chance ». Pour certains, les discussions n'évoquaient plus que le souvenir d'un frère ou d'un mari disparu trop tôt sous les tirs ou les bombes ennemis.

Quand la cuisson était terminée et que Léon avait enveloppé les pains dans un linge blanc, chacun repartait vers sa vie et ses inquiétudes de lendemains incertains, jusqu'à la prochaine fournée où le feu brûlerait à nouveau dans l'âtre, dégageant cette fumée légère presque transparente caractéristique de la combustion du bois de chêne, tandis qu'une odeur de pain chaud emplirait la cour de *La Part des Anges*.

*
* *

Au début de sa promenade, Lisa tenta de commencer sa cueillette en lisière de bois, mais elle abandonna rapidement devant l'absence totale de signe d'une quelconque pousse. Malgré les pluies récentes, le sol était bien trop sec pour que la moindre moisissure se développe. Sophie lui avait assez répété que si aucune trace de filaments blancs de mycélium n'était visible, ce n'était pas la peine de farfouiller sous les feuilles et la mousse. Lisa revint donc rapidement sur le chemin, où elle pourrait marcher plus aisément que dans la forêt, sans avoir à enjamber les branches mortes et les arbres tombés à terre qui n'avaient pas encore été débités.

Son esprit se mit à divaguer. Elle ne chercha pas à canaliser ses idées, elle les laissa venir et se bousculer sans hiérarchie précise : la discussion qu'elle avait décidé d'avoir avec Sarah, les réserves appuyées du docteur Mader, le récit poignant de Marie, la vie d'Alice et de Gabriel, Hugo et son travail qui l'accaparait beaucoup trop, Émilie qui paraissait s'épanouir dans son nouvel environnement, et Théo qui, malgré le temps qui n'en finissait pas de s'écouler, était toujours aussi présent dans ses pensées.

Lisa ne s'en était pas rendu compte, mais elle avait marché plus d'une heure et demie. Il était près de 17 h 30 lorsqu'elle traversa le hameau de Saint-Boliès. Elle longea le mur du petit cimetière où Alice et Gabriel reposaient. L'idée de se recueillir sur leur tombe lui avait déjà traversé l'esprit, mais elle se l'interdisait. Seul Théo avait droit à ses visites et ses prières, personne d'autre !

D'ailleurs qu'aurait-elle appris de plus ? Rien, bien évidemment. Elle aurait découvert, gravés sur des plaques de marbre, des prénoms, des noms et des dates, voilà tout.

Elle accéléra le pas pour revenir sur le chemin qui montait à *La Part des Anges*. Elle traversa la cour en courant, récupéra ses clefs de voiture et son sac ; elle ne voulait pas être trop en retard chez son amie Sophie.

Au cours du repas du soir, elle fit part à son mari de sa décision de parler à Sarah. Hugo ne put cacher sa satisfaction, son visage s'éclaira d'un large sourire. Quelques semaines plus tôt, sa femme n'aurait pas osé s'engager dans une telle démarche.

Pour Lisa, l'objectif de cette discussion était double. D'abord informer Sarah de la raison de leur installation à Véminan – même si elle se doutait qu'Émilie s'était déjà largement confiée à elle –, mais aussi connaître la vérité sur les relations qu'entretenait Hugo avec la charmante

Irlandaise. Ce n'était pas un sujet facile à aborder, s'adresser à la possible maîtresse de son mari n'a rien d'évident. Lisa ne savait pas du tout comment elle allait s'y prendre, mais dans sa difficile et hésitante reconstruction, elle avait besoin de savoir. À quoi bon tenter de se projeter lorsque les fondations se fissurent ? Elle n'avait pas le choix, car elle était persuadée qu'Hugo ne lui disait pas la vérité lorsqu'il tentait de la rassurer. Soit il laissait exploser sa colère, prétextant qu'elle ne lui faisait pas confiance, soit il s'enfermait dans un mutisme qui ne laissait rien présager de bon. Lisa avait besoin d'en avoir le cœur net !

Lisa ignorait que son mari, lorsqu'il avait récupéré Émilie quelques jours auparavant chez Sarah, avait été clair : il avait fait le choix de sa famille, il n'était pas question qu'il ait une aventure avec la belle Irlandaise. Un instant, il hésita : devait-il une nouvelle fois rassurer sa femme ? Il préféra ne rien dire et la laisser se confronter à Sarah. Pour lui, c'était la seule solution pour qu'enfin Lisa admette qu'il n'avait aucune intention de la tromper.

— C'est la meilleure décision que tu pouvais prendre, lui assura-t-il simplement.

Lisa déposa la corbeille de fruits sur la table et répondit d'un ton qui trahissait son inquiétude :

— Le docteur Mader le pense aussi. Émilie doit se sentir soutenue. Jusqu'à présent je n'ai pas été très présente pour ma fille.

Hugo prit une grappe de raisin. Il tergiversa quelques instants avant de réagir.

— Ne te dévalorise pas de la sorte, ça ne sert à rien. Le principal c'est que tu aies pris la bonne décision : parler enfin à Sarah !

— Je ne sais pas.

Hugo l'encouragea de nouveau.

— Bien sûr que si !

— Nous verrons si cela est... bénéfique, fit-elle.

Hugo ne releva pas.

— Et tu comptes lui parler quand ?

La réponse de Lisa fusa.

— Demain après-midi !

Tout en mâchonnant les derniers grains de raisin, Hugo leva la tête et exprima sa surprise.

— Ah, d'accord, carrément !

— Pourquoi laisser traîner ? déclara Lisa.

— Bien sûr, mais tu es au marché avec Sophie demain...

— Uniquement dans la matinée. J'ai appelé Sarah pour lui dire que je souhaitais discuter avec elle de... quelque chose d'important. Elle doit venir vers 16 heures.

La surprise d'Hugo augmenta.

— Je croyais que tu ne voulais pas la voir ici ?

— Eh bien, c'est l'occasion. Comme ça, elle pourra admirer à loisir cette maison qu'elle aurait tant aimé acheter ! affirma ironiquement Lisa.

Hugo préféra clore la discussion. S'il était satisfait de la démarche de Lisa, la précipitation de sa femme l'étonnait.

— Très bien, déclara-t-il simplement avant de se lever pour desservir la table.

Lisa craignait pourtant de parler à Sarah, les sujets qu'elle avait à évoquer étaient personnels et sensibles. Parfois elle se disait qu'elle se faisait des idées et que Sarah n'avait aucune intention malveillante envers sa famille. À d'autres moments, elle imaginait le pire et n'était pas loin de penser, comme Katia et certains villageois, que Sarah était une sorte d'ensorceleuse qui piégeait qui elle voulait dans ses filets.

Elle avait donc décidé de l'affronter chez elle, à *La Part des Anges*, là où elle se sentait le mieux. Elle serait plus forte...

Après le repas, Hugo relut quelques dossiers avant d'aller se coucher. Comme souvent, Lisa n'avait pas sommeil. Elle profita de la tranquillité de la maison pour se replonger dans les écrits d'Alice et de Gabriel. Elle relut les premiers courriers, qu'elle connaissait presque par cœur. Ce soir-là, elle n'avait pas envie de prendre connaissance de la fin du carnet d'Alice ni des derniers envois de Gabriel à l'en-tête stéréotypé : *Kriegsgefangenenpost*, « Correspondance des prisonniers de guerre ». Elle ne se sentait pas la force de découvrir un éventuel autre drame dans la vie de cette femme et de cet homme. Elle avait simplement envie d'être avec eux, de partager leur courage et leurs espoirs.

Assise sur le canapé, elle se retourna à plusieurs reprises, fit deux allers-retours dans la cuisine : aucun signe de présence, aucune porte qui claque... Elle haussa les épaules, elle aurait tellement aimé ressentir une nouvelle fois cette étrange sensation. Elle se dit que ce soir, la fatigue était trop intense et que son imagination n'avait plus assez d'énergie pour inventer une présence rassurante. Elle ferma la porte-fenêtre de la cuisine puis la porte d'entrée et partit se coucher. Hugo dormait déjà profondément.

Lisa ne trouvait pas le sommeil. Vers 2 heures du matin, elle décida de reprendre le traitement qu'elle avait interrompu depuis une dizaine de jours sans en parler ni au docteur Mader ni à son mari. Elle déposa un comprimé sous sa langue, attendit qu'il fonde et but une gorgée d'eau. L'agitation de ses pensées se calma progressivement, elle s'assoupit.

Alors qu'elle venait de sombrer dans un sommeil chimique pour quelques heures, dehors, les branches du marronnier s'agitèrent brusquement. Dans les forêts alentour, pourtant, le calme régnait, le vent était nul, aucune feuille ne bougeait.

Le lendemain matin, comme chaque jour de marché à Sarlat, Lisa déposa sa fille chez Sarah. Les deux femmes se saluèrent rapidement et se souhaitèrent une bonne matinée, et avant de repartir, Lisa évoqua leur rencontre de l'après-midi.

— C'est toujours d'accord pour... 16 heures ?
— Bien sûr, je serai là, confirma Sarah.

— Très bien, dit Lisa avant de remonter dans sa voiture.

Elle démarra et s'engageait sur le chemin lorsqu'elle fut aveuglée par les phares d'un véhicule garé devant l'atelier. Surprise, elle ralentit et regarda dans le rétroviseur : Sarah se penchait à la fenêtre de la portière conducteur pour embrasser un homme dont on ne pouvait deviner que la silhouette. Lisa accéléra et reprit sa route en direction du domicile de Sophie.

La matinée au marché se déroula dans le calme. Les derniers grands retours de vacances avaient eu lieu la semaine précédente. L'effervescence des deux mois d'été était terminée. La population des acheteurs avait radicalement changé, désormais les retraités et les couples sans enfants prenaient leurs marques dans la quiétude des premiers jours de septembre.

Les deux amies prirent alors un peu de temps pour discuter, Lisa n'arrêtait pas de questionner Sophie au sujet de Sarah.

— Tu te rends compte, c'était un homme ce matin, j'en suis sûre !

— Oui. Et alors ?

Lisa semblait obnubilée par la scène à laquelle elle avait assisté quelques heures auparavant.

— Il a dû passer la nuit avec elle.

— Oui. Et alors ? répéta Sophie, amusée par cette insistance.

Le débit de Lisa s'accéléra.

— Toi qui habites à côté, tu n'as jamais vu quelqu'un avec elle ? Et puis, elle est tellement

mystérieuse, c'est étrange de se dire qu'elle...
Enfin tu comprends ce que je veux dire. Je n'ai
pas pu voir son visage, la lumière des phares
m'aveuglait. Tu sais qui c'est, non ?

Sophie se mit à rire.

— Ah bon ! Parce qu'elle est « mystérieuse »,
comme tu dis, elle ne devrait pas avoir d'aven-
tures ? Étonnant comme raisonnement.

— Oui, c'est vrai, c'est un peu nul comme
réflexion, concéda Lisa avec un haussement
d'épaules.

Sophie s'autorisa à aborder le véritable sujet
qui préoccupait Lisa.

— Au moins, ça doit te rassurer. Je me
trompe ?

— Me rassurer sur quoi ?

— Arrête donc un peu de faire l'innocente !
Tu dois te dire que si Sarah batifole avec un
inconnu, tu es tranquille pour Hugo.

Lisa dodelina de la tête pour signifier son
désaccord.

— Ça ne prouve rien, je suis certaine que c'est
une femme qui n'a aucun scrupule et qui peut
avoir plusieurs amants en même temps.

— Pitié, tu ne vas pas t'y mettre toi aussi ! fit
Sophie, mimant une prière, les mains jointes
vers le ciel.

— C'est ce qu'on raconte !

— « On », tu ferais mieux de ne pas trop
l'écouter. Je connais Sarah depuis son arrivée à
Véminan. C'est une belle femme, encore jeune,
elle aime la vie et donc les hommes. Elle en
profite, c'est vrai, ici ça surprend un peu, alors

« on » parle. Je ne peux jurer de rien, mais elle a certains principes et je ne pense pas que deux hommes à la fois fassent partie de ses habitudes. Après, ce n'est que mon avis !

— Tu as peut-être raison, répondit Lisa.

— En tout cas, je sais que c'est une personne de confiance. C'est d'ailleurs pour cela que je n'hésite jamais à recourir à elle pour s'occuper d'Elvira en cas de besoin.

— Et avec Cédric ? interrogea tout à coup Lisa.

— Comment ça, « avec Cédric » ?

— Elle n'a jamais essayé ?

Sophie poussa un soupir désabusé, agacée par la question de son amie.

— Si !

— Ah, tu vois, on ne peut pas lui faire confiance, je le savais !

— Lisa, arrête ! Mais non, elle n'a jamais rien tenté... à part de lui faire goûter ses bières. Mais ça, c'est un autre problème. Dans ce cas, il cède... comme à chaque fois qu'il en a l'occasion.

Sophie semblait plongée dans un profond désarroi.

— Je suis désolée de te faire penser à tout ça, s'excusa Lisa. Ce doit être difficile.

Sophie grimaça et haussa des épaules.

— Que veux-tu que je te dise ? Au moins il ne boit pas à la maison. Plus exactement, il ne boit pas assez pour qu'Elvira remarque son changement de comportement. Lorsque nous sommes invités, c'est une autre histoire. Tu vois, il n'y a pas que toi qui as des problèmes avec ton mari. Moi, il a une maîtresse, je n'ai aucun doute là-dessus, et elle s'appelle Bouteille !

Lisa était confuse, ne sachant quoi répondre à son amie.

— Et il n'a jamais cherché à comprendre, à consulter ?

— J'ai bien essayé de l'aider, mais avec le temps j'ai abdiqué. À chaque tentative c'était toujours la même réponse : il faut bien se détendre ! Tu vois, toi tu te poses des questions sur Hugo et une hypothétique liaison. Mais moi, je ne m'en pose plus aucune !

— Oui, oui, mais...

Sophie fixait Lisa. Elle se fit brusquement agressive.

— Tu crois qu'il vaut mieux avoir un mari infidèle ou un mari alcoolique ?

— Je ne sais pas... répondit Lisa.

— Allez, ça suffit la sinistrose, lança soudain Sophie. Et puis, je n'aime pas parler de ça ! Revenons à ce qui te préoccupe.

Confuse, Lisa n'osait relancer la conversation. Sophie poursuivit :

— Bon, pour reprendre ton sujet favori, je te répète que je ne confierais pas ma fille à Sarah si je ne lui faisais pas confiance, alors arrête un peu de psychoter !

— Sans doute.

— D'ailleurs toi non plus tu n'hésites pas à lui laisser Émilie !

— Tu as raison, fit Lisa, qui ne pouvait que confirmer les propos de son amie.

— Cet après-midi vous aurez l'occasion de démêler certaines... incompréhensions. Je ne sais pas si j'ai choisi le bon terme.

Lisa sourit à la remarque de son amie.

— Effectivement, tu aurais pu trouver mieux. *Wait and see !* Allez, au travail ! Le devoir nous appelle.

La matinée se poursuivit dans le calme. Sophie avait prévu trop de produits, son stand était encore bien achalandé en miel de toutes sortes lorsque le marché prit fin. Seuls les pains d'épice étaient en rupture. C'était un article périssable dont elle avait fortement réduit les quantités de fabrication depuis la mi-août ; elle ne souhaitait pas avoir trop de pertes. Elle était satisfaite : la saison des marchés avait été excellente et les achats à la ferme avaient significativement augmenté comparés aux années précédentes.

Les deux amies quittèrent Sarlat pour récupérer leurs filles chez Sarah. C'était la dernière fois qu'Émilie et Elvira passaient la matinée dans l'atelier de poterie. La rentrée scolaire était dans quelques jours. Fini les longues heures à pétrir, modeler et décorer l'argile : désormais, l'école devenait la priorité. Les horaires stricts et les devoirs allaient prendre la place des odeurs de terre et de pigments. Les visites chez Sarah pour terminer les pièces qu'elles n'avaient pas eu le temps de décorer attendraient les prochaines vacances... si les circonstances le permettaient.

Lisa était nerveuse. Émilie se reposait de son lever matinal lorsque Sarah arriva dans la cour de *La Part des Anges*. Elle était venue à vélo et Lisa, qui ne l'avait pas entendue, sursauta quand Sarah toqua à la porte d'entrée. Lisa avait l'habitude d'entendre les moteurs des véhicules monter le chemin de l'ancienne ferme, c'était la meilleure des sonnettes. Avec le temps elle avait appris à reconnaître certaines voitures : celle d'Hugo, bien sûr, mais aussi celles de Sophie et du facteur, ainsi que le bruit des tracteurs des voisins qui empruntaient parfois une partie du chemin pour se rendre plus aisément sur leurs terres sans passer par la route goudronnée.

Lorsqu'elle ouvrit à Sarah, Lisa se sentit mal à l'aise. Elle avait à de multiples reprises pensé à ce qu'elle allait dire, mais devant cette femme, elle perdait ses moyens, la panique la gagnait. Elle invita Sarah à la suivre sur la terrasse d'une voix à moitié cassée. Sarah fit mine de ne pas l'avoir remarqué.

Lisa se rendit aussitôt dans la cuisine pour échapper au regard de son invitée. Elle se força à inspirer lentement, elle devait absolument se calmer. Elle revint avec deux verres de jus d'orange qu'elle déposa, les mains tremblantes, sur la table.

— Tu n'aurais pas un thé plutôt ? Je ne suis pas très fan des jus de fruits.

Lisa s'excusa en bafouillant.

— Désolée, je suis un peu… Je reviens.

Les deux battants de la porte-fenêtre donnant sur la cuisine étaient ouverts. Sarah suivait chaque geste de Lisa. Les deux femmes étaient à quelques mètres l'une de l'autre. Elles auraient pu se parler, mais seul le ronronnement de la bouilloire meublait une atmosphère pesante. Sarah détaillait Lisa, qui sentait le regard de l'Irlandaise sur elle.

Lisa déposa les deux tasses et la théière sur un plateau et retourna sur la terrasse. Lorsqu'elle retira les sachets, ses mains tremblaient toujours. Malgré ses tentatives, elle n'arrivait pas à retrouver un peu de calme. Elle se sentait faible, vulnérable. Maladroitement, elle tenta de rompre ce silence insupportable.

— Je ne me souviens plus, tu prends du sucre ?

— Jamais, je n'aime pas ! Ça fausse les goûts naturels !

Le visage de Lisa trahissait sa peur, ses lèvres étaient crispées et quelques gouttes de sueur perlaient sur son front. C'est alors que Sarah prit la parole d'un ton posé et rassurant.

— Écoute, je vais être directe. C'est un peu mon défaut, paraît-il, mais on ne se refait pas.

Lisa répondit simplement :

— Je t'écoute.

— Je suis au courant de ce que vous avez enduré avec Hugo et Émilie. Je connais la raison de votre venue à Véminan, c'est courageux de ta part. Je suis sincèrement désolée. J'ai moi aussi refait ma vie, mais ça n'a rien à voir. Comparé à ce que j'ai connu, ce que tu as vécu est bien pire.

Lisa poussa un soupir de soulagement. En quelques phrases, Sarah avait trouvé les mots pour lui éviter un insupportable exposé de son passé.

— Émilie, je suppose ? demanda-t-elle.

Sarah haussa les épaules.

— Peu importe qui ! Mais oui, c'est ta fille qui s'est confiée à plusieurs reprises. C'était touchant comme elle parlait de son frère, de toi, de… son père.

Une larme roula sur la joue de Lisa. Sarah poursuivit.

— Je dois t'avouer que j'ai cherché à en apprendre plus. Non que je doute de la sincérité d'Émilie, mais, j'avais besoin de savoir.

Lisa trempa ses lèvres dans sa tasse, son visage reprit quelques couleurs. Ses mains tremblaient toujours.

— De savoir quoi ?

— Ne lui en veux pas, mais Sophie m'a parlé aussi. J'ai dû insister, elle ne voulait rien lâcher, mais je dois être très convaincante, plaisanta Sarah.

— Ce n'est pas grave, et puis à quoi bon ne rien dire ? Le silence est un poison qui tue lentement, soupira Lisa.

Sarah se cala contre le dossier de sa chaise et posa ses lunettes de soleil sur la table.

— J'en ai même parlé à notre cher maire, M. Balin. Par contre lui, une tombe !

Lisa esquissa un sourire crispé. Sarah se rendit compte de sa bourde et s'excusa.

— Le terme est mal choisi. Même si je connais très bien votre langue, il m'arrive parfois de faire des gaffes.

— Ce n'est pas grave, éluda Lisa.

— Pourtant il savait, ton mari lui avait tout dit.

Lisa se crispa instantanément et assura d'un ton ferme, sans plus aucune hésitation :

— Mon mari ! Oui, je sais, nous en avons longuement discuté et nous sommes d'accord : certaines personnes doivent savoir. Pour les autres, avec le temps, les on-dit suffiront !

Sarah parut surprise de ce changement soudain de comportement. Elle aurait souhaité être aussi directe concernant Hugo, mais préféra contraster son propos devant l'assurance inattendue dont faisait preuve Lisa. Elle s'exprima de manière détournée.

— Hugo est un homme charmant. Vous avez le droit d'être à nouveau heureuse.

Avant de répondre, Lisa lui proposa une nouvelle tasse de thé. Elle fit couler lentement le liquide encore fumant dans la tasse de son invitée, la fixant de son regard sombre qui ne laissait planer aucun doute quant à la sincérité de ses propos.

— Nous en avons le droit et nous serons heureux ! Et puis...

Et malgré l'angoisse qui l'étreignait, elle fit l'effort de poursuivre :

— Je sais que tu tentes de séduire Hugo !

C'était dit.

Sarah fit aussi preuve de franchise... à sa façon.

— Je tentais ! précisa-t-elle.

Lisa parut surprise.

— Que veux-tu dire ?

— Ce que je t'ai déjà dit : Hugo est un homme charmant et je n'étais pas insensible à son charme. Alors, oui, j'ai tenté de l'attirer. J'ai bien cru qu'il allait succomber. Il m'a pourtant fait comprendre qu'il ne le ferait pas et que l'amour qu'il te portait était bien plus fort que toutes mes tentatives de séduction. Et puis, votre histoire m'a touchée. Avais-je le droit de détruire ce lien qui vous unit pour quelques moments de plaisir ?

Lisa resta bouche bée devant un tel franc-parler.

— C'est lorsqu'il est venu chercher Émilie qu'il... ?

— Oui, c'est ce jour-là qu'il a été très clair !

Tout à coup, Lisa repensa à la scène qu'elle avait faite à Hugo parce qu'il était passé récupérer leur fille chez Sarah... Elle se sentait fautive, mais comment aurait-elle pu savoir ?

N'osant pas croiser le regard de son interlocutrice, elle répéta :

— Nous serons heureux !

— Je vous le souhaite. Quant à moi, la région regorge de très belles surprises, je ne les ai pas encore toutes découvertes !

Lisa se remémorera cette silhouette d'homme qu'elle avait aperçue le matin même. Comment cette femme pouvait-elle être aussi superficielle ? Elle avait perdu son mari alors qu'elle était encore jeune, peut-être était-ce une façon de ne plus souffrir ?

Encore une fois, Lisa avait bien du mal à cerner Sarah. Elle était parfaite dans le rôle de « gardienne » d'Émilie et d'Elvira. Elle leur consacrait beaucoup de temps et ne ménageait pas ses efforts pour que les deux petites filles s'épanouissent dans une activité créatrice. D'un autre côté, Sarah goûtait tous les plaisirs de la vie, quitte à passer pour une sorcière ou une croqueuse d'hommes. Et elle paraissait s'en moquer.

Alors que les deux femmes terminaient leur deuxième tasse de thé, Émilie arriva : elle venait de se réveiller de sa sieste. Elle embrassa sa mère et s'assit sur les genoux de Sarah.

Lisa ne s'en offusqua pas. Elle n'avait plus aucun doute quant aux intentions de la belle Irlandaise, Hugo ne faisait plus partie de ses proies, c'était le plus important.

Sarah détaillait la maison dans les moindres recoins à portée de regard. Non sans une certaine fierté, Lisa lui proposa de faire une visite rapide des lieux afin de lui faire découvrir les changements qu'ils avaient réalisés avec Hugo depuis leur installation. Pour la première fois, elle se sentit supérieure à cette femme, et cela lui fit du bien.

— Je ne comprends toujours pas pourquoi les anciens propriétaires ont refusé mon offre, dit Sarah.

— Moi non plus, répondit malicieusement Lisa.

— En tout cas, c'est magnifique, conclut l'Irlandaise avant de prendre congé.

Lisa regarda longuement Sarah descendre le chemin sur son vélo, sans jamais se retourner. À cet instant, un sentiment de bien-être l'envahit.

17

Existe-t-il un monde...

Existe-t-il un monde plus doux que la joue d'un enfant, plus tendre que la main qui caresse ?

Existe-t-il un monde plus triste que le regard d'un condamné, plus sombre que l'espoir qui s'enfuit ?

Existe-t-il un monde plus léger qu'un souvenir qui persiste, plus rassurant que les bras d'un ami ?

Existe-t-il un monde plus douloureux que les coups qui accablent, plus cruel que la volonté des tyrans ?

*
* *

Véminan, septembre 2017

Ce matin-là régnait une effervescence inhabituelle dans le bourg de Véminan. Le portail de l'école venait de rouvrir, c'était le jour de la rentrée et Mme Duluc, la directrice et ancienne maîtresse d'Émilie, avait bien du mal à canaliser tout ce petit monde. Pour les plus grands, ce n'était qu'une formalité, les parents ne s'attardaient pas, laissant leurs enfants retrouver avec plaisir leurs camarades. Pour les plus petits, la séparation était un déchirement qui s'éternisait beaucoup trop au goût de Mlle Rivière, maîtresse récemment nommée et qui allait officier dans la classe à double niveau maternelle-cours préparatoire. Mme Duluc lui vint en aide pour reconduire vers la sortie, poliment mais avec fermeté, les parents les plus récalcitrants, souvent bien plus angoissés que leurs enfants.

Lisa et Sophie, quant à elles, n'avaient pas eu le choix. Émilie et Elvira effectuaient leur rentrée en classe de CE2 et avaient imposé à leurs mères de ne pas franchir le portail. Les deux jeunes amies avaient estimé qu'elles étaient trop « grandes » pour être accompagnées jusqu'à la porte de leur salle de classe.

Lisa et Sophie découvriraient donc plus tard la nouvelle décoration des salles de classe à la suite des travaux de rénovation qui avaient eu lieu au cours des vacances d'été. M. Balin, le maire, avait dû gérer avec la plus grande fermeté l'intervention des différents corps de métier pour que l'école soit prête à accueillir les élèves le jour de la rentrée. Les odeurs de peinture flottaient encore dans la cour de récréation, trahissant une fin des travaux récente. Le maire du village n'était pas peu fier de cette nouvelle réalisation au sein de sa commune. L'inauguration officielle n'aurait lieu que deux semaines plus tard, mais M. Balin n'avait pas pu s'empêcher de s'improviser guide pour quelques parents impatients, ce qui avait tendance à agacer Mme Duluc, qui se serait bien passée de ces attroupements supplémentaires ; ils ne faisaient qu'ajouter de l'affolement dans les yeux des plus petits.

À 9 h 20, la directrice ferma enfin le portail de l'école, le calme pouvait commencer à s'installer. Les pleurs des plus petits se calmèrent alors progressivement, les échanges entre les élèves et leurs enseignantes débutèrent.

Lisa savait que sa fille s'épanouissait dans sa nouvelle école et qu'elle était heureuse d'y faire sa première véritable rentrée. Émilie s'y était fait de nombreuses amies, en particulier Elvira, dont elle était devenue inséparable. Une rentrée scolaire est toujours une séparation et, même si Lisa gérait mieux les situations où l'idée d'abandon lui venait à l'esprit, elle ne pouvait s'empêcher d'attendre avec impatience l'heure où le portail rouvrirait pour questionner sa fille, qui ne manquerait pas de lui assurer que tout s'était très bien passé.

Sophie sentit que son amie avait quelque peu le vague à l'âme et l'invita à boire un café chez elle. Elle lui demanda également de l'aider à réaliser son inventaire de la haute saison qui venait de se terminer. Lisa accepta avec joie.

— Voilà, nous avons tous ces cartons à vider et nous devons compter tous les pots qu'ils contiennent. Beaucoup de travail en perspective ! assura Sophie.

— Ah oui, effectivement, s'exclama Lisa qui découvrait la réserve où son amie entreposait ses stocks.

Le travail avançait dans la bonne humeur : Sophie à la manutention des cartons, tandis que Lisa s'occupait de pointer les quantités de produits. Sophie avait prévu deux jours de travail pour cet inventaire, mais grâce à l'aide de Lisa, elle espérait boucler cette fastidieuse tâche dans la journée.

En toute fin de matinée, elle fit l'aller-retour au village afin de récupérer Émilie et Elvira. Les deux mères avaient décidé que leurs filles ne resteraient à la cantine qu'à partir de la semaine suivante pour leur éviter de trop longues journées au début. Émilie et Elvira n'étaient pas forcément ravies de cette décision ; elles auraient préféré, dès le premier jour, rester avec leurs amies. Elles avalèrent rapidement leur repas puis s'isolèrent en attendant avec impatience de réintégrer leur école pour l'après-midi.

Lisa et Sophie se remirent au travail. Le tas de cartons à traiter était encore important.

— Elles nous ont un peu snobées, les filles, non ? demanda Lisa tout en pointant les réserves que venait de descendre Sophie de la plus haute étagère.

— C'est normal. Il vaut mieux ça plutôt que de les voir s'accrocher à nos jupes en hurlant.

— Oui, tu as raison. Mais bon, quand même... fit Lisa.

Tout en déplaçant l'escabeau, Sophie regardait son amie qui, avec la plus grande attention, comptait les différentes quantités de produits. Son visage lui parut apaisé.

— Tu as l'air d'aller mieux, toi. Depuis quelques semaines, j'ai l'impression que tu es plus calme, je me trompe ? Après, si tu ne veux pas m'en parler, je comprendrai.

Lisa haussa les épaules avant de répondre, prudente :

— C'est vrai, j'arrive à mieux assumer certaines choses. Mais je me sens encore si fragile quelquefois...

— Tu as besoin de temps, c'est tout, lança Sophie.

Lisa dodelina de la tête.

— Pas forcément !

Sophie s'étonna.

— Que veux-tu dire ?

— Bien sûr que le temps fait son œuvre, mais je crois que certains événements me font avancer plus vite que des mois d'attente et d'analyse.

À travers deux rangées de cartons, Sophie fixa son amie, surprise de sa réponse.

— De quels événements veux-tu parler ?

Lisa resta volontairement floue, fidèle à l'engagement qu'elle avait pris avec elle-même.

— Eh bien, la conversation que j'ai eue avec Sarah, mon dépôt de dossier pour reprendre un poste en cours d'année au lycée de Sarlat et... d'autres choses.

Sophie n'était pas dupe, elle avait eu des échos par Hector au village. Marie avait fait part à son vieil ami de la conversation qu'elle avait eue avec Lisa et de la motivation qu'elle avait pu ressentir chez elle. Sophie fit une réponse de circonstance pour ne pas froisser son amie.

— C'est bien de reprendre un poste. Et pour Sarah, désolée, mais elle a dû te dire que je lui avais parlé un peu de toi. J'espère que tu ne l'as pas mal pris.

Lisa leva la tête de son écran et sourit.

— Tu crois que si je t'en voulais, je serais là ?

— Non, bien sûr, acquiesça Sophie.

— Par contre, elle est vraiment bizarre, cette Sarah !

Sophie éclata de rire.

— Décidément, tu es comme les petits vieux du village, tu radotes. Tu crois vraiment que c'est une sorcière ? s'amusa Sophie, mimant un monstre sortant ses griffes.

Lisa haussa des épaules.

— N'importe quoi ! Mais avoue que c'est étrange la réaction qu'elle a eue concernant Hugo.

— Étrange peut-être, mais ça te convient !

— Évidemment, mais elle a quand même été capable de me dire qu'il y a d'autres hommes à séduire puisqu'elle a décidé, au vu de notre situation, de ne plus s'attaquer à Hugo ! Faut être un peu gonflée, non ?

— Elle a une liberté de parole qui surprend, mais c'est quelqu'un de bien, je t'assure.

— Mouais. Émilie se plaît avec elle, on va s'en tenir à ça !

Sophie attendit quelques instants avant de poursuivre.

— Le problème est réglé et c'est le principal.

— Évidemment, allez, bouge-toi. Nous avons encore toute une étagère à pointer.

En fin d'après-midi, Lisa récupéra sa fille à l'école et rentra à *La Part des Anges*. Constatant que les quelques fournitures scolaires qu'il fallait se procurer n'avaient rien de comparable avec les interminables listes qu'elle avait connues jusqu'à présent dans les écoles parisiennes, elle s'en étonna et demanda à Émilie si elle n'avait pas oublié de lui transmettre certains documents. Sa fille lui confirma que sa nouvelle maîtresse leur avait expliqué qu'elle était contre la multiplication des fournitures qui parfois ne servaient qu'à de rares occasions dans l'année. Quelques matériels achetés par l'école seraient utilisés par les élèves à tour de rôle. Lisa ne pouvait que se réjouir de cette décision frappée au coin du bon sens.

Émilie alla se reposer dans sa chambre après cette première journée bien remplie, et Lisa en profita pour se replonger dans la boîte contenant la correspondance et le carnet d'Alice. Elle s'installait dans le canapé, impatiente de découvrir les dernières pages du carnet, lorsque son portable sonna. C'était sa sœur, Anaïs ! Ses appels étaient si rares que Lisa décrocha avec empressement.

— Bonjour, ma grande sœur. Comment vas-tu ?

— Très bien, et toi ?

— Ça va, je suis contente de t'entendre. Alors, les Alpes sont toujours aussi belles ?

— Oui, oui, répondit Anaïs, qui semblait troublée.

— Tu as l'air bizarre, une mauvaise nouvelle ?

— J'ai eu maman au téléphone !

— Oui... moi aussi. Nous nous appelons régulièrement. Je l'ai d'ailleurs eue avant-hier, elle ne m'a rien dit de particulier. Que se passe-t-il ?

Anaïs fut directe, sans aucun filtre, comme à son habitude.

— C'est quoi ce truc dans lequel tu t'es lancée ?

— De quoi parles-tu ? s'étonna Lisa.

— Il paraît que tu étudies l'histoire d'une ancienne famille du village. Tu ne crois pas que tu as autre chose à faire ? Ça ne plaît pas trop aux parents, à moi non plus d'ailleurs !

Poliment, mais fermement, Lisa tint à recadrer sa sœur, dont elle n'appréciait pas le ton.

— D'abord, je fais ce que je veux, comme toi ! Ensuite, je n'étudie rien du tout, je prends connaissance de la correspondance d'un couple ayant habité à *La Part des Anges* pendant la dernière guerre. Des documents trouvés par hasard dans la maison, rien de plus.

— Ouais, et c'est bien ça qui inquiète papa et maman, alors ça m'inquiète aussi !

Lisa sentit la colère monter.

— Depuis quand tu te soucies des autres ?

Anaïs accusa le coup. C'était la première fois que sa sœur lui parlait aussi directement. Elle prit son temps et poursuivit son rôle de porte-parole de leurs parents.

— Ils ne comprennent pas et ils n'osent pas te le dire !

— Pourquoi maman ne m'en a-t-elle pas parlé ? rétorqua Lisa.

— Ils n'osent pas, je te répète, s'agaça Anaïs.

— Mais enfin, pourquoi donner tant d'importance à cette histoire ?

— Maman m'a dit que tu ne parlais plus que de ça, que cette femme... je me souviens plus de son prénom...

— Alice !

— Oui, Alice, enfin peu importe, elle t'obsédait et que tu ne pensais qu'à elle !

Lisa comprit alors ce que craignaient réellement ses parents, ou plus exactement ce qu'ils lui reprochaient. Elle poursuivit néanmoins.

— Ils ne t'ont rien dit d'autre ?

— Si, affirma brutalement Anaïs.

Lisa savait déjà ce qu'allait lui annoncer sa sœur.

— Je t'écoute.

— Eh bien, ils ont l'impression que tu t'occupes un peu trop de cette Alice et pas assez de ton mari, de ta fille et de Théo.

Avec sa délicatesse habituelle, Anaïs venait de taper là où ça faisait mal, très mal. Lisa ravala sa salive, son ventre se noua. Martine et Alain n'avaient toujours pas compris son départ de Paris. Ils ne l'avaient jamais exprimé de façon claire à leur fille, mais pour eux, elle avait abandonné le fils qu'elle avait perdu. Lisa en souffrait car, à chaque appel, sa mère ou son père ne manquaient pas de lui rappeler qu'elle ne revenait pas souvent à Paris et qu'heureusement qu'ils étaient là pour entretenir la tombe de leur petit-fils. Ce sont des paroles qui heurtent, surtout quand elles viennent de ses parents, mais Lisa se devait d'assumer son choix. Depuis quelques semaines, elle leur parlait en effet régulièrement d'Alice et de Gabriel, et ils ne comprenaient pas que, au-delà de l'intérêt de la découverte, ce long cheminement à travers l'histoire d'Alice pouvait aussi représenter une forme de thérapie pour leur fille. Pour ses parents, c'était comme si Lisa cherchait toutes sortes d'occupations pour chasser de ses pensées le souvenir de son fils.

— Mais à chaque instant, Théo est en moi. Hugo et Émilie sont ma préoccupation principale, leur bonheur, leur bien-être...

Lisa ne put poursuivre, elle se mit à pleurer.

Anaïs se radoucit aussitôt.

— Ne te mets pas dans un état pareil. Tu sais, les parents, des fois il faut en prendre et en laisser. De toute façon, je n'ai pas de leçon à te donner, moi... J'ai tout quitté, alors à leurs yeux, je ne vaux pas mieux que toi.

Des confidences et une remise en cause bien inhabituelles de la part d'Anaïs.

— C'est gentil, fit Lisa en essuyant ses larmes avec le revers de sa manche.

— Allez, ne t'en fais pas trop. Mais ne te transforme quand même pas en professeur d'histoire, car c'est l'anglais que tu enseignais et que tu enseigneras à nouveau bientôt, ne l'oublie pas !

Lisa appréciait cette surprenante bienveillance. Elle savait que ça ne durerait pas, le naturel reprendrait ses droits comme à chaque fois qu'elle avait espéré un soutien durable de la part de sa sœur.

— Pas de souci, et... merci de ton appel.

— Un dernier conseil : ne leur parle plus de cette Alice. Ils ne comprennent pas que tu puisses t'intéresser à autre chose qu'à... Enfin, tu vois ce que je veux dire. Et puis en même temps, tu ne vas pas faire sortir des fantômes des pierres et des poutres, badina Anaïs en éclatant de rire.

— Non... Bien sûr que non... Bises, ma sœur.

— Je t'embrasse, je dois te laisser, c'est l'heure de la traite, Émilien a besoin de moi.

Lisa raccrocha. La dernière remarque d'Anaïs la fit sourire. Quelquefois, elle ressentait tellement la présence d'Alice qu'elle se demandait si son imagination n'allait pas être la plus forte et si Alice n'allait pas apparaître.

Il était près de 18 h 30 lorsque Lisa entendit le ronronnement d'un moteur et crut reconnaître le véhicule d'Hugo. Étonnée, elle vérifia l'heure à la pendule de la salle à manger. Il ne pouvait s'agir que d'une personne possédant la même voiture que son mari. Mais c'était bien Hugo qui se garait sous le hangar, comme chaque soir lorsqu'il ne prévoyait pas de repartir pour des rendez-vous tardifs. Lisa traversa la cour au-devant de son mari, le visage rayonnant.

— Tu n'as pas de visites à faire après le repas ?

— Non, fit Hugo en attrapant sa sacoche sur le siège arrière.

— Ah bon, mais d'habitude...

— D'habitude, oui, mais pas aujourd'hui. Et d'ailleurs j'ai décidé que, désormais, consulter jusqu'à 18 heures, c'était bien suffisant !

Lisa écarquillait les yeux. Elle connaissait suffisamment Hugo pour savoir qu'il ne plaisantait pas. Il prit sa femme par l'épaule et se dirigea vers la maison. Son sourire ne le quittait pas. Il balança sa sacoche sur la chaise de son bureau et posa sa veste par-dessus. C'est alors qu'Émilie déboula du couloir et sauta dans les bras de son père.

— Papa, tu manges avec nous ce soir ?

— Oui, ma fille, fit-il en lui caressant la joue.

— Je ne veux pas que tu repartes après ! dit la petite fille avec une moue boudeuse.

— Il n'en est pas question. Regarde : mes affaires sont là. D'habitude, quand j'ai d'autres rendez-vous, je les laisse dans la voiture.

Émilie paraissait aussi perplexe que sa mère.

— C'est vrai, maman ?

Lisa haussa les épaules.

— Je crois.

— Bon, assez discuté, trancha Hugo, j'ai envie de me balader avant le dîner. Ça vous dit ?

Émilie se mit à sauter de joie.

— Oui, oui ! Je prends mon vélo. On reste sur le chemin, d'accord ?

— Accordé, dit Hugo, qui fit signe à sa fille de se préparer à sortir.

Lisa ne pouvait quitter son mari du regard. Elle ne comprenait pas cet entrain si soudain. Depuis la fin des vacances, Hugo traînait un épuisement bien légitime qu'il avait du mal à dissimuler. Alors qu'elle enfilait ses baskets, elle lui demanda :

— Tu vas me dire ce qui se passe ?

Pour toute réponse, il la prit par la main. Elle sentit sa peau chaude et douce contre ses doigts. Elle ne put s'empêcher de la serrer un peu plus fort. Ils sortirent. Devant eux, Émilie tentait désespérément de monter la petite côte en appuyant aussi fort qu'elle le pouvait sur les pédales. Elle finit par abdiquer, descendit de son vélo et le poussa.

— Alors ? questionna Lisa, impatiente d'en savoir plus.

— Tu te souviens que je t'ai parlé d'un jeune confrère qui semblait désireux de s'installer avec moi au cabinet ?

— Oui. Tu l'as revu ?

— Quatre fois. Je l'ai revu quatre fois ! insista-t-il.

— Ah ? Et tu ne m'en as pas reparlé...

— Je n'ai pas osé, tu n'avais pas l'air très intéressée.

Lisa baissa la tête, elle se rappela ce jour où elle voulait absolument qu'Hugo partage son intérêt pour l'histoire d'Alice et où il avait refusé de peur que sa femme ne s'enferme dans un autre passé que le sien. Depuis, elle avait pris certaines décisions, et désormais, elle était prête à écouter Hugo. Elle redressa la tête. Au loin, la pointe des pins se courbait sous le vent d'ouest qui s'était levé dans l'après-midi, annonçant la vague de pluie prévue pour la nuit. Elle se colla contre son mari et lui prit le bras.

— Et alors, il est toujours intéressé ?

Lisa ne pouvait le voir, mais Hugo ferma les yeux un instant et poussa un soupir de satisfaction.

— Il est plus qu'intéressé. Nous avons signé cet après-midi. Nous sommes désormais associés ! Nous devons nous organiser pour les horaires, mais il a accepté d'assurer la soirée au cabinet et les urgences. Au début, il avait l'air un peu stressé, mais Katia lui a tout expliqué concernant le côté administratif, il a été rassuré.

Au fond d'elle, Lisa était heureuse, mais une sensation de vide l'envahit. Elle se demandait s'ils arriveraient, comme avant, à profiter de leur temps libre ensemble. Un étrange sentiment la faisait douter, mais elle voulait se donner la chance d'y croire.

— Je suis contente, ça va te... Ça va nous changer la vie.

— Oui, fit-il d'une voix claire.

— Pourquoi l'as-tu vu quatre fois ?

— Pour régler le financement. L'argent a failli tout faire capoter, malgré les efforts de M. Balin. Mais le maire ne pouvait pas faire mieux, la rénovation de l'école a vidé les caisses de la commune. J'ai donc pris la décision de faire un effort significatif pour permettre de boucler le dossier. Il a signé.

Lisa serra un peu plus fort le bras de son mari.

— Tu as eu raison ! affirma-t-elle.

— Financièrement, ce n'est pas une bonne affaire. Mais le plus important n'est pas là. Il fallait que je casse quelque chose dans cette vie de médecin de campagne, certes passionnante, mais qui me prenait trop de temps.

— Tu as bien fait, ce n'est peut-être pas une bonne affaire mais... la procédure judiciaire est enfin terminée... Nous allons recevoir une somme non négligeable. À défaut d'apaiser notre douleur, elle pourra te permettre de continuer de soigner tes patients sans prendre le risque de t'épuiser.

Hugo, surpris, ne put retenir son geste et posa son index sur les lèvres de sa femme. C'était la première fois qu'elle évoquait ce sujet depuis le premier jugement, qui venait d'être confirmé en appel.

— Ça n'a rien à voir, fit-il. Sans ça, j'aurais pris la même décision ! Et puis, ce procès, je ne veux plus en entendre parler ! Comment est-il possible d'échapper à de la prison ferme quand on est responsable de la mort d'un enfant ?

Lisa dégagea de son visage la main de son mari.

— Hugo, tout ça est derrière nous, nous devons accepter.

— C'est difficile...

— Je sais, mais n'ajoutons pas la haine au chagrin.

Stupéfait, Hugo regarda sa femme avec une sorte d'admiration. Elle en avait fait, du chemin !

Émue, presque gênée, Lisa changea de sujet.

— De quoi parlions-nous déjà ? De mon confrère. En ce qui concerne l'organisation, c'est encore trop tôt pour les détails, nous verrons. Katia doit dresser le planning de toutes les plages horaires à assurer. Je lui fais confiance, elle saura optimiser tout ça ! affirma Hugo, qui paraissait libéré.

— Il est originaire de quelle région ? Il exerçait en libéral ? demanda Lisa.

— Il vient des campagnes du Nord. Il a fait ses études à la faculté de médecine de Lille. Il n'a jamais véritablement exercé, juste quelques remplacements en ville qu'il n'a pas du tout appréciés.

Lisa paraissait dubitative.

— Eh bien, je lui souhaite bon courage. Tes patients vont peut-être tordre le nez, ils s'étaient habitués à toi.

— Sans aucun doute ! Il est motivé, il saura faire, mais le plus important, c'est qu'il soit là ! conclut Hugo.

Lisa acquiesça d'un signe de tête. Émilie pédalait doucement, s'arrêtant régulièrement pour vérifier que ses parents n'étaient pas trop loin.

Après une heure de marche, la promenade se terminait lorsque Hugo parut tout à coup plus tendu. Il se racla la gorge à plusieurs reprises. Comportement qui contrastait avec sa récente décontraction.

— Ça ne va pas ? Tu as autre chose à me dire ? s'enquit-elle alors qu'Émilie avait déjà rangé son vélo sous le hangar.

— Tout va bien, affirma-t-il sans conviction.

Lisa fixa son mari.

— Tu sais, si quelque chose te préoccupe, tu peux m'en parler.

Hugo hésitait. Il savait que Lisa allait mieux. Même si sa fragilité était encore perceptible, elle paraissait moins tourmentée, se tournant plus vers l'avenir. Mais n'allait-il pas trop vite dans la proposition qu'il souhaitait lui faire ? Il prit le risque et se lança.

— Écoute, c'est peut-être trop tôt, ne te gêne pas pour me dire si tu n'es pas d'accord.

Émilie s'impatientait, elle était déjà rentrée dans la maison alors que ses parents étaient toujours dehors, à l'ombre du mur de l'ancienne grange.

— Je serai franche, promis. Mais pour ça il faut que je sache de quoi il s'agit ! dit-elle avec un sourire amusé.

— Eh bien, j'ai pris la liberté de réserver une location à Biarritz pour le week-end. Nous pourrions partir demain après l'école, changer d'air un peu avec Émilie. Mais c'est toi qui décides, s'empressa-t-il de préciser.

Lisa ne put dissimuler son étonnement, elle ne s'attendait pas à une telle initiative de la part d'Hugo.

— Demain ? s'étonna-t-elle.

— Tu as raison, oui, c'est trop tôt, j'aurais dû te prévenir, excuse-moi…

Lisa répliqua d'une voix claire :

— Je n'ai rien dit de tout cela. C'est nouveau et soudain, voilà tout.

— Je comprends, une autre fois, je vais annuler ma réservation, déclara Hugo sans attendre la réponse de sa femme.

— Avec joie ! Nous partons demain donc, confirma Lisa.

— C'est vrai ?

— Oui ! Et je constate que tu as déjà bien réparti ton travail avec ton associé fraîchement débarqué, lui fit remarquer Lisa d'un ton ironique.

Hugo la prit par la main.

— Viens, allons l'annoncer à Émilie.

Lisa avait répondu par l'affirmative, mais serait-elle capable de lâcher assez prise pour profiter de ce premier week-end en famille dans un nouveau lieu ? À cet instant, elle savait qu'elle plongeait dans l'inconnu.

Émilie fut ravie d'apprendre que, le temps d'un week-end, elle pourrait aller la plage, se baigner dans l'océan et dormir dans un immense lit ; son père avait réservé un appartement avec deux chambres. Dès le repas terminé, Émilie fila préparer sa valise. Ses parents la laissèrent faire ; elle était heureuse. Cela faisait si longtemps qu'ils n'étaient pas partis tous les trois en vacances. Demain, Lisa vérifierait et compléterait la valise de sa fille, pour l'instant il n'était pas question de gâcher sa joie.

Ce soir-là, Hugo ne se coucha pas trop tard. Son associé avait accepté de le remplacer pour la soirée et d'effectuer les consultations du vendredi soir et du samedi matin, mais en contrepartie Hugo s'était engagé à assurer l'ouverture du cabinet le lendemain matin et à s'occuper des cas délicats que son confrère n'aurait pas pu traiter la veille. Sa journée du vendredi démarrerait donc très tôt, aux environs de 6 heures du matin. Il s'excusa auprès de sa femme et, vers 22 h 30, il partit se coucher.

Toutes ces nouvelles avaient chamboulé Lisa, elle était inquiète. Elle promit à Hugo qu'elle le rejoindrait à minuit, au plus tard. Avant de s'installer sur un des transats de la terrasse pour, enfin, pouvoir découvrir la suite des échanges d'Alice et de Gabriel, elle monta vérifier que sa fille dormait. Elle poussa lentement la porte et sourit en découvrant la valise où Émilie avait entassé à la va-vite quelques habits et deux maillots de bain.

Puis Lisa constata que les volets de la chambre de Théo étaient restés ouverts. D'habitude, c'était Hugo qui se chargeait de les fermer.

Aujourd'hui, il avait oublié, trop accaparé par tout ce qu'il avait eu à gérer et à annoncer. Lisa ne supportait pas de voir ces volets ouverts lorsqu'il faisait nuit. Elle prit sur elle et entra dans la pièce. Elle alluma le plafonnier et se dirigea vers la fenêtre. Tous les objets autour d'elle lui rappelaient son fils, un moment de sa vie, un anniversaire, un événement particulier. Elle savait qu'elle ne devait pas rester trop longtemps dans cette chambre. Elle était déjà sur la mezzanine lorsqu'elle entendit un grincement venant de la chambre de son fils. Elle crut reconnaître le bruit de la porte de l'armoire, qui avait dû s'ouvrir avec l'appel d'air provoqué par la fermeture des volets. Lisa n'appréciait pas que tout ne soit pas parfaitement à sa place dans cette pièce. Elle revint sur ses pas et vit qu'effectivement, les deux battants de l'armoire étaient grands ouverts. Elle vérifia qu'elle n'avait pas oublié de fermer la fenêtre et regarda autour d'elle, rien d'autre n'avait bougé...

Elle s'apprêtait à refermer l'armoire lorsqu'elle tomba sur quelques-unes de ses robes aux couleurs vives et aux motifs fleuris qu'elle avait rangées là. Elle les avait oubliées. Elle se saisit d'un cintre sur lequel était pendue une robe avec des tournesols jaune vif sur fond rouge. Elle se souvint de la dernière fois qu'elle l'avait portée, c'était quelques jours avant la disparition de Théo. Elle la déposa sur le lit et attrapa une autre robe, d'un bleu ciel intense et parsemée de petites fleurs de coquelicot. Elle décida de mettre ces deux robes dans sa valise.

En refermant la porte de l'armoire, elle constata que les verrous étaient abaissés sur les deux vantaux. Comment avaient-ils pu s'ouvrir ? Elle sourit. Son imagination peut-être...

Elle descendit doucement l'escalier, à l'affût du moindre bruit, du moindre signe de présence, l'ouverture de l'armoire était-elle un hasard ? Le silence régnait dans la maison. Lisa s'installa enfin sur un transat de la terrasse, la nuit était fraîche, elle mit un plaid sur ses jambes et prit des courriers de Gabriel qu'elle n'avait pas encore lus, le carnet intime d'Alice posé sur ses genoux.

*
* *

Il y avait peu de cartes de Gabriel écrites entre 1941 et 1944. Une dizaine, pas plus. Lisa les lut à plusieurs reprises, cherchant à détecter une période où les envois se seraient peut-être perdus, mais aucun indice ne lui permit d'arriver à cette conclusion. Toujours les mêmes plaintes, les mêmes espoirs, les mêmes attentes. Gabriel s'était-il découragé et acceptait-il que cette guerre ne finisse jamais ? Les courriers avaient-ils été égarés ? Alice en avait-elle détruit certains ? Des tas de questions qui resteraient à jamais sans réponse.

Lisa ouvrit le carnet d'Alice. Là aussi, pendant près de trois ans, les écrits avaient été rares. À chaque page, la même impression que dans les cartes de Gabriel : une sorte de courage qui s'enfuit. Alice y racontait le travail à la ferme, Jean qui grandissait, ses parents qui s'étaient résignés à l'absence de Gabriel, l'état de santé de sa grand-mère qui se dégradait.

Lisa tournait les pages, une à une, lisant et relisant toujours ces descriptions quasi identiques d'une vie qui s'étirait dans la peine et la résignation.

Ses paupières lui piquaient, le sommeil n'était pas loin. Mais il ne lui restait que trois pages à lire, datées du 25 mai 1944. Le titre l'interpella : « *Ça tient à quoi une vie ?* »

Elle décida de finir la lecture du carnet.

18

Ça tient à quoi une vie ?

On fête des centenaires et on pleure des enfants, ça tient à quoi une vie ?

À une seconde de trop, au sort qui s'acharne, au hasard qui hésite et qui bascule du bon ou du mauvais côté.

À la grande loterie de l'existence, il n'y a ni gagnant ni perdant, nous sommes tous des spectateurs, de simples observateurs d'un destin que rien ne peut contrôler.

Ça tient à quoi une vie ? À rien et à tout à la fois ! À un au revoir manqué, à un départ trop précipité, à une main qu'on lâche, à une voix qui s'éteint.

*
* *

Véminan, début 1944

Les premières rumeurs d'une défaite de l'Allemagne nazie circulaient depuis quelques mois. L'Europe ressemblait à un immense champ de bataille, des villes entières n'étaient plus que des tas de ruines où régnait une odeur de mort.

Jusqu'à la fin de l'année 1942, la région de Sarlat, en zone libre, avait vécu cette guerre uniquement à travers les nouvelles qui parvenaient à ses habitants parfois avec des semaines de retard. À Véminan, Alice et les autres femmes de prisonniers s'échangeaient ces nouvelles lorsqu'elles avaient la chance de recevoir du courrier de leur homme ; il s'agissait de cartes préimprimées par les autorités allemandes.

Alice les connaissait par cœur. Au recto, à l'encre noire, étaient indiquées les informations officielles en allemand puis, juste en dessous ou à côté, dans une taille de police inférieure, la traduction en français, détail glaçant d'une domination à laquelle les prisonniers et leurs familles s'étaient habitués, ils n'avaient pas d'autre choix.

Ce qui avait toujours frappé Alice, c'était les trois mots « *Postkarte* – Carte postale » bien calés en haut à gauche. Ça se voyait, bien sûr ! Mais ce n'était quand même pas une carte postale comme les autres. Au verso, Gabriel disposait de sept lignes, pas une de plus, alors il écrivait le plus serré possible. Si jamais un mot dépassait, la censure allemande, par plaisir, bêtise ou sadisme, détruisait le courrier. Même si la carte partait oblitérée du camp de prisonniers Stalag VI-G, l'assurance de la voir distribuée à *La Part des Anges* était faible. Parmi toutes les cartes datant de la détention de Gabriel, il y en avait une, reçue au début de l'année 1942, qu'elle relisait plus souvent que les autres... Il y était noté, en caractères ultraserrés pour ne pas dépasser le nombre de lignes imposé :

Alice,
J'ai reçu tes lettres du 29/11 et du 2/12 ainsi que le colis avec quelques produits de la ferme. Comme il est arrivé la veille de Noël, j'avais de bonnes réserves pour les fêtes. Dans un de tes courriers, tu me disais que je devais penser fort à vous, sois sûre que je ne fais que ça ! Pour chasser les mauvaises idées, je regarde souvent la photo de mon petit Jean, la tienne je ne l'ai plus, elle a sans doute disparu au cours d'un de nos transferts ou lors d'une fouille. J'espère que vous avez enfin reçu celle que j'ai envoyée le mois dernier. Si un jour nous pouvons revivre ensemble, nous devrions bien être heureux. Aurons-nous ce bonheur pour l'année qui va commencer ? Bons baisers, Gabriel.

Alice voulait se persuader que le souhait de Gabriel se réaliserait avant la fin de l'année 1942. Mais deux ans plus tard, elle espérait toujours, sans avoir revu son mari.

Le 11 novembre 1942, les Allemands violèrent les accords partageant la France en deux zones.
La résistance s'organisait et les maquisards se regroupaient dans les endroits les plus reculés de la France libre, où ils pouvaient cacher des armes et faire transiter des troupes des forces

alliées. La région de Sarlat, par son isolement, était propice aux activités de résistance, et de nombreuses cellules s'étaient installées dans des granges abandonnées difficiles d'accès. Les Allemands le savaient et luttaient avec acharnement contre ces groupes insaisissables qui leur occasionnaient parfois de lourdes pertes.

Jusqu'au 24 mai 1944, aucun uniforme allemand, aucun claquement de bottes n'avait été entendu à Véminan. Quelques semaines avant le débarquement allié en Normandie, les autorités allemandes décidèrent de concentrer leurs forces dans le nord de la France, et la plupart des divisions cantonnées dans le sud du pays reçurent l'ordre de s'y rendre le plus vite possible. C'est ainsi que la division Das Reich, partie de Valence-d'Agen et qui allait œuvrer quelques jours plus tard à Oradour-sur-Glane, sema la terreur sur sa route. D'abord le 21 mai avec la terrible rafle de Lacapelle-Biron dans le nord-est du Lot-et-Garonne, où seulement vingt-six hommes sur les cent dix-huit arrêtés avaient revu leurs proches.

Le 24 mai au matin, sur dénonciation de deux habitants de Véminan, le commandant von Markt décida de bloquer les trois routes d'accès au village. Les habitants furent « invités » à se rendre sur la place du marché. Ceux qui avaient caché des familles juives furent exécutés, ligotés contre la porte d'une grange. Mais ce que recherchaient les Allemands en priorité, c'étaient les caches d'armes. Les renseignements qu'ils avaient obtenus faisaient état d'un contingent d'une cinquantaine de résistants dans les bois au-dessus du hameau de Saint-Boliès. L'occasion était trop belle de faire un exemple. Deux véhicules blindés se dirigèrent alors vers le hameau avec l'intention de détruire le repaire des résistants.

Arrivé au croisement du chemin de *La Part des Anges,* un des véhicules ralentit et s'engagea vers la ferme avec pour objectif de couper la retraite des maquisards qui tenteraient de fuir par les épaisses forêts.

Alice savait que les Allemands étaient à Véminan et semaient la terreur ; le jeune fils de la ferme voisine, Marcel, avait pu s'échapper et courir à travers champs et bois pour avertir les fermiers de ne pas se rendre là-bas. Alice était inquiète pour ses amis du village ; le claquement des armes, le matin, avait résonné dans toute la vallée. Elle ignorait que trois familles avaient été exécutées juste parce qu'elles avaient tenté de sauver des êtres humains de la barbarie.

Jamais Alice n'aurait pensé que des soldats allemands emprunteraient le chemin de la ferme. Elle était dans la grange et s'occupait d'un jeune veau né la veille lorsqu'elle entendit un bruit sourd monter de la vallée, le ronronnement d'un moteur inconnu. Elle comprit tout de suite et se précipita à l'intérieur de la maison.

Voici ce qu'elle nota à la date du 25 mai 1944 dans son carnet.

*
* *

La Part des Anges, 25 mai 1944

Ça tient à quoi une vie ?

J'ai vite compris qu'il ne s'agissait ni d'une automobile ni d'un tracteur, le bruit était plus sourd et les cris des soldats se firent entendre lorsque l'automitrailleuse arriva à mi-chemin de la montée.

J'ai pensé à Jean qui jouait dans la cour. J'ai couru vers la maison, j'ai attrapé notre fils, bloqué la porte avec ce que je trouvais et j'ai crié à mes parents de nous rejoindre au grenier. Nous n'avions pas le temps de faire monter ma grand-mère, trop handicapée. Elle est restée seule dans la cuisine face à la porte d'entrée. Avant que je referme la trappe du grenier, elle m'a souri et m'a fait signe de ne pas m'inquiéter. S'ils entraient, elle leur dirait qu'elle était seule et que nous étions aux champs, ils n'auraient pas le courage de tirer sur une vieille femme qui pouvait à peine bouger. Avec Jean et mes parents, nous nous sommes cachés derrière les sacs de grains. De là, à travers les finestrous du grenier, nous pouvions apercevoir le véhicule blindé qui venait de s'immobiliser au milieu de la cour.

Mon cœur battait très fort, je serrais Jean dans mes bras. Je savais que là où nous étions, les Allemands ne pouvaient pas nous voir. Il fallait juste ne pas faire de bruit.

C'est étrange, une guerre... Pendant près de cinq ans, j'ai eu peur pour toi. Pour nous, ici à La Part des Anges, *malgré les difficultés, jamais* je n'aurais cru voir la mort en face et pourtant hier, j'ai cru mourir, j'ai cru que nous allions tous mourir, j'ai pensé qu'ils allaient tirer ou mettre le feu à la ferme. Le véhicule ne bougeait pas, le moteur ronronnait au ralenti. Je n'ai vu que le visage du soldat qui tenait la mitrailleuse, les autres étaient à l'intérieur du véhicule et n'en sont pas sortis. Je garderai l'image d'un jeune homme qui devait avoir à peine vingt ans, son regard était bien trop doux pour être à cette place. Une absurdité de plus dans cette guerre qui n'a pas de sens. De l'intérieur du véhicule, son supérieur lui criait des ordres, il paraissait affolé, répondant à chaque fois par l'affirmative. Il enclencha la culasse de la mitrailleuse et se mit à tourner lentement, balayant les quatre côtés de la ferme à l'affût du moindre signe de vie. Puis la tourelle se repositionna face à nous. À cet instant, j'en étais sûre, il allait tirer. Je ne sais pas combien de temps a duré ce face-à-face. J'avais posé ma main sur la bouche de Jean, je sentais ses tremblements, ma mère n'arrêtait pas de se signer et d'égrener les perles de son chapelet. Un chapelet contre une mitrailleuse...

Tout à coup, un échange de tirs se fit entendre dans le bois des Gariottes au-dessus de la ferme. Instantanément, un ordre résonna. Le jeune homme baissa sa mitrailleuse, s'assit sur la tourelle, et le conducteur accéléra. Un épais nuage de fumée emplit la cour et le véhicule se dirigea à vive allure vers les premières châtaigneraies.

Pendant près d'une heure, personne n'osa parler. Aucun tir, rien, juste un bruit de moteur qui *tournait au loin. Je n'avais qu'une crainte : qu'un maquisard ait l'idée de venir se cacher ici ; il aurait signé notre arrêt de mort.*

Ce n'est qu'en début d'après-midi que Marcel revint nous avertir que les Allemands avaient reçu l'ordre d'accélérer leur remontée vers le nord et que nous pouvions sortir de notre cachette. Les maquisards n'avaient subi aucune perte et les caches d'armes étaient toujours bien à l'abri. Par contre, à Véminan, douze personnes avaient été exécutées. Après les avoir abattues, les Allemands avaient exposé leurs corps sur une charrette au beau milieu du village. Même la petite Éliette, âgée de quatre ans, n'avait pas été épargnée. Le soir, je suis descendue à Véminan pour aider. J'avais l'impression qu'elle allait se réveiller. Comment est-ce possible ?

Reviendront-ils ? Je n'en sais rien. J'ai peur Gabriel, si tu savais comme j'ai peur. Bientôt cinq ans que tu es parti. Parfois, le découragement me gagne. Combien de temps encore vais-je tenir sans toi ?

Gabriel, je suis fatiguée, je vais essayer de me reposer un peu, Jean dort enfin.

Nous avons eu de la chance, ça tient à quoi une vie ?

19

Je te le promets !

J'effacerai la peur, je gommerai le doute
Je réinventerai un avenir, je dessinerai une route
Je te le promets !
J'imaginerai une histoire, j'écrirai une nouvelle page
Je tiendrai ta main, je caresserai ton visage
Je te le promets !
Je retiendrai le soleil, j'éclairerai ton chemin
Je sécherai tes pleurs, je deviendrai ton destin
Je te le promets !

*
* *

Biarritz, septembre 2017

Il était près de 20 heures lorsque Hugo immobilisa son véhicule sur le parking de la résidence où il avait effectué la réservation pour le week-end. Émilie ne pensait qu'à une chose, elle l'avait d'ailleurs assez répété tout au long du trajet : tremper ses pieds dans l'eau le soir même. Il n'était pas question qu'elle attende jusqu'au lendemain pour passer un peu de temps à la plage. Ses parents tentèrent de l'en dissuader, prétextant l'heure tardive, mais ils n'insistèrent pas longtemps ; eux aussi avaient envie de respirer l'air marin, de se gorger d'espace et de liberté face à l'océan.

Ils déposèrent leurs valises dans l'appartement, qui offrait, à travers la baie vitrée du salon, une magnifique vue sur la plage principale de Biarritz.

— Waouh ! s'exclama Émilie, le nez collé à la vitre. Vite, on y va !

Lisa ne prit même pas le temps de défaire les bagages, il y avait bien plus important : satisfaire l'envie d'Émilie et passer un moment de complicité en famille. Cela faisait tellement de temps qu'elle n'avait pas été si détendue, prête à accueillir comme ils venaient les instants d'une soirée de fin d'été avec son mari et sa fille.

Ils descendirent vers la plage, les derniers baigneurs finissaient de profiter de leur après-midi de farniente. Quelques surfeurs glissaient encore sur les rouleaux de la marée montante.

Le soleil commençait à baisser à l'horizon, bientôt la nuit envahirait la plage, les falaises et l'océan.

Lisa prit la main d'Émilie.

— Si tu veux tremper tes pieds dans l'eau, c'est maintenant ! Mais elle doit être fraîche, prévint-elle en invitant Émilie à enlever ses chaussures.

— Pas grave, maman, allez viens avec moi !

Lisa ôta ses baskets. La mère et la fille se mirent à courir vers les vagues. Hugo s'assit sur le sable déjà frais. Il entendait les rires d'Émilie et de Lisa, l'émotion lui nouait la gorge. Un bonheur simple l'envahissait. Quelques mois plus tôt, il n'aurait jamais imaginé vivre un tel moment. Il en appréciait chaque seconde, chaque détail. Tout était encore si fragile, mais désormais, il savait que Lisa était prête à assumer son douloureux passé et à imaginer un avenir.

— Papa, papa, elle est trop bonne, tu sais ! Regarde, j'ai de l'eau jusqu'aux genoux ! cria Émilie qui tentait de couvrir le bruit de l'océan.

Son père lui fit un signe de la main. Il regarda Lisa qui sautait pour éviter quelques rouleaux plus forts que les autres. Son jean était mouillé, elle semblait s'en moquer. Elle redevenait, l'espace d'un instant, la femme parfois insouciante qu'elle était autrefois. Cette femme qui avait su le séduire avec son mélange de fragilité et de sérénité.

Lisa vint s'asseoir à côté de son mari, laissant Émilie s'amuser seule à sauter dans l'écume des vagues qui n'en finissait pas de s'étaler sur le sable.

Hugo ne put cacher son étonnement ; sa femme d'habitude surprotégeait sa fille.

— Tu la laisses seule ?

Lisa replia ses jambes et posa ses mains sur ses genoux. Elle fixa son mari.

— Oui. Dans trois centimètres d'eau et à quinze mètres de nous !

— Bien sûr, elle ne risque rien, confirma-t-il.

— Je sais ce que tu penses, soupira Lisa.

— Ah bon, dis-moi tout, fit-il sur le ton de la plaisanterie.

— Tu es étonné que je laisse Émilie comme ça. Ce n'est pas forcément facile, mais je me force pour elle. Pour lui permettre de vivre normalement.

— C'est une bonne chose, assura Hugo.

Elle posa la tête sur l'épaule de son mari.

— Je voulais te dire merci !

— De rien, ce week-end nous fera le plus grand bien.

— Pas pour ça, Hugo. Même si j'apprécie d'être ici avec toi et Émilie.

Hugo, surpris, balbutia :

— Ah bon ? Et… pour quelle raison alors ?

— Pour avoir été patient, pour avoir compris que c'était le moment de s'échapper quelques jours de notre nouvelle vie.

À nouveau, Hugo eut la gorge nouée. Il ne répondit rien, Lisa poursuivit :

— J'ai envie que nous revenions un jour ici, sur cette même plage, tous les deux.

Hugo dégagea les mèches qui, avec le vent, tombaient sur le front et dans les yeux de sa femme.

— Je te le promets !

Le week-end se déroula dans le calme et le plaisir d'être ensemble. Chacun profita de cette parenthèse inattendue. Émilie avait la tête pleine de souvenirs à raconter à Elvira dès le lundi matin. Hugo était fier d'avoir su trouver le moment opportun pour extraire Lisa de ses habitudes. Il allait réorganiser sa vie professionnelle afin de consacrer plus de temps à sa famille. Il savait que le chemin serait encore long et semé d'embûches pour lui comme pour Lisa. Il lui était parfois arrivé de penser que son couple avait trop souffert pour qu'il puisse envisager un avenir, mais là, son caractère de battant prenait le dessus et il se concentrait sur les bonheurs que la vie pouvait offrir, comme ces deux jours loin de Véminan.

Émilie dormit durant tout le trajet du retour, l'air de l'océan l'avait épuisée. Au début du voyage, Lisa et Hugo discutèrent beaucoup, de tout et de rien, ils étaient détendus. Puis Lisa, qui sentait la fatigue l'envahir, ferma les yeux.

Tout à coup, l'image d'Alice réapparut. Lisa se remémora les dernières pages du carnet. Elle se demanda ce qu'elle aurait fait si un canon allemand s'était tenu face à elle plusieurs minutes, prêt à tirer. Elle se disait qu'Alice n'avait pas eu le choix et que c'était certainement ce qui l'avait sauvée. Alice devait agir et non pas se lamenter sur son sort. C'est sans doute une des raisons de cet inimaginable courage dont elle avait fait preuve et de la force qu'elle avait pu déployer pendant près de six ans !

Lisa repensa à tous ces signes qu'elle prenait comme le témoignage de la présence d'Alice, un

courant d'air, un bruit, une porte qui claque...
Était-ce le fruit de son imagination ou Alice
cherchait-elle à communiquer avec elle ?

Jamais Lisa ne le saurait, mais elle préférait
penser qu'Alice l'avait choisie pour que toutes
deux trouvent leurs propres chemins : celui de
la reconstruction pour Lisa, et celui de la paix
pour l'âme errante d'Alice.

20

Quand l'espoir renaît

Ça commence par un matin plus calme que d'habitude, une lumière plus chaude, plus éclatante.

Au début, on ne sait pas qu'il est là. Sans s'en rendre compte, on se surprend à sourire, à ouvrir grand les yeux, à ne plus avoir peur lorsque le soleil se couche.

Puis on comprend qu'il est revenu avec son enveloppe de douceur, qu'il est là pour nous aider à réinventer nos lendemains.

Quand l'espoir renaît et vient nous murmurer à l'oreille qu'enfin il est temps de nous autoriser à croire de nouveau.

*
* *

Biarritz, fin d'année 2017

Le vent soufflait fort, les embruns s'envolaient dans des tourbillons qui retombaient en claquant les visages des quelques promeneurs qui s'étaient aventurés sur la grande plage de Biarritz. Main dans la main, Lisa et Hugo étaient face à l'océan, fixant un horizon qui leur paraissait infini. Tout à coup, Lisa se mit à courir sur le sable, invitant Hugo à la rattraper en tendant la main vers lui dans un éclat de rire.

Il se remémorera les après-midi au Jardin d'Acclimatation où il avait entendu tant de fois ce même rire, ressenti chez sa femme cette même soif de vie. Bien sûr, Lisa n'était plus la même, elle avait vécu le plus violent traumatisme qu'une mère pouvait connaître, mais avec le temps il se disait qu'ils étaient, enfin, sur le chemin de la reconstruction.

Ce qu'ignorait Hugo c'est que, même avec toute la volonté du monde, le temps ne suffit pas toujours. Lisa, elle, le savait : le destin avait placé une âme sur son chemin. C'était son secret, jamais elle n'en parlerait à personne.

Hugo accéléra le pas pour rattraper sa femme qui, à bout de souffle, telle une enfant, se laissa tomber dans le sable humide. Il s'allongea à son côté. Il était à peine 17 heures et la nuit commençait déjà à tomber. L'océan grondait en enroulant ses vagues puissantes. Lisa prit la main de son mari et la glissa sous la première couche de sable, comme pour l'emprisonner. Ce moment était précieux, Lisa souhaitait qu'il dure le plus longtemps possible.

— Tu crois que la nuit sera claire ? demanda-t-elle en fixant le ciel chargé de nuages.

Hugo ne put cacher sa surprise.

— Ah non, je ne crois pas, tu as vu le temps qu'il fait !

— C'est dommage, j'aurais aimé voir une étoile scintiller, fit Lisa d'un ton nostalgique.

Hugo eut peur que sa femme soit soudain submergée par des souvenirs douloureux.

Lisa rectifia.

— Non, pas une étoile, je voudrais voir deux étoiles ! affirma-t-elle.

Sans bien savoir pourquoi, il se sentit rassuré par la remarque de sa femme, mais il était bien loin d'imaginer ce qu'elle avait voulu dire.

L'humidité commençait à lui glacer le dos, et il se releva en entraînant Lisa. Ils se retrouvèrent dans les bras l'un de l'autre. Il lui frotta le dos pour la réchauffer et tenter de décoller les amas de sable agglutinés sur sa veste. Elle posa sa tempe contre l'épaule de son mari et fixa le gris de l'océan qui se déchaînait en claquant de plus en plus fort contre les rochers. Hugo ramena le visage de sa femme face au sien. Les yeux noisette de Lisa scintillaient. Était-ce l'effet des embruns ? Était-ce le sable qui, soulevé par le vent, lui piquait les paupières ? Était-ce l'image de Théo qui revenait à la charge ?... Hugo ne souhaitait pas s'éterniser sur cette interrogation. Il caressa la chevelure de Lisa et l'embrassa tendrement. Elle ferma les yeux. Où était-elle partie à cet instant ?

Ils rentrèrent à l'hôtel pour se réchauffer et ne résistèrent pas à l'envie de passer un long moment au spa, où la température de la piscine et des bains à remous ne tarda pas à délasser leurs muscles contractés par le froid. Lisa réserva un massage alors qu'Hugo préféra se dépenser et suer abondamment dans la salle de sport. Ils se donnèrent rendez-vous dans leur chambre afin de se préparer pour le dîner. Mais Lisa profita d'une disponibilité dans l'emploi du temps des esthéticiennes de l'institut pour, en plus de son massage, terminer son après-midi de détente par un soin du visage. Elle envoya un SMS à son mari pour lui demander de ne pas l'attendre. Hugo prit une longue douche chaude, s'habilla et zappa sur les chaînes de sport. Vers 19 h 30, il laissa un mot sur le lit indiquant à Lisa qu'il avait réservé une table au restaurant pour 20 heures et descendit au bar de l'hôtel boire un verre.

Hugo s'impatientait, Lisa n'était toujours pas là. Il lui envoya un message qui resta sans réponse, et décida de remonter dans la chambre. Au moment où il se levait de son épais fauteuil, sa femme sortait de l'ascenseur. Il resta bouche bée en la voyant.

Lisa venait lentement vers lui, d'un pas sûr. Elle était vêtue d'une robe longue aux motifs fleuris, près du corps. Elle avait tiré ses cheveux en arrière, dégageant son visage légèrement maquillé. Depuis combien de temps Hugo n'avait-il pas vu sa femme soigner ainsi son apparence ? Il ne la quittait pas des yeux, attentif au bruit croissant de ses talons qui claquaient sur le sol. Quand elle fut face à lui, Hugo n'avait toujours pas bougé ni prononcé le moindre mot.

Lisa baissa les yeux, pensant que son mari n'appréciait pas de la voir si différente.

— Quelque chose ne va pas ? s'enquit-elle, gênée.

Hugo sortit de sa torpeur, dissipant les doutes de Lisa.

— Tu es magnifique !

Il lui proposa son bras.

— Merci.

— Viens, notre table est prête. J'ai réservé le long de la baie vitrée. On sera au bord de l'océan, mais au chaud.

Ils s'installèrent et Lisa porta son regard sur la plage à peine éclairée par les lampadaires.

— C'est beau, cette nature, cette puissance, personne ne peut la contrôler.

— Oui, répondit prudemment Hugo, surpris par la remarque de sa femme.

— Tu vois, il y a des choses qui nous dépassent, auxquelles nous ne pouvons rien. Il ne sert à rien de lutter, il faut accepter. Un peu comme le va-et-vient des marées.

— Sans doute, déclara Hugo, désarçonné.

Que voulait dire Lisa ?

— Tu crois qu'on pourra les voir ?

Hugo exprima son étonnement.

— Qui donc ?

— Les deux étoiles, comme deux anges. Les nuages sont trop épais, mais elles sont là et c'est le plus important.

Hugo n'avait plus l'habitude des réflexions parfois intrigantes de sa femme et qui faisaient partie de ce qui l'avait séduit en elle, mais il ne se doutait pas que ce soir, le mystère qu'évoquait Lisa était bien plus profond que ce qu'il imaginait.

— Tu veux que l'on trinque ? demanda-t-il timidement.

— Bien sûr !

Elle leva son verre.

— À nous, à Émilie et aux étoiles que nous ne verrons pas ce soir, mais qui sont là !

Hugo sourit.

— Alors, trinquons à tout cela !

Le repas se déroula dans une ambiance sereine. Ils n'évoquèrent que des sujets légers, ne se prêtant à aucune discussion passionnée. Ils n'avaient qu'une envie : profiter du moment. Lisa ne put s'empêcher de téléphoner à Émilie, en plus du message qu'elle avait envoyé dans la matinée. Sophie lui assura qu'elle pouvait être tranquille : Émilie était bien trop occupée à s'amuser avec Elvira pour ressentir le besoin de parler à ses parents.

Le repas se terminait. Une dernière coupe de champagne avant que Lisa et Hugo remontent dans leur chambre.

Ils se turent tout le long du couloir de l'hôtel, puis Hugo glissa la carte magnétique dans la serrure et invita sa femme à entrer. Lisa s'approcha de la baie vitrée, fixant l'immensité tandis que son mari se collait contre son dos. Elle bascula la tête en arrière, offrant son cou aux baisers de son mari. Lentement, il fit glisser la fermeture Éclair de sa robe, qui tomba à terre. Lisa se retourna et alla s'allonger sur le lit. Elle tendit la main, invitant Hugo à la rejoindre.

La nuit leur appartenait.

Au-dessus des nuages, deux étoiles scintillaient.

21

Des gens simples

On se demande parfois comment certaines personnes font pour supporter les terribles épreuves de leur existence.

Ce sont des gens que rien ne différencie des autres, de leurs familles, leurs amis, leurs voisins ou simplement de nous.

Et pourtant, malgré la terreur et le désespoir, ils ont réussi à tenir debout, à faire vivre l'espérance, si lointaine soit-elle.

Ils ne se sont jamais plaints, jamais résignés, gardant toujours la force d'avancer et d'espérer.

Ce sont des gens simples.

*
* *

Environs de Cologne, début d'année 1945

Les Alliés avançaient. Sur le front de l'Est, les Soviétiques libéraient le camp d'Auschwitz le 27 janvier et poursuivaient leur inexorable avancée vers leur objectif final : Berlin !

À l'ouest, les Américains franchissaient le Rhin au début du mois de mars. La chute d'Hitler, réfugié dans son bunker qu'il n'allait plus quitter, n'était qu'une question de semaines. Les bombardements des villes allemandes s'intensifiaient, les prisonniers qui n'avaient pas encore pu s'enfuir étaient très exposés. Ils étaient déplacés de leurs camps de travail pour déblayer les gravats après le largage intensif des bombes incendiaires au phosphore de l'aviation anglaise et américaine.

Gabriel et ses camarades n'avaient plus qu'une pensée : fausser compagnie à leurs bourreaux pour se diriger vers la frontière française, synonyme de liberté. C'est au cours d'une nuit du mois de mars qu'enfin Gabriel et sept de ses compagnons réussirent à échapper à la surveillance de leurs gardiens. Ils partirent à pied à travers champs, se nourrissant de ce qu'ils trouvaient dans la nature ou de ce qu'ils volaient pour survivre. Le début de leur périple fut particulièrement dangereux. Les Alliés tapissaient de bombes le territoire allemand. Des dizaines de milliers de prisonniers et de civils périrent dans ce massacre où la seule préoccupation des Américains était de détruire les derniers foyers de résistance nazis, peu importait le prix en vies humaines innocentes à payer.

Le jour, les fugitifs se cachaient, scrutant le ciel. La nuit, ils se déplaçaient le plus vite possible vers cette frontière qui leur paraissait si lointaine. Lors d'un énième bombardement, Gabriel vit s'écrouler deux de ses camarades à quelques mètres de lui. Ni lui ni ses autres compagnons ne s'arrêtèrent, leur survie en dépendait. Ils coururent le plus vite possible afin de se mettre à l'abri dans une forêt, en espérant que le bruit des avions s'éloigne. Épuisés, ils s'endormirent à même le sol dans un fossé à la lisière de la forêt.

Au petit matin, Gabriel fut réveillé par un soldat américain. Avec son groupe, il venait enfin de faire la jonction avec les troupes alliées au sol, qui avançaient rapidement devant la faible résistance rencontrée.

Gabriel le savait : désormais il était sauvé. Il n'avait plus à craindre ni les soldats allemands ni les bombardements aveugles. Les Américains les conduisirent par camion vers la frontière puis en train à la gare du Nord, à Paris, où leur furent distribués de la nourriture, des habits civils, des papiers provisoires et un peu d'argent pour leur permettre de rentrer chez eux.

Gabriel fut surpris par le manque de chaleur qui leur était réservé. On leur fit comprendre que la guerre avait été gagnée sans eux, qu'ils n'avaient été que les figurants de la défaite. À partir de ce jour, ils furent considérés comme les oubliés de la victoire.

Gabriel allait en rester marqué à vie, mais pour l'instant sa seule préoccupation était de rentrer à Véminan, de monter le chemin de *La Part des Anges* et de serrer Alice et Jean dans ses bras.

L'organisation du rapatriement des prisonniers était quasi inexistante, chacun se débrouillait comme il le pouvait. Gabriel, après deux semaines de voyage à travers le pays, arriva en gare de Cahors, où il put enfin faire parvenir un télégramme à Alice lui annonçant qu'il était vivant et que, bientôt, il serait là. Le lendemain, Alice reçut le message de Gabriel qui, par pudeur, avait simplement noté : « *Arrivé en gare de Cahors. Je serai là dans deux ou trois jours. Bons baisers.* »

À partir de ce jour, quand Alice n'était pas à la grange ou aux champs, elle passait son temps en haut du chemin. De là, elle pouvait apercevoir la route.

Le matin du 25 mai 1945, alors qu'elle était en train de pailler l'étable, elle entendit la voix de Jean qui jouait avec le voisin du même âge que lui.

— Bonjour monsieur, vous êtes qui ?

Lorsque Gabriel avait été mobilisé, Jean avait trois ans. Il allait donc bientôt fêter ses neuf ans.

Gabriel posa son baluchon à terre, dévisageant les deux garçons. Lequel était son fils ? Lequel devait-il prendre dans ses bras ? Les traits du visage de Jean n'avaient pas changé, les mêmes yeux noir profond et la même chevelure foncée que sa mère, mais Gabriel hésitait, on ne peut effacer six ans d'absence si facilement. Il l'avait pourtant rêvé des centaines de fois, cet instant où, enfin, il retrouverait sa femme et son fils.

En entendant la question de Jean, Alice comprit que Gabriel était là. Elle posa sa fourche près d'un ballot de paille. Son cœur cognait si fort dans sa poitrine qu'elle eut un léger vertige et dut s'appuyer contre la porte pour ne pas tomber. Elle ferma les yeux, inspira profondément à trois reprises avant de sortir du bâtiment et de s'approcher du chemin. Gabriel était là, à quelques mètres. Il était amaigri, les traits creusés, mais un large sourire éclairait son visage.

Curieusement, ni Alice ni Gabriel n'osaient bouger. Tant de temps sans se toucher, sans se parler, tant d'années à craindre le pire et à espérer. Six ans d'absence, de solitude, de tristesse et d'espoir ne s'effacent pas dans l'éclat d'un regard, si intense soit-il.

Alice fixa son fils intensément pour faciliter le choix de Gabriel. Désormais celui-ci n'avait plus de doute. Il s'approcha et dit simplement :

— Jean, mon fils, c'est ton papa. Je suis de retour.

Le jeune garçon semblait perdu. Il regardait sa mère.

Le père et le fils étaient de nouveau réunis. Gabriel prit Jean contre lui. L'enfant semblait ne pas comprendre, et resta les bras ballants. Gabriel desserra son étreinte, il devinait que Jean aurait besoin de temps, les seuls souvenirs qu'il avait de son père étaient ceux que sa mère lui avait racontés, et il ne savait quoi dire. Gabriel l'embrassa et lui dit simplement :

— Va jouer avec ton camarade, je vais voir ta maman. À tout de suite, mon fils.

Alice s'était approchée. Gabriel pouvait entendre sa respiration rapide, elle regardait son mari comme si c'était leur premier rendez-vous. L'homme qu'elle avait attendu tant d'années était de retour, elle s'effondra dans ses bras. Des mots incompréhensibles se mêlèrent à ses sanglots. Gabriel la serra si fort que les paroles de sa femme s'étouffèrent contre son torse.

— Alice, j'ai eu tellement peur de ne jamais te revoir !

Elle se dégagea un peu de l'étreinte de son homme et leva la tête, plongeant ses yeux dans les siens.

— Désormais, tu es là, jamais tu ne repartiras, tu m'entends, jamais ! Moi aussi j'ai eu peur, si peur !

Alice colla à nouveau son visage sur le torse de Gabriel. Serrés l'un contre l'autre, ils ne dirent plus rien. Un long silence, à peine ponctué de quelques mouvements pour s'assurer qu'il ne s'agissait pas d'un rêve et que tous deux étaient là, bien vivants. Les paroles n'avaient pas d'importance, ils auraient tout le temps de parler plus tard. À cet instant, la seule chose qui comptait était de retrouver la présence de l'autre, de sentir la chaleur du corps de l'être aimé.

Léon et sa femme avaient rejoint Jean. Éloïse tenait son petit-fils par la main, ils restaient en retrait, respectant ce moment des retrouvailles tant espéré.

Pour Alice et Gabriel, le temps n'existait plus. Désormais, Alice n'entourerait plus, sur le calendrier de l'entrée, les jours où elle recevait des nouvelles de son homme, et Gabriel ne compterait plus les saisons qui défilaient sans savoir s'il reverrait jamais la neige recouvrir d'une fine couche les labours d'hiver dans la vallée de Saint-Boliès.

Enfin, Gabriel releva la tête d'Alice et la prit par les épaules. Il la dévisageait, les yeux embués par l'émotion.

À cet instant, Alice qui, pendant près de six ans, avait fait preuve de tant de courage et d'abnégation, qui avait su élever et protéger seule son fils, qui n'avait pas hésité à sacrifier sa santé pour que chacun, à *La Part des Anges*, ne manque de rien, Alice, face à son homme qui revenait de l'enfer, paraissait intimidée. Elle souriait comme une enfant, n'osant croiser le regard de Gabriel. Il posa ses mains sur ses joues et, lentement, approcha ses lèvres des siennes pour l'embrasser dans un geste plein de tendresse et de retenue.

Tant de choses, autrefois si simples, que le couple devait réapprendre. Durant de longues années, chacun dans sa souffrance avait dû faire face comme il le pouvait jusqu'à oublier le quotidien de deux êtres qui s'aiment.

Ils savaient tous deux que chaque jour qui passerait serait une nouvelle découverte, avec le bonheur que cela comporte, mais aussi les craintes de reprendre une vie commune.

Alice et Gabriel auraient-ils la force de reconstruire leur vie ? Gabriel arriverait-il à éloigner cette vision de mort qu'il avait dû affronter si longtemps, ce sentiment imminent que sa fin était proche ? Alice saurait-elle partager ses souffrances et avouer à l'homme qu'elle aimait la perte de leur enfant et son impossibilité de lui offrir la joie d'être père à nouveau ?

22

Restons des enfants

Quand nous étions des enfants, on a tenté de nous faire croire qu'un jour nous deviendrions des êtres responsables dans un monde d'adultes.

Mais un adulte, qu'est-ce que c'est ? Simplement un enfant qui tente de vivre avec ses failles et ses blessures à la recherche d'un hypothétique bonheur.

Alors, restons des enfants, car il n'y a rien de plus sincère que les cris d'un nourrisson quand il a faim ou les éclats de rire d'un gamin quand il joue, et rien de plus hypocrite que le sourire d'un adulte quand il veut parvenir à ses fins.

*
* *

La Part des Anges, février 2018

Depuis leur séjour à Biarritz, Lisa et Hugo avaient retrouvé une forme de complicité, leur vie de couple s'en trouvait apaisée. Une harmonie renaissait entre eux, pour le plus grand bonheur d'Émilie, qui pouvait enfin exprimer sa peine devant sa mère et profiter de la présence de son père, lequel, désormais, fermait la porte de son bureau au cabinet médical à 18 heures au plus tard.

Sans en parler à son mari, Lisa avait consulté un médecin à Sarlat ; son corps lui envoyait des signes. Elle craignait et espérait en même temps ce que les analyses ne tardèrent pas à confirmer : elle était enceinte. Elle était allée chercher elle-même les résultats au laboratoire et les avait lus dès qu'elle avait rejoint sa voiture. Elle s'écroula en larmes, le front sur le volant. Son intuition féminine ne l'avait pas trompée, la vie renaissait en elle. Lisa était partagée entre deux sentiments contradictoires : un immense bonheur et la crainte de l'inconnu.

Hugo désirait un autre enfant, mais sa femme avait refusé cette éventualité depuis le drame qui les avait anéantis. Que devait-elle faire ? Était-ce une chance ? Était-ce une nouvelle épreuve qu'elle allait devoir traverser ?

Lisa vérifia une nouvelle fois les résultats du laboratoire d'analyses. Elle essuya ses larmes, posa la feuille sur le siège passager, puis démarra. Tout en bouclant sa ceinture, elle se remémora cette période tragique qu'avait dû endurer Alice lorsqu'elle avait perdu son enfant et appris qu'elle ne pourrait plus donner la vie. Et cette pensée ne la quitta pas pendant tout le trajet.

Lorsqu'elle arriva à *La Part des Anges*, elle ressentit le besoin de rouvrir le carnet d'Alice et de s'imprégner à nouveau des événements de cette fin du mois d'octobre 1939.

Et là, elle sentit un immense sentiment de force l'envahir. C'était paradoxal, mais évoquer ces terribles moments la rassurait. Les signes que nous envoie notre esprit sont parfois étranges. Alice n'avait pas eu le choix, Lisa, elle, avait son avenir entre ses mains. Sa décision était prise.

Cette nouvelle n'était pas prévue, sans doute fallait-il y voir un coup de pouce du destin. Lisa et Hugo n'auraient jamais osé « programmer » une naissance, la nature en avait décidé autrement.

Lorsqu'elle lui annonça qu'il allait de nouveau être père, une immense joie envahit Hugo, puis, jour après jour, une inquiétude lancinante s'immisça dans son esprit. Il avait peur ; au fond de lui, il craignait que sa femme refuse cette maternité. Mais Lisa avait évolué et vivait ce début de grossesse comme une magnifique surprise.

Elle avait cependant remarqué l'inquiétude de son mari, et tenta de le rassurer.

— Tu as l'air tourmenté depuis que je t'ai annoncé que j'étais enceinte. J'aimerais qu'on en parle, lui proposa-t-elle.

Hugo, assis à son bureau, ne savait quoi répondre. Il triturait son carnet d'ordonnances...

— Eh bien, écoute, j'ai peur !

Elle se glissa derrière lui et lui passa les bras autour du cou.

— Qu'est-ce qui te fait peur ? Que la grossesse se passe mal ?

— Non, non, il n'y a pas de raison. Et puis, tu es très bien suivie à Sarlat, ce n'est pas ça...

— Hugo, je sais exactement ce qui te tourmente, exprime-le, dis-le-moi ! J'ai besoin que tu me dises la vérité et que tu me soutiennes.

Hugo inspira à plusieurs reprises et lâcha.

— J'ai peur que tu refuses ce bébé ! Tu as tant de fois dit que...

— ... que je n'aurais pas d'autre enfant, je sais. Mais les choses ne sont pas immuables. Le hasard ou je ne sais quoi s'est mis sur notre chemin. Je suis prête, Hugo, je suis prête, répéta Lisa.

Hugo ferma les yeux et serra très fort les mains de sa femme.

— Tu es devenue si sereine ! Je ne sais pas où tu as pu trouver cette énergie. Je suis fier de tous ces efforts que tu as faits. Toute cette peine que tu as su transcender !

Lisa regarda autour d'elle. Elle attendait un signe, un souffle d'air, une porte qui claque. Rien ne vint, ça la fit sourire.

— Merci, Hugo, je me demande parfois si... je n'ai pas un ange gardien. C'est étrange, non ?

Hugo ne releva pas la remarque de sa femme. Il la prit dans ses bras.

— Je suis heureux et je te soutiendrai ! dit-il en l'embrassant.

Lisa portait sa robe rouge aux motifs tournesols. Ses yeux pétillaient. Ils décidèrent que, dès le lendemain, ils annonceraient à Émilie qu'elle allait avoir un petit frère ou une petite sœur.

*
* *

Paris, printemps 2018

Lisa entamait son sixième mois de grossesse. Le médecin qui la suivait à Sarlat avait été clair : même si tout se passait bien, il préférait qu'elle se repose le plus possible. Évidemment, Lisa lui avait parlé de son passé et avait évoqué les craintes que pouvait engendrer chez elle cette future naissance.

Le médecin l'avait autorisée à se rendre à Paris une dernière fois avant de se reposer à Véminan dans l'attente du terme de sa grossesse.

Toute la famille profita du long week-end de l'Ascension pour aller chez les parents de Lisa. Hugo avait laissé à Loïc, son associé, la responsabilité de gérer seul le cabinet médical. Ce n'était pas un problème pour le jeune médecin, ravi de son installation à Véminan. Hugo avait été surpris de la facilité avec laquelle son confrère s'était fait accepter par les anciens du pays. En quelques mois, il avait su gagner leur confiance, sans doute ses origines rurales avaient-elles joué en sa faveur.

La grossesse de Lisa comblait Martine et Alain de bonheur, mais ils ne pouvaient s'empêcher de penser à Théo et de se demander si Lisa et son mari n'avaient pas choisi d'avoir un troisième enfant afin de combler le manque. Ils n'évoquèrent jamais ce sujet avec leur fille.

Comme elle le lui avait promis quelques mois plus tôt, Lisa avait pris rendez-vous avec le docteur Mader. Elle se rendit à son cabinet le samedi matin à 10 heures.

Depuis quelque temps, leurs conversations téléphoniques s'étaient espacées. Le psychiatre avait laissé sa patiente décider de la fréquence de leurs séances. Même s'il pensait que Lisa n'avait plus besoin de ses services, il restait à sa disposition. Elle avait toujours en elle ce vide qui ne s'effacerait jamais et qui provoquait encore un manque de confiance pour assumer les décisions les plus importantes. Elle avait toujours besoin de se confier, mais plus pour se plaindre et inlassablement ressasser sa tristesse.

Le docteur Mader était devenu le témoin de son évolution. Lisa lui faisait part de ses envies, de son bonheur d'être à nouveau mère. Il acquiesçait souvent, il donnait son avis parfois, sans jamais freiner cet élan positif qu'il sentait chez elle. Les seuls moments où il s'autorisait à la recadrer, c'était lorsqu'elle s'enfermait à nouveau dans sa mélancolie. Lisa n'oublierait jamais un tel traumatisme, elle vivrait avec. Le psychiatre le savait mieux que quiconque, il s'occupait d'autres femmes ayant vécu le drame de la perte d'un enfant.

Les progrès de sa patiente étaient étonnants. Comment un tel changement avait-il été possible ? Le temps et sa grossesse ne pouvaient pas tout expliquer, l'aide qu'elle avait reçue de toutes parts non plus. Le thérapeute se demandait parfois s'il n'y avait pas en Lisa une foi en la vie qu'il n'avait jamais devinée. Elle avait su transformer sa tristesse en une force intérieure d'une intensité qu'il n'avait pas soupçonnée. Malgré sa longue expérience, le docteur Mader avait rarement rencontré une telle transformation chez un de ses patients.

« *Lisa Guadet, patiente surprenante quant à sa capacité tardive, mais réelle, à se reconstruire. Raisons ? Grossesse, bien sûr, mais autre chose que je n'arrive pas à définir !* » avait-il noté. L'âme humaine est impénétrable et les ressources dont dispose chaque être recèlent bien des mystères.

Au cours de leurs dernières séances, et en particulier ce samedi-là, en face à face, le docteur Mader avait parfois senti Lisa hésitante. Non pas par faiblesse ou par peur des conséquences de ses actes, mais comme si elle ne lui disait pas tout. Il ne s'en offusqua pas et laissa faire, c'est aussi cela être sur le chemin de la guérison : assumer sa part d'ombre et ses secrets.

La visite au cimetière de Montmartre eut lieu en famille. Émilie fut plus bouleversée que ne l'auraient imaginé ses parents. Elle pleura à chaudes larmes, parfois ses sanglots ressemblaient à des plaintes, des petits cris de douleur. Lisa et Hugo en furent très affectés. Martine et Alain eurent l'intelligence d'écourter leur visite à Théo pour s'occuper de leur petite-fille.

Lisa et Hugo s'attardèrent un long moment, main dans la main, devant la tombe de leur fils. Dans un premier temps, chacun resta enfermé dans sa peine, puis Lisa proposa à Hugo de s'asseoir avec elle sur le socle de marbre. Il accepta. Elle se mit à raconter à Théo comment se passait la vie à *La Part des Anges*, ce qu'elle aurait aimé faire avec lui, combien il aurait aimé gambader dans les prés et monter sur le tracteur du père d'Elvira. Hugo était terriblement angoissé, il avait du mal à supporter cette scène. Voir sa femme parler à leur fils disparu presque comme s'il était encore avec eux lui était insupportable.

— Allons-y maintenant, dit-il, impatient de quitter le cimetière.

— J'ai encore besoin d'un peu de temps, répondit Lisa.

— S'il te plaît ! fit Hugo en se relevant.

— Donne-moi juste quelques minutes. Va rejoindre Émilie, j'arrive.

Il tergiversa, ne sachant quelle réponse apporter à sa femme.

— Ce n'est pas bon que tu restes là, viens !

— Hugo, j'en ai besoin ! lâcha-t-elle en le regardant droit dans les yeux.

— Très bien, je t'attends, mais ne tarde pas trop.

D'un pas lent, il se dirigea vers la sortie du cimetière. Il se retourna à plusieurs reprises.

Il ne pouvait plus l'entendre, mais il savait que Lisa continuait de parler à leur fils disparu.

Elle posa une main sur son ventre et l'autre sur le marbre.

— Mon Théo, je te présente ton petit frère Milo. Il va agrandir notre famille dans trois mois, si tout va bien... Mais tout se passera bien. Je voulais que tu saches qu'il ne te remplacera pas, Théo, tu es irremplaçable. Après ta disparition, je ne pouvais pas imaginer avoir un autre enfant. Puis le temps a passé, le manque de toi est toujours aussi intense, mais j'ai compris que la vie est plus forte que tout. Avec ton papa, nous avons eu le bonheur que le hasard nous offre une merveilleuse surprise, nous l'aimerons autant que nous aimons Émilie, autant que nous t'aimons. Mon Théo, mon ange, il est temps de te quitter, un au revoir, un simple au revoir. Je t'embrasse mon amour.

Lisa se releva, s'appuyant sur la pierre froide ; son ventre commençait à tirer. Elle regarda le bouquet de roses blanches qu'Émilie avait arrangé dans un des vases, déposa un dernier baiser sur la plaque de marbre, et partit rejoindre sa famille.

La fin de la grossesse se déroula sans le moindre souci. Lisa était parfois plus sereine que son mari, c'est elle qui apaisait ses craintes, lui enjoignant de ne pas s'inquiéter.

Le 13 août 2018 à la clinique de Sarlat, Lisa mit au monde un magnifique garçon prénommé Milo.

23

N'oublie jamais

N'oublie jamais que, quelle que soit la détresse de la nuit, il existera toujours un lever de soleil.

Si la solitude te colle trop à la peau, souviens-toi que quelqu'un t'attend au hasard du chemin.

N'oublie jamais que le malheur n'est qu'un passage, et le bonheur, la recherche de toute une existence.

Si tes pensées s'égarent vers l'abandon, souviens-toi qu'à cet instant quelqu'un pense à toi.

N'oublie jamais, non, n'oublie jamais la puissance de la vie et la force de l'espoir.

*
* *

La Part des Anges, août 2019

Lisa et Hugo avaient organisé une fête à l'occasion du premier anniversaire de Milo, leur jeune fils. Ils avaient invité l'ensemble des personnes qui comptaient à leurs yeux. Tous avaient répondu présents, seuls manquaient à l'appel Anaïs – trop occupée par ses brebis ! – et les parents d'Hugo, qui persistaient à lui reprocher de n'avoir pas sauvé Théo, alors qu'il était médecin. Lisa et Hugo en furent affectés, mais rien ne devait gâcher la fête, ils se l'étaient promis. L'ambiance était détendue, les rires fusaient de toutes parts. La bonne humeur et la convivialité avaient pris le pouvoir. Bien sûr, chacun pensait à Théo dans un coin de sa tête, mais la tristesse n'était pas de mise. Le souvenir des bons moments passés avec ce petit homme parti bien trop tôt avait remplacé cette nostalgie qui empêche d'avancer. Lisa et Hugo avaient résisté à un séisme qui aurait broyé bon nombre de couples. Désormais Lisa assumait qu'elle avait eu trois enfants, mais que seulement deux l'accompagnaient au quotidien.

Le repas s'était éternisé. Il était près de 16 heures quand Hugo, accompagné d'Émilie, sortit de la maison avec une immense pièce montée entre les mains. Ils traversèrent la cour et se dirigèrent vers le hangar où les tables avaient été installées à l'abri du chaud soleil d'été. Émilie, debout sur une chaise, se chargea de planter en haut de la pièce montée une bougie montée sur un socle où était écrit en lettres de sucre « Bon anniversaire Milo ». Avec l'aide de son père, elle alluma la petite flamme. Lisa tenait son fils dans ses bras et l'approcha le plus près possible de la bougie. Milo dut s'y reprendre à trois fois pour l'éteindre. Sa mère le félicita et lui offrit un baiser. Tandis qu'Émilie était déjà partie s'amuser avec Elvira, Lisa chuchota à l'oreille de Milo : « Maman sera toujours là. Je t'aime. » Personne d'autre qu'Hugo n'entendit. Il prit sa femme par la taille et l'embrassa avant de poser ses lèvres sur la joue de son fils. Il fixa un instant Lisa. Elle lui sourit, ses yeux noisette avaient retrouvé l'éclat qu'ils avaient trop longtemps perdu.

Des petits groupes se formèrent çà et là. M. Balin, tout en avalant sa deuxième assiette de desserts, discutait avec Loïc et Mme Duluc, l'ancienne maîtresse d'Émilie et d'Elvira.

Lorsque Lisa vint leur dire quelques mots de remerciements, M. Balin prit un ton plus nostalgique. Il se remémora leur rencontre, la visite des maisons, les débuts d'Hugo en tant que médecin de campagne, les cours d'anglais aux villageois. Lisa se mit à rire en se souvenant de ses premières séances où elle avait eu tant de mal à tenter de gommer l'accent du Sud-Ouest de ses « élèves ».

À la rentrée de septembre, Lisa allait retrouver des élèves plus classiques, elle prendrait le chemin du lycée de Sarlat. L'époque des cours d'anglais pour les villageois était révolue.

Martine et Alain s'occupèrent de leur petit-fils afin que leur fille profite au maximum de ses invités. Ils étaient heureux d'entendre le rire de Lisa qui passait de groupe en groupe.

Vers 18 heures, quelques voisins avaient déjà pris congé. Les convives restants étaient soit toujours attablés pour terminer les derniers choux de la pièce montée, soit en train de discuter assis sur les marches du perron, soit allés faire une promenade dans les bois. Ou bien encore ils avaient suivi Hugo, qui faisait visiter les annexes et surtout la fameuse « Fournial » qui avait fourni en pain tant de générations.

Lisa ressentit le besoin de marcher et de rester seule quelques instants. Quand elle fut arrivée à l'angle de la maison, juste en haut du chemin, son regard se porta vers la vallée et les forêts qui cachaient la route en contrebas.

Elle leva les yeux vers le ciel d'un bleu limpide où seuls deux petits nuages de chaleur glissaient côte à côte. Elle les fixa et se mit à sourire. À quoi pouvait-elle penser à cet instant ? Elle seule le savait. Une larme roula sur sa joue, mais son sourire était toujours présent.

Elle allait retourner auprès de ses invités lorsqu'un air frais inhabituel pour la saison lui caressa le visage. Un léger souffle de vent qui semblait monter du chemin. Elle ne tarda pas à ressentir une présence. Elle savait que ce n'était pas un invité dont elle n'aurait pas entendu le pas. Elle était persuadée... qu'elle était là !

Une centaine de mètres plus bas sur le chemin, juste à la sortie du petit bois, Lisa crut deviner trois silhouettes entourées d'un halo de brume. Alice, Gabriel et le petit Jean se tenaient par la main.

Était-ce là un mirage, fruit de son imagination ? Peu à peu, les deux silhouettes masculines s'estompèrent, et l'image d'Alice se fit plus nette, avant de ne devenir à son tour plus qu'un souvenir.

Lisa ne parlerait jamais à personne de ce que tout le monde, à coup sûr, qualifierait d'hallucinations. Elle-même, parfois, se mettait à douter de la réalité, pourtant intense, de ces moments. Mais ce dont elle était sûre, c'est que l'âme d'Alice lui avait envoyé des signes, et qu'un immense bonheur l'avait envahie.

Ce jour-là, perchée sur un coteau au fin fond d'une vallée perdue du Périgord, *La Part des Anges* n'avait jamais si bien porté son nom !

Lisa jeta un dernier regard sur le chemin puis rejoignit, apaisée, ses invités. D'un signe de tête, Hugo lui demanda si tout allait bien. Lisa lui offrit le plus beau des sourires.

*
* *

Il était près de 22 heures lorsque les derniers convives s'en allèrent. Martine, Alain, Hugo et Sophie finissaient d'entasser les assiettes et les couverts sur la table de la cuisine tandis que Lisa était allée coucher sa fille et vérifier que Milo n'avait pas été réveillé par le bruit. Elle referma doucement la porte de la chambre de son fils, qui dormait profondément. Chacun était fatigué, Hugo décida que les tréteaux, tables et chaises attendraient le lendemain avant de retrouver leur place dans le grenier de la grange.

Sophie et Cédric furent les derniers à partir, Lisa remercia son amie qu'elle embrassa affectueusement. Elvira dormait déjà sur la banquette arrière de la voiture.

Les parents de Lisa étaient épuisés, ils rejoignirent leur chambre sans attendre leur fille, qui discutait avec Sophie. Hugo, lui aussi, ne pensait qu'à une chose : retrouver son lit. Lisa vint l'embrasser alors qu'il s'était déjà glissé sous les draps.

— Tu ne te couches pas ? s'étonna-t-il.

— Je dois ranger les enveloppes qu'a reçues Milo, elles sont éparpillées un peu partout. Je ne voudrais pas qu'elles s'égarent.

— Viens donc te coucher, elles ne vont pas s'envoler, fit Hugo, les yeux déjà clos.

— J'arrive dans quelques minutes, assura-t-elle.

Elle sortit de la chambre. Hugo dormait déjà.

Le silence régnait à *La Part des Anges*. Lisa n'avait aucunement l'intention de faire le tour de la maison pour récupérer les cadeaux faits à son fils.

Elle était enfin prête à accomplir un geste qui lui trottait dans la tête depuis plus d'un an : s'adresser à Alice !

Elle s'installa dans le canapé et ouvrit le carnet...

24

Notre secret

Se souvenir souvent
Résister à chaque instant
Espérer un nouveau printemps
Aimer éternellement

*
* *

La Part des Anges, 17 août 2019

Alice,
J'ai longtemps hésité avant de t'écrire. Lorsque cette idée a commencé à germer dans ma tête, j'ai d'abord essayé de la chasser de mes pensées. Mais à chaque fois, elle revenait plus forte, plus intense. À nouveau, j'ai lutté, tentant de me persuader que cela n'avait pas de sens de s'adresser à une personne disparue, si ce n'est de soulager égoïstement mes doutes en étalant mes états d'âme. Et ça, avec toi, je ne le voulais pas !
Et puis, les mois ont passé et cette envie revenait inlassablement. Mon état d'esprit avait évolué

et il n'était plus question de me lancer dans une longue description de mon chagrin et de ma peine. Aujourd'hui, je me sens enfin prête. Je crois qu'à un moment il est bon de ne plus lutter et qu'il faut faire ce que l'on croit juste. Pour moi, c'est comme un devoir. J'ai besoin de te remercier pour ce que tu m'as apporté.

Alice, je sais que tu ne liras pas ces lignes, mais je suis persuadée que, là où tu es, tu recevras, d'une façon ou d'une autre, mon message.

J'ai décidé de coucher mes mots sur ton carnet, celui qui t'a tenu compagnie si longtemps et à qui tu confiais toute la vérité, celle que tu n'as jamais avouée à Gabriel. J'espère que tu ne m'en voudras pas d'avoir rempli ces quelques pages que tu as laissées vierges. Tes derniers écrits datent du 25 mai 1944, soixante-quinze ans plus tard c'est un peu comme si ton histoire se poursuivait à travers la mienne.

Alice, un jour de décembre 2016, tu es venue te poser sur mon chemin avec douceur et bienveillance. Je ne me doutais de rien, il y avait cette maison, ta maison, qui m'attirait. Je ne savais pas pourquoi, mais je sentais que c'était ici, protégée par les épais murs de pierre, que je devais tenter de me reconstruire. Je crois que le hasard n'existe pas : sans que je le sache, tu m'avais choisie.

À force d'y réfléchir, pourquoi moi, pourquoi toi ? Je pense qu'il ne faut pas chercher d'explication et accepter que le destin mette en relation deux êtres qui ne se rencontreront jamais mais qui, par leur vécu, peuvent tant apporter à l'autre.

Avec le recul, je crois sincèrement que le plus important n'était pas que nous nous rencontrions en tant que personnes physiques ; la plus belle des rencontres, si j'ose dire, c'est celle de nos souffrances. D'une certaine façon, elles se complétaient et devaient se confronter pour s'apaiser.

De ton côté, tu avais besoin de déposer ce fardeau que tu as gardé tout au long de ton existence. Moi, je croyais naïvement que ma tristesse ne s'atténuerait jamais et qu'il ne pouvait pas exister une plus grande douleur que la perte de mon Théo. Comme s'il devait y avoir une hiérarchie dans ce que les êtres peuvent endurer. Je le sais désormais, je me trompais.

Aujourd'hui, après avoir découvert la vie que tu as eue au cours d'une des périodes les plus sombres de notre histoire, j'ai appris grâce à toi quelque chose d'essentiel : les épreuves ne se comparent pas, elles se vivent et se surmontent. Cela peut paraître simple, énoncé de la sorte, et pourtant je crois sincèrement que c'est ce qui m'a permis de basculer du bon côté.

Au-delà de toute l'aide que j'ai pu recevoir de la part d'Hugo, d'Émilie, de ma famille, de mes amis, de mon psychiatre et de tous ceux qui ont tenté de m'extirper de mon mal-être, j'ai vécu trop longtemps comme une égoïste. Je m'enfermais dans une culpabilité que j'érigeais comme un mur que personne ne devait franchir. Tous m'ont protégée avec abnégation, sincérité et amour, mais qu'est-ce que j'ai donné en retour ? Rien, je me complaisais dans la tristesse et je ne voyais pas que d'autres souffraient au moins autant que moi, en particulier Hugo et Émilie. Je risquais de les perdre et je ne faisais rien, car la vie était un peu trop facile pour moi.

Tu vois, Alice, je viens de lever le stylo après avoir rédigé ces quelques mots : « un peu trop facile ». C'est étrange et même étonnant d'écrire cela alors que l'on a perdu un enfant, comment la vie peut-elle être facile en pareil cas ? Il y a encore quelques mois, j'aurais été incapable d'accepter cette idée, et pourtant c'est la stricte vérité.

Le courage dont tu as fait preuve m'a ouvert les yeux et m'a permis de me reconstruire entourée des miens.

Bien sûr, nous n'avons pas vécu à la même époque et tout était différent, mais Alice, dis-moi, comment as-tu pu résister à tout ce que tu as dû supporter ? À mesure que je découvrais tes échanges avec Gabriel et la vérité sur ta vie, si difficile à lire parfois, j'ai eu l'impression d'être minuscule. J'en arrivais à trouver mes plaintes presque déplacées. Souvent, je me disais : Mais où a-t-elle pu trouver la force de continuer et d'espérer ? Mon chagrin, pourtant immense, me paraissait dérisoire.

Je crois, au fond, que ce qui t'a sauvée c'est que tu n'avais pas le choix. Malgré les épreuves, tu devais veiller sur Jean, tes parents, ta grand-mère et t'assurer que personne ne manquait de rien. Lorsque tu as perdu l'enfant qui grandissait en toi et que tu as su que tu ne pourrais plus jamais donner la vie, une nouvelle fois tu as souffert seule et tu as protégé les tiens, comme un fil conducteur qui t'a permis de ne pas sombrer. Pendant des mois, tu n'as pas su où était Gabriel. Tu ne savais même pas s'il était encore vivant après l'assaut des troupes allemandes. Tu as attendu près de six ans sans avoir la certitude que tu le serrerais à nouveau dans tes bras. Tu as fait preuve de caractère lorsque tu as tenu tête aux maquisards qui se ravitaillaient chez les fermiers pour qu'ils laissent à ta famille de quoi se nourrir correctement.

Enfin, tu as cru que tu allais mourir ce jour de mai 1944 lorsque le véhicule allemand armé d'une mitrailleuse s'est arrêté au milieu de la cour. Vous étiez tous cachés au grenier, Jean était dans tes bras et tu fixais ce canon qui lentement balayait les murs de La Part des Anges à l'affût du moindre mouvement suspect. Ça a tenu à quoi qu'il tire ou ne tire pas ? Alice, comment as-tu supporté tout cela ?

Au contraire, moi, j'ai eu le choix, et j'ai décidé de m'enfermer dans le confort de la tristesse. Comme me l'a dit mon médecin lors d'une consultation : « On ne fait jamais le deuil d'un enfant. » J'ai pris ses mots dans leur sens premier parce que cela m'arrangeait. Alors qu'il voulait me faire comprendre que je vivrais toujours avec ce manque et qu'il fallait accepter et se tourner vers l'avenir. Mon Théo me manque, il me manquera chaque jour que la vie m'offrira, il sera là à mes côtés, aux côtés de sa famille pour nous accompagner dans cette longue reconstruction que nous avons déjà entamée.

Toi, Alice, tu n'avais pas le temps de t'apitoyer sur ton sort, moi je l'avais. C'est ainsi, personne n'a le droit de nous juger. Nos souffrances, nous les avons vécues en fonction de notre époque, de notre vie, de notre caractère et de notre entourage. Si j'avais été à ta place, peut-être aurais-je fait part à Gabriel du fait que je ne pouvais plus lui offrir la joie d'être à nouveau père, toi tu as pris une autre décision et elle est profondément respectable. Même si je ne suis pas certaine que, plus tard, tu n'as pas souhaité partager ta peine avec ton homme. Mais ça, je ne le saurai jamais.

Les événements que chacune de nous a vécus font partie de nous. Ils sont à la fois notre force et notre faiblesse.

Dans quelques minutes je vais refermer ton carnet, le carnet de toutes les vérités, et le déposer dans sa boîte. Je vais également y ranger tes lettres et les cartes de Gabriel. La nostalgie va m'envahir lorsque je refermerai cette boîte une dernière fois. Je remonterai au grenier et je ne la remettrai pas dans la vieille armoire. J'ai découvert trois pierres descellées à côté d'une des poutres de la charpente. C'est là, bien à l'abri, que ton histoire va désormais reposer.

Il me reste encore un peu de place sur la dernière page. Contrairement à toi, Alice, j'ai eu la chance de pouvoir donner la vie à nouveau. Milo a agrandi notre famille, c'est un garçon magnifique !

Je suis un peu gênée d'écrire cela, mais je sais que tu ne m'en voudras pas de t'avoir exprimé *ma joie. Tu es la plus belle rencontre que j'ai faite, personne ne le sait, personne ne le saura, mais toi, tu dois le savoir.*

Alice, je ferai toujours attention aux portes qui claquent sans raison, aux feuilles qui bougent sans que le vent se lève. Je sais que tu seras là, à jamais !

Je n'oublie pas le passé, Alice, mais l'avenir, enfin, est devenu mon horizon.

La vie qui continue Alice, la vie qui continue...

Merci pour tout ce que tu m'as apporté.

La Part des Anges *abritera notre secret. La part des anges... nos anges, nos étoiles.*

Lisa

MERCI

À toute l'équipe des éditions Michel Lafon, pour votre enthousiasme et votre envie de porter toujours plus loin mes romans.

Chère Elsa, ta confiance m'est nécessaire pour poursuivre cette aventure. Je me souviendrai longtemps de ton premier mail, un jour de février 2016. Depuis, cinq romans ont vu le jour.

Chère Huguette, vos conseils et votre énergie de tous les instants me sont si précieux. Je vous en suis profondément reconnaissant.

À vous, lectrices et lecteurs, je suis honoré de vos messages, vos témoignages, vos sourires…

Mes amis, vous êtes présents, pour certains, depuis si longtemps. L'amitié dans la simplicité et la sincérité. Surtout, ne changez pas.

Mes filles, mes trésors, je suis si fier de vous. Continuez de construire vos parcours de vie avec patience et la passion qui vous anime.

À toi, ma première lectrice ! Toi qui me soutiens tous les jours avec patience et amour. Tu as compris que ce roman était, pour moi, un peu particulier. Que j'étais prêt à l'écrire et que j'en ressentais le besoin. Que ferais-je sans ta force ?

À toi, petit bonhomme, tu as vu le jour pendant l'écriture du manuscrit. J'espère que tu le liras un jour. Pour l'instant, continue de grandir et de faire toutes les bêtises possibles.

À vous, mes grands-parents. Je me suis replongé dans votre histoire, j'ai eu souvent la gorge serrée. Il m'aura fallu tout ce temps pour comprendre ce que vous avez réellement vécu et enfin admettre que vos silences avaient un sens, celui de la souffrance. J'aurais tellement aimé vous lire ces pages le soir au coin du feu, dans la grande pièce près de la voûte au pied de la tour.

Soyez rassurés, le marronnier est toujours là, à l'entrée de la cour. Il veille sur votre maison...
La Part des Anges.

TABLE DES MATIÈRES

13049

Composition
PCA

Achevé d'imprimer en Espagne (Barcelone)
par BLACKPRINT
le 18 mai 2021.

Dépôt légal : mai 2021.
EAN 9782290249949
OTP L21EPLN002944A002

ÉDITIONS J'AI LU
87, quai Panhard-et-Levassor, 75013 Paris

Diffusion France et étranger : Flammarion